Éditions Druide
1435, rue Saint-Alexandre, bureau 1040
Montréal (Québec) H3A 2G4

www.editionsdruide.com

OPTIQUES

Collection dirigée par
Anne-Marie Villeneuve

DU MÊME AUTEUR

André Mathieu, biographie, Québec Amérique, 2010.
Charles Dutoit, le maître de l'orchestre, biographie, Éditions de l'Homme, 1986.

ALAIN LEFÈVRE

Catalogage avant publication de Bibliothèque et Archives nationales du Québec et Bibliothèque et Archives Canada

Nicholson, Georges
   Alain Lefèvre
   1. Lefèvre, Alain, 1962- . 2. Pianistes - Québec (Province) - Biographies. 3. Compositeurs - Québec (Province) - Biographies. I. Titre.

ISBN 978-2-89711-022-2
I. Titre.

ML417.L43N52 2012   786.2092   C2012-941223-6
ML417.L43N52 2012

Direction littéraire: Anne-Marie Villeneuve
Édition: Luc Roberge et Anne-Marie Villeneuve
Traductions: Michel Saint-Germain, Georges Nicholson
Révision linguistique: Luc Baranger
Assistance à la révision linguistique: Antidote HD
Maquette intérieure: www.annetremblay.com
Conception graphique du cahier photo: Gianni Caccia
Mise en page et versions numériques: Studio C1C4
Révision du montage: Isabelle Chartrand-Delorme
Conception graphique de la couverture: Gianni Caccia
Photographie en couverture: Caroline Bergeron
Photographie de l'auteur: Mathieu Rivard
Retouches photographiques: François Fortin, Gianni Caccia
Diffusion: Druide informatique
Relations de presse: le bureau de Francine Chaloult

ISBN papier: 978-2-89711-022-2
ISBN PDF: 978-2-89711-024-6
ISBN EPUB: 978-2-89711-023-9

Éditions Druide inc.
1435, rue Saint-Alexandre, bureau 1040
Montréal (Québec) H3A 2G4
Téléphone: 514 484-4998

Dépôt légal: 4ᵉ trimestre 2012
Bibliothèque nationale du Québec
Bibliothèque nationale du Canada

Imprimé au Canada

Georges Nicholson

ALAIN LEFÈVRE

Portrait

Druide

TABLE DES MATIÈRES

AVANT-PROPOS
Portrait

Il était presque inévitable, et donc naturel, qu'après avoir consacré près de quatre ans de ma vie à la biographie du compositeur-pianiste André Mathieu, je m'intéresse à celui qui nous a redonné ce chaînon manquant de notre histoire et de notre passé musical, et de vouloir brosser, ou du moins esquisser, un portrait du pianiste-compositeur Alain Lefèvre.

Artiste jusqu'au bout des doigts et pianiste passionné, Alain Lefèvre a un rayonnement qui dépasse largement les confins de la renommée d'un musicien classique. Au moment d'écrire ces lignes, Alain Lefèvre est connu, célébré et... vilipendé par certains. Qui plus est, son nom sur une affiche suffit à remplir les salles de concert et il n'est pas une tribune qui ne sollicite sa présence. L'accompagner dans une promenade vous réduit à être le témoin d'un chapelet de manifestations d'affection et de reconnaissance habituellement accordées à des leaders politiques ou spirituels. C'est que sa capacité à déclencher les rêves, à réveiller l'espoir et à rassurer ses semblables par des gestes altruistes plus émouvants les uns que les autres lui ont fait entreprendre ce qu'aucun de ses confrères n'a même amorcé : la conquête collective d'une Nation en quête de héros et de lumière. Il va sans dire que ce prosélytisme incandescent n'est pas sans irriter les héritiers et les gardiens d'une tradition mourante, où l'artiste n'avait qu'à jouer et à se tenir le plus éloigné possible de la réalité quotidienne.

Paul Loyonnet (1889-1988), pianiste français dépositaire de la grande tradition de l'École française venu s'installer chez nous en 1957 l'avait pressenti et disait déjà d'Alain Lefèvre au tout début de sa carrière : « Avec la technique qu'il a, le jeu, et le tempérament artistique qu'il possède et qui le met en transe perpétuelle, certainement, il doit réussir et il aura une action énorme sur le public. » La prédiction de ce grand ancêtre s'est plus que réalisée.

Qui, parmi les musiciens classiques, a pu atteindre à l'éclat d'une rock-star et faire la couverture du journal de rue *L'Itinéraire* ou partager pour une année entière l'espace alloué aux vedettes sur la couverture de *l'Almanach du peuple* ou être consacré Personnalité de l'Année dans la catégorie Arts, lettres et spectacles par le quotidien *La Presse* ? Quel autre pianiste peut prétendre afficher une feuille de route où chaque émission de variétés, chaque tribune radiophonique et chaque colonne des médias écrits ont accueilli, recueilli et commenté ses propos ? Qui d'autre depuis plus de trente ans met tout en œuvre pour former un nouveau public et exposer à la Musique des enfants pour lesquels le nom de Beethoven est avant tout un gros saint-bernard et qui, sans ses visites, son opiniâtreté et son acharnement, n'auraient jamais soupçonné l'existence d'un paradis qui, grâce à lui, n'est plus perdu pour eux ?

Lefèvre a depuis toujours prolongé ses séjours dans chaque ville où il est invité à jouer pour aller rencontrer les élèves des écoles et tenter inlassablement de jeter des ponts entre leur réalité et la caverne d'Ali Baba qu'est la Musique, grande et petite.

Enfin, quel autre artiste a réussi à incarner la musique classique et à faire en sorte qu'elle ne disparaisse pas tout à fait du petit écran de la télévision aux grandes heures d'écoute, même au prix d'être sandwiché entre la présentation d'une recette de « polenta à la Nunavut » et le nouveau prodige de danse à claquettes synchronisée ? Avouez qu'il faut la foi du croisé et le fanatisme de l'intégriste pour persister et réussir à être entendu et à s'imposer.

Que ce soit lors de la remise des Prix du Québec ou un concert-bénéfice au Centre Bell, ce n'est pas par hasard que tous les organismes caritatifs invitent Alain Lefèvre à jouer gracieusement pour leurs levées de fonds, sachant pertinemment que son nom à lui seul est la garantie d'atteindre et même de dépasser les objectifs d'une campagne.

Un des aspects les plus touchants et les plus désintéressés de l'engagement, de la mission même que Lefèvre s'est donnée, c'est de rencontrer sur leur territoire les aînés, les jeunes en difficulté, les êtres à qui la vie n'a pas tout offert et auxquels il apporte son sourire et son énergie contagieuse. Ces visites sont en fait des rencontres épuisantes et quasi insoutenables avec les condamnés, les punis, les exclus de la société, des moments qui font vraiment la différence dans la vie de ces hommes que la musique ne rejoint peut-être pas toujours mais qui ne peuvent refuser le don désintéressé de l'affection, de la fraternité offerte et, pour un instant, de l'abolition des murs qui les isolent du reste du monde.

Ces raisons et mille autres nous ont convaincus qu'à la mi-temps de sa vie, au sommet de ses moyens, au jeune zénith de la célébrité, de la renommée et de la notoriété d'Alain Lefèvre, il était naturel et inévitable d'en brosser un portrait réclamé par l'amour indéfectible du public.

Portrait et non biographie... Une biographie s'engage à retrouver la cohérence et la logique d'une trajectoire qu'on balise et qui s'éclaire à la lueur des événements, des choix, des gestes, des conséquences et des retombées d'une vie qui a fini sa course. Le portraitiste choisit un angle, éclaire ou estompe une courbe, détourne le regard ou jette une ombre pudique sur des événements sensibles, préserve l'anonymat de certaines personnes ou, sans trahir la vérité, glisse sur des blessures dont les cicatrices sont encore lancinantes... Ce portrait veut avant tout retrouver sous l'avalanche médiatique le visage d'Alain Lefèvre en y extrayant ce qui le rend unique et indispensable, et en choisissant à travers propos et confidences les traits qui le définissent le mieux.

Au lecteur qui voudrait tout savoir, nous donnons rendez-vous dans quelques décennies. En attendant, laissons à celui qui s'est installé dans la conscience et le cœur de ceux qui l'écoutent et le connaissent, la part de mystère et la clé des jardins intérieurs qui doivent rester secrets pour que la vie suive son cours.

Car pour Alain Lefèvre, que ce soit dans son art, dans sa vie ou dans ses sentiments, les joies et les peines, les difficultés et les triomphes se vivent à une échelle démesurée et au diapason d'une sensibilité exacerbée. Une journée ordinaire est une aventure où il faut négocier, circonvenir et triompher de mille obstacles. Une matinée peut prendre l'allure d'une musique débordante de détails que nous n'avons jamais entendus. Plus tendre et plus organisé, plus naïf et plus survivant que nous tous, c'est dans l'inouï et l'inconcevable que Lefèvre donne quotidiennement sa pleine mesure. Ses ruses d'enfant et son regard droit et étonné n'exposent que davantage une vulnérabilité qui se transforme instantanément en résilience du survivant. Ce maelström à deux pattes emporte tout sur son passage et il est facile de débusquer l'affection profonde qu'il porte aux autres à travers ses surgissements de démagogie lyrique. Celui qui attire des témoignages qui nous arrachent le cœur comme celui-ci, mérite qu'on retrace les événements de sa vie. Voici parmi des centaines un petit mot qui résume à lui seul l'impact d'Alain Lefèvre :

COURRIEL REÇU LE 24 NOVEMBRE 2011

Bonjour madame l'assistante,

Je voulais prendre le temps d'écrire, de dire à M. Lefèvre mes sentiments au sujet de son œuvre. C'est important pour moi, c'est plus fort que tout.

Ma seule occupation ces temps-ci c'est de vivre le temps qu'il me reste à vivre. Le cancer m'a eue, mais le bonheur lui n'est pas mort. Mes joies les plus intenses, je les dois à l'art, à la créativité et au génie de ceux qui les partagent avec nous, les auditeurs, les amoureux de la beauté.

J'ai accompli beaucoup de rêves ces temps-ci, c'est super. Et sa musique en a beaucoup fait partie, comme durant les vingt dernières années. J'ai 39 ans et, à chaque anniversaire depuis quelques années, je demandais un CD d'Alain. J'aimerais tant le remercier pour la constance de sa passion, pour l'éventail des émotions véhiculées, pour le don… qu'il a reçu et redistribué sous forme de joie. J'aurais tant aimé lui dire et qu'il voie dans mes yeux que j'en pense chaque mot. Je sais qu'il doit recevoir beaucoup de lettres, de compliments, mais j'ai espoir que mon message se rendra.

Merci pour *Petite mère* à l'enterrement de mon amie Rosa, merci pour les innombrables concertos d'André Mathieu qui furent comme de véritables chevauchées du cœur dans des mondes, là où tout est beau ; merci pour le *Concerto de Québec* et la naissance de ma fille à l'hôpital dans la solitude, alors que mon conjoint était à l'extérieur, merci pour *Petit Noël*, qui sera la trame sonore de mon dernier moment en famille, dans l'amour. Quand je fermerai les yeux, moi, je vais penser à vous, monsieur, et à ce que vous avez laissé comme trace dans notre monde.

Merci d'exister et je vous souhaite la continuité de votre carrière. Quel bel héritage.

Merci.

C. P.

Le cynisme, devenu par la force des choses le mécanisme de défense de toute notre culture, se méfie du messager qui parle de fraternité, de bonté et d'amour. Trop beau pour être vrai ?

Dans chaque vie, peut-être même sans qu'on en soit conscient, il y a des garde-fous, des tremplins, des paroles qui nous habitent et nous guident. Dans la vie d'Alain Lefèvre, trois phrases-repère ont balisé sa trajectoire. La première lui a été dite en pleine adolescence au carrefour des premières effervescences par sœur Sainte Berthe de la Congrégation Notre-Dame, son professeur de piano de onze à dix-sept ans, qui assurait son approvisionnement en tendresse et croyait au destin exceptionnel de son élève. Un jour, elle, religieuse, mariée au Seigneur, sans doute après qu'Alain eut particulièrement bien joué, lui lance des mots illuminés qui vont le définir : « Tu seras le pianiste du Seigneur. » Elle venait de lui donner sa mission : l'Art comme outil de la bonté.

L'autre pierre de taille lui est offerte plus tard à Paris, par ce père d'élection et d'affection, Kito Barouch, qui lui intime de manière dramatique et péremptoire : « Je veux que tu sois toujours aussi beau que ta musique ! » Venant d'un homme qui avait connu les horreurs de la Seconde Guerre mondiale auxquelles les Israélites, comme il voulait lui-même être identifié, avaient été exposés, cet appel à la dignité avait un poids qui chaque jour, rappelle Lefèvre à l'ordre.

Et le troisième principe directeur est une phrase que Lefèvre lui-même a signée et, comment s'en étonner, c'est un principe de survie : « Sois toujours là où on ne t'attend pas. »

Cette capacité phénoménale de résilience et cette volonté plus forte que tous les obstacles nous aident à comprendre sur quelles fondations s'assoit cet édifice devenu vertigineux. Ces trois credo exposent aussi les racines de cette base populaire qui lui assure l'affection indéfectible du public et l'impose malgré eux à ces joueurs qui ont pu un certain temps obstruer la route qui l'a mené dans la conscience et le cœur de tous les citoyens du monde. Toutes ces raisons et d'autres encore nous ont amené à vouloir tenter d'éclairer le parcours, mieux, le destin exceptionnel d'Alain Lefèvre.

I

Les origines

«Il y a de grands pans de mon enfance que j'ai dû oublier volontairement!» Pas besoin d'agrégation en psychologie pour comprendre
que refouler le passé et enfouir ses souvenirs quand on possède
une mémoire tout azimut comme Alain Lefèvre ne peut être que le
symptôme d'une douleur si vive qui, dût-elle remonter à la surface, pourrait menacer l'intégrité de la conscience. Quand il relate un souvenir, non seulement peut-il décrire l'ambiance sonore
d'un lieu, mais également s'il faisait chaud, humide ou froid et décrire l'intensité de la lumière et les odeurs qui accompagnaient la
scène. Cet homme qui se livre et qui ne semble pas connaître les
inhibitions qui font garder secrètes les blessures intimes tant il
sait que son témoignage pourra secourir celles et ceux qui sont
dans la même situation, cet homme, donc, si près de tous les fré-
missements de la vie, annonce qu'il y a une zone, une époque,
l'enfance, qu'il a oubliées, volontairement.

Ce soir-là, sortie pour Alain et sa femme Johanne avec deux
amis, deux complices, Louise Richer et Guy A. Lepage. Attablés
au restaurant Leméac, ils achèvent leur repas et une jeune femme
s'approche de la table. Elle s'accroupit à côté d'Alain et éclate
en sanglots. Dans l'univers du show-biz, Lepage et Lefèvre ont
tout vu mais ce qui se passe à ce moment-là est bien plus que la
réaction d'une admiratrice subjuguée par l'émotion d'être enfin
devant son idole. Elle se lance: «Je vous ai vu vous faire battre

dans un abribus en plein hiver. Vous étiez couché en chien de fusil et les sauvages vous donnaient des coups de pieds dans le visage, dans les côtes et dans les parties génitales… Vous étiez en sang… J'ai eu peur et je n'ai rien fait, je me suis sauvée et j'en ai fait des cauchemars pendant des années… » Lepage qui en a vu d'autres observe la scène et arrive à la conclusion que la fille n'est pas folle : « Vous rappelez-vous ? » lui demande-t-elle. Et Lefèvre, abasourdi, s'entend répondre : « Non ! », car c'est la vérité.

Bien sûr, sans même en décider, pour quelqu'un qui est toujours dans le moment présent, qui brûle chaque seconde comme si c'était la dernière, hier est un autre continent et l'enfance est tout au plus cette couche d'humus qui a permis aux frondaisons d'aujourd'hui d'ondoyer. Cherche-t-on à fouiller la terre qui soutient l'arbre ?

Évidemment qu'il ne se souvenait pas avoir été heureux à la petite école, mais avoir fait disparaître un moment aussi atroce de sa mémoire ? Avec le récit de la jeune femme, un voile se déchirait et la réalité que cette déchirure mettait au jour était troublante.

:::

Le père d'Alain, André Lefèvre, troisième de quatre enfants, (Robert et Raymond, ses deux frères et une sœur, Germaine), a passé son enfance dans un petit village de France, la France profonde, celle de Brunelles, en Eure-et-Loir, à quarante-cinq minutes de Chartres et une heure et demie de Paris. Alain, à la blague, déclarera que la population de ce village de l'arrondissement de Nogent-le-Rotrou est de cinquante habitants… quand il fait beau !

À l'origine de tous les destins un tant soit peu exceptionnels, il y a toujours une grand-mère dont il est à peu près impossible de démêler la généalogie. Ici, elle aurait pu apparemment être d'origine juive polonaise et peut-être même aristocratique…

Infirmière de la Croix-Rouge pendant la Première Guerre mondiale, c'est là qu'elle rencontre son mari, le grand-père d'Alain, héros de guerre, un des premiers gazés, dans cette hécatombe qui annonçait avec fracas l'horrible XXe siècle. Cette jeune infirmière, Germaine Senné, est très belle, et le grand-père, dont on croit se souvenir que le prénom est Isidore, est aussi un très bel homme. Elle le soigne, le ramène à la vie, et il lui demande de partager cette vie qu'elle lui a rendue. Ils s'épousent et s'installent à Brunelles. Isidore ayant omis de lui parler de son village, Germaine aurait eu un choc quand elle prend la mesure de la vie qu'elle va mener !

Maçon de profession, le grand-père n'avait pas le sens des affaires. Il pouvait acheter un sac de plâtre à deux francs et en réclamer un comme salaire de son labeur. Malgré tout, la famille grandit et leur troisième enfant, le père d'Alain, André, est d'une beauté à couper le souffle. Garçon de ferme à Brunelles, André fait la connaissance de Georges Le Neures, professeur de musique à Mortagne, là où le philosophe Alain enseignait. Le Neures l'initie à la musique, aux arts et à la littérature, et ces fenêtres ouvertes le poussent à vingt ans à quitter Brunelles et à… s'enrôler dans l'armée française ! Ce n'est pas pour devenir soldat, mais pour être musicien qu'il s'est engagé, et comme l'armée a sa propre harmonie il choisit la clarinette et s'inscrit aux cours de l'École nationale de Mulhouse. Il remporte son premier prix en 1952 et décroche son brevet de sous-chef de fanfare en 1953. Ce n'est qu'à l'armée qu'André peut réaliser son rêve d'être musicien. Plus qu'un passeport pour sortir de son village, où il se faisait réveiller à quatre heures du matin avec une soupe baptisée à l'alcool pour fouetter les ouvriers au travail, la Musique deviendra le but de toute sa vie. Musicien plus que soldat de carrière, il est soliste de l'ensemble instrumental. André Lefèvre réussit à échapper au destin tout tracé devant lui. L'harmonie militaire donne des concerts un peu partout et c'est ainsi qu'un soir, à Dunkerque — là où la plage est chargée de souvenirs terribles pour les Canadiens, dont il ne sait pas encore qu'il va partager la vie —, une ravissante jeune femme d'origine flamande, blonde aux yeux bleus comme des myosotis en fleurs s'approche. Le couple Thérèse Hochart-André Lefèvre se découvre ce soir-là.

Elle est née en 1936 à Petite-Synthe, dans le Nord-Pas-de-Calais, dans une famille de seize enfants. Dès l'âge de six ou sept ans, elle commence à travailler dans une usine où sa tâche est de mettre du goudron dans des piles. On ne peut parler d'une enfance heureuse. Son père était lui aussi un héros de la Première Guerre mondiale, blessé et décoré. Les Allemands l'ayant pris et battu en le soumettant au jeu des barres de fer, il en était resté légèrement handicapé.

Thérèse et André se marient. Pour André, qui avait souhaité entrer dans les Ordres et devenir prêtre-missionnaire en sortant de l'Armée, cette jeune femme le détourne du chemin qu'il s'était tracé. Voilà que cette tornade passionnée l'arrache à lui-même et que Philippe, l'aîné des cinq enfants Lefèvre, naît le 10 mai 1956, à Niort, où André s'est installé et enseigne la clarinette et la flûte à l'École de musique. C'est là que leur deuxième fils, Gilles, voit le jour le 8 mai 1959. Ces deux êtres meurtris qui voient leur famille grandir exigent de la vie autre chose que le confort et l'indifférence. Ces idéalistes se mettent à échafauder des projets de vie, à rêver d'un monde neuf, de s'investir d'une mission qui dépasse les paramètres traditionnels de la famille.

En 1962, le couple et leurs deux jeunes fils quittent Niort et vont s'installer à Poitiers, où André vient de décrocher un poste de professeur au Conservatoire. Il est soliste de l'Orchestre symphonique, il explore la musique ancienne, il enseigne la théorie musicale et le solfège. Un troisième enfant s'annonce : c'est Alain, qui vient au monde le 23 juillet 1962.

Pour préparer l'avenir, André amasse un revenu supplémentaire en vendant des polices d'assurance de la Bâloise-Vie. Cela lui permet d'accumuler le petit pécule nécessaire à la réalisation de leur grand projet, leur grand rêve : partir pour l'Amérique, opérer une coupure totale, rompre tous les liens et aller prendre racine dans une terre nouvelle, ce Nouveau Monde, cette ancienne Nouvelle-France. Alain n'a pas cinq ans quand ses parents décident de tout recommencer et de remettre les compteurs à zéro, inconnus, sans passé. On ne peut s'étonner si leur fils, trente ans plus tard, choisit lui aussi de ne plus se souvenir, d'oublier, d'enfouir ce qu'on ne peut qu'imaginer.

Le Français immigre mal, la France est si belle. Mais les Lefèvre ont choisi Montréal, à trente et un ans pour Thérèse et trente-sept ans pour André. Un ancien copain de l'armée, Gaby Raclé, les aide à mettre sur pied ce projet fou. Raclé connaît quelqu'un à la Commission des écoles catholiques de Montréal et André décroche un poste de professeur de musique. Il doit commencer à enseigner en septembre à l'école Honoré Mercier. Il arrive seul, en Caravelle, trouve à Ville-Émard, un appartement rue Jogue, du nom d'un des saints martyrs canadiens.

En septembre 1967, la légendaire Expo universelle jette ses derniers feux et la famille Lefèvre s'installe au Québec. Alain, dans un élan de ferveur patriotique, attribue le coup de foudre de ses parents pour le Québec au livre *Québec, terre promise*, qui aurait fait rêver le couple à de nouveaux horizons. Le titre exact est en fait *Canada, terre promise*, paru chez Fayard en 1967 et signé Jean Toulat. Thérèse et les enfants font le voyage en paquebot, le SS Sylvania de la ligne maritime Cunard, et toute la famille se trouve réunie rue Jogue en ce début d'automne où s'achève la grande fête que le maire Drapeau a offerte pour célébrer les trois-cent-vingt-cinq ans de sa ville. C'est aussi le 24 juillet, le lendemain de l'anniversaire d'Alain, que le général Charles de Gaulle, président de la République française, a lancé des mots qui flottent encore quelque part dans nos mémoires. Ce souffle d'espoir et de renouveau concorde tout à fait avec le rêve des Lefèvre. Tout est possible et cette terre promise, c'est Montréal. Mais pourquoi ce geste si dramatique ? Ce déracinement ? L'aîné, Philippe, quelques semaines avant qu'elle ne disparaisse, a recueilli des lèvres de sa mère des confidences qui expliquent qu'elle ait voulu mettre la plus grande distance possible, un océan entier, entre elle et sa famille. Qui plus est, jamais les parents ne parlaient de leur passé, de leur famille, de leur vie avant le Québec. D'autre part, en interrogeant des amis, des témoins de l'époque et des confrères, il apparaît que la famille Lefèvre est « spéciale » et peut provoquer des réactions diverses…

À peine débarqués, les enfants reprennent leurs études de musique. Philippe et Gilles sont inscrits à l'école, car ils ont déjà commencé leur apprentissage musical respectif en France, mais pour Alain, c'est la rencontre et l'initiation au piano, l'instrument qui va façonner, déterminer et définir sa vie.

Faisons tout de suite naître David, le quatrième fils, qui arrivera le 3 novembre 1969, et posons-nous la question suivante : est-il tout à fait normal de décider de la vie de vos enfants sans qu'ils aient même voix au chapitre et de distribuer les instruments qu'ils vont pratiquer des dizaines d'heures par semaine comme au hasard ? Philippe, le piano, Gilles, le violon, Alain, le piano et David, le violon. Donc, tous les enfants seront musiciens ! On tient pour acquis qu'ils sont doués et qu'ils vont aimer la musique. La question est légitime et se pose : pourquoi ? « À la lueur de l'enfance de mes parents, la musique était leur rédemption et ils avaient la ferme conviction qu'elle rendait l'homme meilleur. »

Cette vocation qui avait poussé André à vouloir devenir missionnaire en Afrique s'est transformée en apostolat par la musique. D'ailleurs, l'image qu'il a laissée à ceux qui l'ont côtoyé est celle d'un être d'une grande douceur et d'un travailleur acharné. Discret jusqu'à l'effacement, quand il se livrait à la conversation, les sujets spirituels, la volonté de comprendre l'homme et son destin le faisaient percevoir comme un être mystique, quasi-couronné d'une auréole de sainteté. S'il était très dur pour les siens, s'il tenait très haut la barre, il s'obligeait à respecter lui-même ses propres standards sans aucune pitié. Ce qui lui avait permis d'accéder à une vie nouvelle, il l'appliquait aux siens : le travail, la quête spirituelle, la discipline, la musique, le travail, la discipline, la musique…

Si, pour se réaliser, la musique est le moyen par excellence, l'alimentation joue aussi un grand rôle dans la famille Lefèvre. Aucun alcool, incluant le vin, ne franchit le seuil de la maison. La viande, rouge ou blanche, et même le poisson sont interdits. Le tabagisme sous toutes ses formes est anathème et chocolat, bonbons, chips, hot-dogs, hamburgers et patates frites font partie de la décadence mondiale. Végétariens, s'inscrivant dans cette mouvance de pureté, ils poussent l'idéalisme jusqu'à soupçonner le plaisir d'être une porte ouverte au laxisme, à la facilité, à la médiocrité, à cette absence d'idéal qui leur a fait abandonner la France.

Alain ne garde aucun souvenir de ses années françaises, mais une légende familiale voudrait que Thérèse, convertie à de nouvelles théories, ait refusé de faire vacciner Alain, l'idée d'injecter un embryon de maladie pour la prévenir lui semblant le comble de l'absurdité. Les Lefèvre auraient appartenu à un mouvement de contestation, probablement la Ligue Nationale pour la Liberté des Vaccinations, et apparemment, l'un des rares endroits où les enfants n'étaient pas obligés de se faire vacciner, c'était le Québec. Et à ce jour, après avoir voyagé sur quatre continents, Alain Lefèvre ne s'est jamais fait vacciner.

Autre exemple de l'idéalisme intransigeant des parents. La grand-mère Lefèvre, née Senné, faisait des ménages chez un homme riche qui s'était posé en parrain adoptif d'André. À son décès, il laisse une cave à vin de plusieurs milliers de bouteilles du vignoble de Lislet à son filleul adoptif. Mais, accepter cet héritage aurait été trahir ses principes qui lui faisaient bannir l'alcool et Lefèvre refuse cet héritage qui revendu, l'aurait mis à l'abri des tracasseries financières. C'était hors de question !

À cette époque de quête spirituelle et de retour à la terre, l'avenir de la planète est au cœur des préoccupations et une étude géologique avait semble-t-il révélé que le Bouclier canadien pouvait protéger des pires catastrophes qui auraient pu menacer leur famille. C'était aussi pour cela que le Québec était une terre promise.

> Je crois que mon père avait un dégoût profond de ce qu'il avait vu des Humains et qu'il voulait une famille où tout serait beau, propre, pur. C'était une idée, encore mieux, c'était une esthétique de vie. Tous le disent, c'était la musique, la musique et le travail, le travail et le dépassement de soi, la gentillesse, le don de soi, c'était juste ça, juste ça...

Si André va rapidement travailler à l'École normale de musique, puis à l'Université du Québec à Montréal et enfin à l'Université de Montréal à partir de 1978, Thérèse assure la gestion du quotidien. Que ce soit les cours de musique, les horaires de pratique ou faire rouler une maisonnée avec quatre garçons et un mari qui travaille tout le temps, toute la réalisation pratique du rêve est laissée à Thérèse, l'explosive, la passionnée, cette force de la nature qui galvanise les troupes et les tient en rang d'oignons. D'ailleurs, parmi des centaines de recettes ingénieuses, la fabrication du sirop-maison contre la toux donne encore des frissons à son fils Alain. Il s'agissait de trancher en lamelles fines dix kilos d'oignons et de distribuer dans un grand plat une rangée d'oignons, une épaisseur de cassonade, une rangée d'oignons et ainsi de suite, de laisser macérer pendant un mois et de recueillir le sirop. Voilà quelle était la recette miracle ! L'odeur qui s'imprégnait dans toute la maison n'était rien en comparaison de l'haleine hallucinante qu'exhalaient les enfants à l'école...

À part la fameuse soupe aux pommes de terre, avec bien sûr des oignons et des herbes, bouillies pendant des heures, la soupe au pistou a connu une longue carrière, sans parler de la salade aux pissenlits, que Thérèse cueillaient elle-même, et qui ne laissait personne indifférent. Les cataplasmes d'argile extirpaient le « méchant », ensuite remplacé par le blé germé, symbole de la vie, puis le charbon de Bullock expurgeait les intrus qui avaient réussi, malgré la vigilance de Thérèse, à s'infiltrer dans le corps de ses enfants. Les vêtements qu'elle cousait pouvaient aussi parfois provoquer l'étonnement. Ballotés qu'ils étaient d'un credo à l'autre à la recherche du régime menant à la santé et au bonheur, Alain garde un souvenir inoubliable de cette période. La perfection n'a qu'un défaut, elle est insupportable et cette vie que l'on désire parfaite est trop éloignée des besoins de l'enfance pour ne pas éventuellement créer son contraire : le chaos.

Dès leur arrivée à Montréal, les fils Lefèvre sont acheminés vers leur professeur respectif : Philippe étudiera avec Paul Loyonnet, puis sœur Sainte Berthe et Nathalie Pépin ; Gilles est inscrit au Conservatoire dans la classe de violon solo de l'Orchestre symphonique de Montréal (osm) de Calvin Sieb, et, en 1974, il remportera le premier prix du Concours de l'osm.

C'est à sœur Marie-Thérèse Guay, de l'École normale de musique, qu'échoit la responsabilité de creuser les fondations de la technique d'Alain Lefèvre. Très rapidement, la directrice de l'École, la légendaire sœur Marcelle Corneille, découvre, avec sœur Thérèse Boucher pendant un test de solfège, qu'Alain a l'oreille absolue. Il a le don d'identifier chaque son par son nom de note qu'il reconnaît dès qu'entendue.

Alain est un enfant lumineux, volubile, et qui séduit déjà. Il plaît et il cherche à plaire. C'est un hyperactif et, dès les premières leçons, où il se rend accompagné de sa mère, sœur Guay perçoit tout de suite qu'Alain a compris d'instinct que le piano est un moyen infaillible pour atteindre les autres. Déjà, il a l'esprit compétitif, déjà, il sait comment déclencher les applaudissements, déjà, il commence à développer les outils qui lui permettront de galvaniser une salle. Sœur Guay s'en souvient comme si c'était hier : « J'ai donné ma pleine mesure parce qu'il avait du talent. » Elle se rappelle que, dès cette époque, atypique pour ne pas dire étrange, Alain aimait les parfums, et qu'il avait fait une profession de foi, à savoir qu'il ne porterait jamais de jeans. Mais, se souvient sœur Guay, déjà au piano il était en contrôle et n'était pas inquiet.

Cette religieuse dans la force de l'âge, qui fut son seul son professeur de 1967 à 1973, part ensuite enseigner à Québec. Avant de la quitter, il n'est peut-être pas inutile de remonter son arbre généalogique pédagogique. Elle a reçu sa formation des mains de sa sœur Marie-Paule qui, elle, avait été formée par Henri Gagnon. On entre ici dans l'aristocratie musicale du Canada français puisque Gagnon avait travaillé avec Arthur Letondal, qui avait suivi les cours de Marmontel à Paris et d'Arthur de Greef à Bruxelles. Gagnon lui-même avait reçu les leçons d'Isidor Philipp à Paris. L'héritage que transmettait donc sœur Marie-Thérèse Guay à Alain appartenait à la même tradition que celui qu'il recevra, amélioré, des mains de son futur maître, Maître Sancan.

Parallèlement à la musique, il fallait bien aller à l'école, et c'est là que les choses se gâtent un peu. Alain le dit lui-même : « J'étais la fille de ma mère, il fallait toujours que je sois avec maman, maman c'était la fin du monde, c'était toujours maman ! »

Être accompagné par sa mère dans la cour de l'école jusqu'au secondaire n'était peut-être pas la norme des autres familles de Ville-Émard. Alain est chétif, il est délicat, il est blanc, il est même blême, il est français, il est bien habillé, il aime le parfum, il est pianiste et il fréquente l'École Saint-Jean Damascène de Ville-Émard. Il aime sa maman et cette première séparation de la présence maternelle à l'école primaire, c'est la fin d'un monde, non, en fait, c'est la fin du monde pour cet enfant qui n'est absolument pas équipé pour survivre dans ce milieu.

Enfance heureuse et atroce à la fois, l'école s'avère être dès le primaire un calvaire quotidien. Dans un milieu populaire, ouvrier, le soin qu'Alain lui-même met à être impeccable, parfait, le stigmatise d'emblée auprès des autres enfants. Il est certain qu'un enfant conscient de son talent est un peu spécial, différent, et devait provoquer une réaction complexe chez les autres écoliers.

Le fait qu'il porte l'eau de toilette à la lavande de son père dès son entrée à l'école, dans l'espoir de masquer l'odeur d'ail qui lui sort par tous les pores de la peau, ne facilite en rien son intégration. À partir de sept ans, Alain se met à repasser ses vêtements lui-même. Chaque dimanche soir, il prend une heure et s'assure que le pli de son pantalon, que les poignets et les cols de ses chemises, que même ses mouchoirs sont parfaits et sans faux pli. Il va même jusqu'à repasser son portefeuille, son père lui expliquant enfin que le cuir ne se repasse pas, mais se cire. Alain détruira un peu l'effet recherché en tachant les poches de ses pantalons de la cire noire dont il enduit son petit portefeuille. Ses frères commencent à le considérer comme un être étrange mais, percevant sans doute ce geste comme s'inscrivant dans la poursuite de la perfection, son père le soutient silencieusement.

En 1971, Alain avait goûté pour la première fois, non seulement à la victoire, cette saveur lui était déjà familière, mais, à neuf ans, il avait pu découper dans les journaux sa photo en compagnie des deux autres récipiendaires du Prix Heintzman : Olga Gross, huit ans, et Pierre Lescaut, onze ans. Le Premier Prix du Concours « Les Étoiles de Demain » est un superbe piano à queue Heintzman et Alain aura donc, à partir de ce moment, son piano pour travailler. Non seulement voit-il son visage et son nom dans les journaux, mais il éprouve pour la première fois la force des médias quand il est invité à la Télévision de Radio-Canada, interviewé par Aline Desjardins à l'émission *Femme d'aujourd'hui*. L'accent français est encore bien présent, il est poli, il est bien élevé, en fait, il est parfait. La raclée qu'il attrape le lendemain à sa nouvelle école, l'école Notre-Dame-de-Grâce, lui confirme que son passage à la télévision n'est pas passé inaperçu !

Une question devient inévitable quand on pense à quelles extrémités de sécurité, de nos jours, les professeurs et les directions d'école sont tenus : comment ce *bullying* pouvait-il être toléré à la maison ?

Avec des parents français, s'il t'arrive quelque chose de pas bien à l'école, c'est automatiquement de ta faute. En tout cas, avec les miens. Alors, j'arrivais à la maison et c'était parfois plus difficile qu'à l'école.

Conséquence de cette époque, qui aujourd'hui encore le suit et le hante, fidèle et indomptable, l'insomnie s'insinue dans la vie d'Alain Lefèvre pour ne plus le quitter.

S'endormir, c'était l'activité avant de se lever et se lever, voulait dire aller à l'école, et aller à l'école c'est se faire battre et être le souffre-douleur, donc si on ne dort pas, on ne peut pas se réveiller et on n'a pas à aller à l'école.

Réveiller les parents tous les quarts d'heure en leur demandant s'ils dorment a des allures de sketch d'humoriste, mais n'a vraiment rien de drôle. On y lit toute la détresse d'un enfant pris en étau entre son sens du devoir et les réactions qu'il provoque. N'aurait-il pas pu se fondre dans la masse anonyme et éviter ainsi de payer le prix d'une différence qu'il choisit ? C'est peut-être à partir de ce moment-là que s'installe pour toujours cette opiniâtreté, qu'on pourrait percevoir comme de l'orgueil, cette volonté de n'écouter que son instinct, ses goûts, ses choix et de ne suivre que le chemin qu'il s'est tracé, et de s'écarter des sentiers battus tant dans sa vie que dans sa musique.

Le départ de sœur Guay alors qu'il n'a que dix ans est allégé par l'arrivée d'une de ses mères-substitut dont Alain va émailler son parcours, sœur Sainte-Berthe. Cette dernière reprendra son nom de jeune femme après la laïcisation des communautés religieuses et deviendra sœur Antoinette Massicotte. Mais nous l'appellerons sœur Berthe comme tout le monde. Sœur Berthe accueille un Alain Lefèvre déjà récipiendaire du premier prix à plusieurs reprises du Concours de Musique du Canada. D'ailleurs, cette année 1973, dernier cadeau de sœur Guay, une *Étude en mi mineur* de Liszt lui a permis d'accéder à la finale nationale.

Sœur Berthe est un peu le professeur-vedette de l'École normale de musique et on ne peut nier qu'il y ait eu une grande rivalité entre les Dames de la Congrégation de Notre-Dame, à laquelle elle appartenait, et les Sœurs des Saints Noms de Jésus et de Marie de l'École de musique Vincent d'Indy. Sœur Berthe va jouer un rôle capital, non seulement dans la formation de ce très jeune adolescent, mais dans sa vie, pendant le prochain quart de siècle. Non seulement va-t-elle veiller à développer sa formation musicale et sa technique pianistique, mais elle sera aussi ce réservoir affectif inépuisable jusqu'à son départ pour retrouver son époux céleste. Alain a ces mots pour sœur Berthe:

> Cette femme a été une maman, non ce n'est pas juste, sœur Berthe a été le grand amour, la grande consolatrice. Sœur Berthe encore aujourd'hui (elle est morte en 1997) reste cette femme qui m'a tellement donné, qui m'a tellement aimé. C'est un grand amour et mon amour pour sœur Berthe a duré jusqu'à sa mort puisque je l'ai accompagnée jusqu'à la fin. Je suis allé la voir à l'hôpital pendant sept ans presque toutes les semaines… Un grand amour…

Alain le répète souvent, ses études académiques se sont terminées avec l'obtention de son diplôme de secondaire 5 à l'école Saint-Luc. Tout son parcours scolaire a été une longue progression dans l'apprentissage et la conquête de l'altérité. Que ce soit à l'école Saint-Jean Damascène, à l'école Notre-Dame-de-Grâce, au Daniel O'Connell Highschool ou, pour finir, à l'école Saint-Luc, fort de ce sentiment de sécurité que lui procure cette mère-courage ou cette mère-ourse, cette Thérèse prête à affronter et à défendre bec et ongles sa tribu, ou l'amour indéfectible et la tendresse que lui offre sœur Berthe, Alain Lefèvre va développer des mécanismes de survie uniques, qui le préparent à tous les combats. La musique devient la seule échappatoire. Cette volonté de bien faire, d'exceller, a pour mobile une fuite en avant et donne à cette période une allure fébrile. C'est aussi la meilleure façon d'avoir la paix, parce que quand il travaille il n'y a pas de discussions, plus de batailles, plus de guerre avec les parents, puisque c'est d'abord et avant tout ce qu'ils veulent : il n'y a plus rien à négocier puisqu'il devient le fils modèle. Alain va même jusqu'à mettre au point un outil de contrôle pour être sûr de ne pas se mentir. Dans un cahier, il divise les heures en carrés qui représentent quinze minutes de pratique chacun. Comme il décide à partir du secondaire 3 de travailler huit heures par jour, trente-deux petits carrés attendent chaque matin d'être remplis. Toutes les quinze minutes, un carré se noircit. Il fallait être honnête ! Les parents s'inquiètent un peu de tant de rigueur, pour ne pas dire d'acharnement, mais puisque son jeu s'améliore va-t-on briser son élan ?

Ce qui résume peut-être le mieux le climat familial et l'atmosphère du 5125, avenue Notre-Dame-de-Grâce, où les Lefèvre ont emménagé un an auparavant, c'est cet événement charnière qui aujourd'hui encore reste un sujet tabou. Au début de l'année 1972, Philippe a seize ans, Gilles en a treize, Alain arrive à 10 et David en aura bientôt trois. Ces quatre garçons vont être les témoins muets et silencieux d'un événement qui aurait dû leur arracher des cris de joie. Au printemps, les parents, André et Thérèse, annoncent aux enfants qu'ils seront bientôt cinq enfants. Maman est enceinte. Les quatre garçons sont curieux de voir apparaître ce deuxième petit Canadien, ou qui sait, cette petite Québécoise, car ce pourrait être une fille ! La routine de pratique, école, enseignement et taxi pour les leçons à travers la ville se poursuit et, à la fin de septembre, Thérèse se rend à l'hôpital pour donner naissance à son cinquième enfant. Ce couple hyper conscient de son alimentation, dévoué jusqu'au sacrifice à ses enfants, anti-tabac, anti-alcool, végétarien et éperdu d'amour pour la création et ses créatures revient de l'hôpital, seul, sans petit frère ni petite sœur. Une épreuve, une tragédie a frappé le fruit de cette union : Isabelle, la petite fille tant espérée est née trisomique. Forcé de prendre la décision la plus difficile de son histoire, le couple, pour protéger la cellule, la famille, les carrières naissantes, choisit de placer l'enfant. Personne ne peut juger l'immensité du sacrifice et le sentiment d'échec qu'ont dû éprouver ces deux amoureux de la perfection. La défaite infligée à tous leurs principes et la déroute éthique qu'a dû représenter la naissance de cette enfant leur envoient un signal d'alarme qu'ils mettront le reste de leur vie à intégrer. Une chose est certaine, aucune explication, aucune question, aucune discussion ne sont permises. Retour à la maison avec le cœur piétiné et la détermination plus que jamais chevillée au corps de mener coûte que coûte les garçons à travers la musique, à la carrière, à la rédemption. Ce silence assourdissant n'a pu être qu'un poids terrible pour ces enfants.

Cette même année, sans doute avec les meilleures intentions du monde, et en voulant multiplier les opportunités, André et Thérèse inscrivent Alain à l'école anglaise, à la Daniel O'Connell Highschool, et c'est une escalade dans l'horreur, parce que bien sûr, cet adolescent innocent et pur, qui est pianiste, qui baragouine un anglais à la Maurice Chevalier, qui est toujours blême, et français de surcroît, est la victime sacrificielle tout indiquée. Daniel O'Connell est fréquentée par les anglophones pauvres du quartier Notre-Dame-de-Grâce et accueille de plus en plus d'immigrants. Il y sera battu systématiquement, crucifié, jusqu'au jour où Marie Tiffou, la fille du grand savant Étienne Tiffou, décide que là, ça dépasse les bornes, et fonde avec d'autres jeunes filles une ligue de défense d'Alain Lefèvre contre les brutes. C'est au cours de cette période que la scène évoquée en début de chapitre au restaurant Leméac s'inscrit dans le récit : Alain est recroquevillé dans la neige, dans l'abribus où, la jeune femme le lui avoue un quart de siècle plus tard, elle l'a abandonné, ensanglanté.

Pour ajouter l'insulte à l'injure, les Lefèvre, suivant la tradition européenne, lorsqu'ils se rencontrent, s'embrassent. Être taxé de « tapette » était une chose, mais être le « French faggot » enracine cette réaction épidermique et viscérale d'Alain Lefèvre face à l'injustice, à l'intolérance, à la bigoterie, au chauvinisme et à tous les intégrismes. À partir de ce moment, sa tolérance face à la bêtise humaine s'installe au degré zéro et n'en bougera plus.

L'été des Jeux olympiques de 1976 (qui verra aussi la première tentative de résurrection de l'œuvre d'André Mathieu, en utilisant ses thèmes pour les cérémonies d'ouverture et de fermeture), la famille Lefèvre entreprend un grand voyage, un pèlerinage même, puisque David, qui va avoir sept ans, n'a jamais vu la France ni aucun membre de sa famille. Depuis bientôt une décennie qu'ils sont arrivés à Montréal, c'est le premier retour à Brunelles, le village natal d'André qui décide d'y amener sa famille et de revoir sa mère. Lui aussi a été le souffre-douleur de son milieu puisqu'il aimait la musique et s'intéressait à la culture et aux arts en fréquentant Georges Le Neures, le parrain célibataire et artiste d'Alain. André était donc à même de comprendre les écueils qu'Alain rencontrait.

André, Thérèse et trois de leurs fils (Philippe est resté à Montréal) montent dans la voiture qui les amène à Brunelles. Ni lettre, ni téléphone n'ont prévenu la grand-mère de l'arrivée de sa famille. Ont-ils gardé contact durant toutes ces années ? Alain n'en sait rien. Les enfants sont devant l'inconnu parce que jamais ils n'ont entendu d'histoires de famille, de confidences ou même de souvenirs franchir les lèvres de leur père. C'est donc vierges de tout préjugé qu'ils arrivent. Le père, replongeant dans ce milieu qu'il a fui, longe les murs et une petite vieille toute recourbée s'avance, voit cet homme et reconnaît son fils. Mère et fils pleurent alors que Thérèse, Gilles, Alain et David réalisent tout ce qu'André a dû faire pour réussir à fuir ce village.

Il présente ses petits-enfants à sa mère. C'est un choc de découvrir la maison de la grand-mère, les origines, de savoir que c'est de là que leur père venait, papa garçon de ferme ! Mais qu'importe, le sang est plus fort que tout et les Lefèvre s'approprient leur passé. Alain se prend d'affection pour cette grand-mère qu'il embrasse et couvre de tant d'affection, qu'à la fin de l'été, elle s'est redressée et jure qu'il est l'amour de sa vie.

La veille du départ pour le Canada, on organise une grande fête. Le parrain Georges accueille tout le monde à La Ferrière et les Barouch, Kito et Ginette, qui sont encore aujourd'hui une des fondations affectives de la vie d'Alain, sont invités avec leur fille Sophie et son amoureux et futur mari, Pierre Dorfman. Puisque c'est ici qu'ils font leur entrée dans sa vie, esquissons à grands traits les prémisses de cette relation capitale.

Les Barouch sont des Juifs séfarades espagnols qui ne se sont pas réfugiés en Afrique du Nord mais plutôt en Turquie. Le père de Kito, Vitali, qui doit quitter la Turquie après avoir fait ses études rabbiniques au moment de la guerre des Balkans, s'installe en France. Il achète une maison de campagne à cinq minutes de Brunelles, les Vieux Murs, des fermes fortifiées des XIe et XIIe siècles. Nous sommes plus qu'en France profonde, nous sommes quasiment en Gaule tant ces villages sont anciens. La grand-mère Lefèvre connaît les Barouch pour y avoir fait des ménages. Vitali disparu, Kito a hérité de cette maison de campagne, et l'amitié ayant depuis longtemps soudé des liens entre les deux familles fait que tout naturellement, ils découvrent les enfants d'André. Cette veille de départ est l'occasion d'entourer la grand-mère qui a l'impression de voir son fils et les siens pour la dernière fois. Il règne ce soir-là une ambiance atroce. La soirée est tristounette jusqu'à ce qu'Alain prenne les choses en main. Et c'est à ce moment-là que Kito — il le lui racontera trois ans plus tard — est tombé amoureux du jeune homme qui se promenait de l'un à l'autre et qui voulait que tout le monde soit heureux, en racontant des histoires, en jouant du piano, en embrassant tout un chacun, et qui n'a eu de cesse que sa grand-mère redressée lui lance : « Alain tu m'as fait revivre ! » Kito interprétera cette volonté de bonheur comme de l'espoir judaïque. « Malgré tout, j'étais heureux et je voulais que tout le monde le soit et je voulais aimer tout le monde et je n'ai jamais arrêté ! »

Et Ginette se rappelle que c'est au retour de cette soirée à La Ferrière que Kito lui dira en rentrant aux Vieux Murs : « C'est le plus beau jeune garçon que j'aie jamais vu. » Sans qu'il en soit conscient, cette soirée d'adieu a changé le cours de sa vie et Alain Lefèvre a instantanément conquis le cœur de Kito qui a tout vu et qui sait dans sa chair la différence entre le vrai et le faux. Les Barouch, déjà, sont prêts à l'accueillir.

L'été tirant à sa fin, il faudra retourner en classe… Le conseil de famille décide de transférer Alain à l'école Saint-Luc et, comme si la chose était encore possible, une apothéose de violence va provoquer la réaction la plus spectaculaire et inattendue de la part de cette « victime ».

À l'école Saint-Luc, il y a un nouveau type de tortionnaires. L'innocence et la naïveté de notre adolescent amusent au plus haut point un des « tough » de Saint-Luc, pour qui Alain est ni plus ni moins qu'un attardé à qui il faut faire faire un rattrapage des réalités de la vie, accéléré et inoubliable. Les plus belles filles de l'école gravitent autour de cette brute et, un après-midi, sans doute après avoir donné un peu de drogue à la plus belle, il oblige Alain sous peine de sévices corporels à embrasser la jeune femme : « Frenche-la », lui répète-t-il. Cet idéaliste romantique amoureux de l'amour a alors une réaction terrible. « Il y a quelque chose qui s'est cassé en moi, je suis devenu fou. Et c'est à cc moment-là que j'ai décidé que ça n'allait plus. » À quinze ans, il faut bien le dire, tout ce qu'Alain Lefèvre connaît de la vie, c'est la musique, le travail, les cours et les pratiques. À Saint-Luc, un nouvel ami, costaud de surcroît, Louis Jacob a pris la relève de Marie Tiffou et s'est fait son protecteur, mais Alain sent qu'il est temps qu'il prenne lui-même les choses en main. Dans pareilles circonstances, soumis à une pression insoutenable, la plupart des individus craquent et finissent par être cassés, domptés, soumis. Ce n'est pas la nature profonde d'Alain qui, peut-être pour la pre-mière fois, réalise qu'il ne peut compter sur personne et, qu'en fait, il ne faut compter sur personne. Il va poser ici son premier acte de réaménagement de la réalité, un geste qui pose les bases de tout son avenir. Sans en parler à ses parents, il se présente au bureau de la directrice de l'école, Marielle Lessard, et prenant son courage à deux mains, ses deux mains de pianiste, il lui explique qu'il est en secondaire 3, qu'il est d'abord et avant tout pianiste, qu'il a gagné des tas de concours, et il lui demande d'être dis-pensé d'école les après midi. Il viendra à l'école le matin, mais les après-midi, ce sera le piano qui comptera :

> J'avais décidé que c'est moi qui allais me sauver. Mes parents ne me soutenaient pas, mes frères me trouvaient trop sensible, je devais avoir l'air ridicule et je me suis dit qu'il fallait que je me débrouille tout seul. Ça a été la première étape d'une autre vie !

D'une certaine façon, en acquiesçant, Marielle Lessard lui sauve la vie. Pour la première fois, il prend sa vie en main et fait l'expérience exaltante de contrôler sa destinée. Le matin, Alain va donc à l'école Saint-Luc, il rentre à la maison pour le repas, et l'après-midi il s'enferme avec son piano. Il va voir sœur Berthe tous les jours et, pour échapper encore plus à l'école et à la fa-mille, il se rend disponible pour accompagner tous les élèves de l'École normale de musique, les pianistes, les saxophonistes, les chanteuses, les clarinettistes… Survivre, c'est faire de la musique tout le temps !

C'est malgré tout à l'école Saint-Luc que les premiers émois amoureux secouent notre adolescent. Le professeur de musique — parce qu'à l'époque, les écoles inscrivaient encore la musique à leur curriculum — Robert Jodoin, avait dans sa classe des jumelles, deux clarinettistes en plus, les sœurs Diane et Michelle Gingras. Et le pianiste s'éprend follement de Diane, qu'il accompagne, mais tombe encore plus amoureux de l'amour. C'est la révélation que l'amour est un phénomène extraordinaire et peut être salvateur. C'est aussi l'heure d'une prise de conscience qui va lui révéler que, s'il est battu, entre autres raisons, c'est parce qu'il fait de la musique classique. Et c'est alors que là, à seize ans, il prend le taureau par les cornes :

> J'ai commencé à jouer dans les écoles pour des enfants de mon âge. Je m'organisais tout seul. Je téléphonais et comme il y avait un piano dans toutes les écoles, je proposais d'aller parler de musique et de jouer des œuvres classiques. Mes parents m'ont laissé faire parce que tant que ça touchait à la musique, il n'y avait aucun péché.

Cet exercice avait un double but : montrer aux autres que la musique classique c'est beau et, de ce fait, tenter de protéger les autres enfants qui font de la musique et gagner le respect des « morons frappeurs ». Certains choix nous poursuivent longtemps.

Avec ce premier geste de survie, à cette audacieuse manifestation de prise en charge, de détermination et de courage, coïncide le premier amour adulte.

En étant l'accompagnateur désigné de son école, Alain voit défiler les musiciens et les musiciennes de toutes les classes et fait ainsi la rencontre d'une jeune chanteuse. Elle a vingt-deux ans, elle est acadienne, belle, brune, avec de grands yeux. Nous l'appellerons

C. Ils font de la musique ensemble, ils se noient dans les yeux l'un de l'autre et soudainement, au prochain revoir, C lui paraît froide et distante. Alain comprend que sa mère est passée par là. Sans doute Thérèse lui a-t-elle dit qu'Alain avait 16 ans, qu'il se préparait à la grande carrière et que leurs âges et leurs buts étaient incompatibles. Et pour la première fois, cette révolte qui lui a permis de contourner l'horreur de l'école se tourne contre sa famille. Contre cette mère par trop interventionniste, ce père effacé et doux qui manifeste rarement son affection ou son soutien, l'adolescent s'insurge et réussit à arracher à ses parents un voyage en Acadie, à Caraquet, pour revoir C.

La famille part donc pour l'Acadie, mais Thérèse s'assure de gâcher chaque moment. La révolte d'Alain monte d'un cran parce que naïvement, il croit que les parents auraient dû comprendre que tout ce qui comptait pour lui, c'était cette jeune femme. Quelque chose se brise devant l'incompréhension de cette mère qui l'empêche de vivre son idylle : « Chez C., tout était beau et ma mère a tout gâché. On ne gâche pas le rêve d'un enfant, surtout que j'étais pur et complètement innocent. Je voulais aimer ! »

Cette mère qui devrait par-dessus tout vouloir son bonheur, pense le protéger en assombrissant ce premier éblouissement.

Cette dernière année qu'il lui reste à partager avec sa famille à Montréal, avant de partir lui aussi étudier à Paris, commence donc très mal. (Philippe a déjà quitté le foyer familial et Gilles est à Paris depuis deux ans). Alain, plutôt que de se révolter, de crier sa colère et de claquer les portes, va, là encore, innover. L'expression qui lui jaillit spontanément aux lèvres est toujours : « C'est injuste ! Ce n'est pas juste ! J'ai autant de jeunesse dans mon dégoût de l'injustice que j'en avais à quatorze ans, quand je me suis aperçu que l'injustice existait. »

Première réaction pour dépasser cette rage impuissante : encore et toujours le travail, s'abrutir de travail. Mais l'adolescence lui joue des tours et déclenche une crise qui remet tout en question : même son cher piano s'engouffre dans ce mal de vivre des ados. Il ne sait plus pourquoi il a du talent, pourquoi il joue bien, et est-ce qu'il joue bien de toute façon ? Pourquoi était-ce facile quand il était petit ? Et il se convainc que la solution ou le salut, c'est de travailler encore plus, ce qui permet au moins de combler le vide. Ce long, très long réapprentissage va mettre longtemps à porter ses fruits. Il ne pourra en fait se réapproprier la raison d'être de faire de la musique qu'une fois bien installé dans la classe de Pierre Sancan, à Paris.

Dans cette structure familiale toute entière axée sur l'abnégation et où, finalement, à part le succès, il n'y a pas beaucoup de joie, cet édifice construit au prix de tant de sacrifices, de discipline, de travail, de volonté et d'efforts a commencé à s'effriter, fissuré par ses principes mêmes qui excluent le lâcher-prise nécessaire à la vie. Alain va mettre en place un autre de ses mécanismes où il va, sans s'en rendre compte, reprendre les valeurs et les croyances de ses parents en se donnant des moyens, encore balbutiants, de changer la réalité, de la rendre non seulement vivable, mais de vraiment faire tout en son pouvoir pour transmuter la tristesse en joie.

À partir de ce voyage raté en Acadie, Alain, comme malgré lui, va saper les fondations de cet univers quasi carcéral en y introduisant le plaisir, en réveillant chez ses parents une capacité de jouissance ankylosée :

> Pour moi, la vie ça a toujours été beau, et tout à coup, je commence à porter des jugements sur ma famille. C'était impossible que ce soit ça la vie. La vie devait être le bonheur. Je trouvais que c'était permis d'être heureux alors que pour papa, c'était impossible.

Il exerce ses nouveaux pouvoirs en infiltrant subtilement la famille avec des plaisirs défendus. Déjà sœur Berthe avait contourné les dictats familiaux en lui procurant du chocolat. Déjà, en cachette, Alain s'achète des chips, des crottes au fromage, du *cream soda* qu'il ingurgite à s'en rendre malade, par révolte silencieuse. Une bouteille de rhum pour son père, quelques cigares Tueros, et voilà que son père est confronté à ses contradictions. Alain laisse un paquet de cigarettes dans un tiroir que sa mère ouvre de temps en temps, paquet qu'il faut remplacer régulièrement. Le soir avec sa mère, il regarde des comédies musicales américaines à la télévision, ce qui rend le père furieux. Ce sentiment d'être de plus en plus étranger dans cette famille où il n'y a aucune né-gociation possible — « soit tu marches droit, soit on t'arrache la tête » — l'amène à narguer les siens en commençant par faire la cuisine. Il prépare une soupe en y ajoutant des bouts de saucisses et déclare le plus sérieusement du monde à ses parents que c'est du tofu. Et les parents se laissent faire parce qu'ainsi ils sortent de prison et perdent leur tête d'enterrement.

> Ce n'est pas que j'ai voulu saboter la discipline familiale. Je voulais que mes parents soient heureux parce que tout ce qu'ils faisaient était pour un idéal qui n'avait plus de sens. C'est de cette façon que j'ai fait exploser le système.

Les autres frères, chacun suivant son tempérament, mani-festent leur besoin d'indépendance et secouent le joug à leur façon. Seul le cadet, David, a tout eu facile comme c'est souvent le cas pour les petits derniers, comme si les parents, forts de l'expé-rience acquise avec les aînés, naviguaient plus souplement pour arriver aux mêmes résultats. Opérant sur deux fronts, travail acharné au piano et travail de sape pour faire se relâcher la ri-gueur de ce monastère consacré à la musique, Alain devient ainsi le parent de ses parents, le garde-fou, cette ceinture de sécurité, ce filet contre la dépression, la tristesse, le désarroi et le chaos.

À travers cette révolte studieuse, ces petits sabotages ano-dins, mais cruciaux, et cet acharnement au travail qui achète la paix en assurant l'avenir, André et Thérèse ont décidé qu'Alain poursuivrait ses études au Conservatoire national supérieur de musique de Paris. Même si New York est plus proche, les cours dans les grandes écoles comme Juilliard sont hors de prix, et Gilles, de toute façon, est déjà installé à Paris et pourra aider son frère. Alain, bénéficiant de la complicité de sœur Berthe, va monter le programme le plus ambitieux qu'il ait jamais présenté au Concours de musique du Canada pour aussi le préparer à quitter le nid et à arriver armé pour affronter Paris. Cette saison 1978-1979, Alain travaille les deux cahiers des *Variations sur un thème de Paganini,* de Brahms, qui mettent en valeur, et bien souvent à l'épreuve, la technique de tous les pianistes. Rachmaninov, pour la première fois, fait son apparition au répertoire du jeune lion. Il prépare également un Prélude du *Clavier bien tempéré* de Bach, et la *Toccata* de Prokofiev, qui deviendra une carte de visite pour Alain Lefèvre. Enfin, comme œuvre concertante, le 3e mouvement du *Concerto en ré mineur* de Brahms. Pour bien le préparer à son entrée au Conservatoire de Paris, sœur Berthe fait monter les enchères et multiplie les obstacles. Elle ne lésine pas non plus sur les leçons supplémentaires; elle veut son champion fin prêt pour le Concours de Musique du Canada et, s'il est accepté à Paris, elle veut lui avoir tout donné avant de couper le cordon musical avec celui qu'elle tient à bout de bras depuis six ans. Pour lui, ce n'est pas qu'un professeur qu'il va quitter, c'est celle à qui, en plein désarroi, caché dans un garde-robe, il téléphonait pour lui demander : « Sœur Berthe, est-ce que vous m'aimez ? » Pour cette religieuse qui lui dira un jour : « Je t'ai aimé presque autant que le petit Jésus ! », rompre ce lien presque maternel n'est pas facile. Alain s'entraîne à devenir l'adulte qu'il devra bientôt assumer être et, de son côté, sœur Berthe se prépare à laisser aller cet enfant qu'elle a fait sien.

Pour cette dernière année au Concours de Musique du Canada, Alain se classe à la fois au niveau provincial et au niveau national avant de s'envoler vers la France où il s'est inscrit aux cours d'été de l'Académie Internationale de Nice, dans la classe de celui qui pourrait être son maître s'il réussit à passer le concours d'entrée au Conservatoire de Paris.

Mais avant de quitter Montréal, jetons un coup d'œil sur ce Concours de Musique du Canada en survolant les noms des membres du jury qui, venant des quatre coins du monde, assuraient la qualité, le niveau de la compétition et sa crédibilité. Le Concours est né à l'initiative de son directeur-fondateur, Claude Deschamps, qui voulait standardiser les critères d'évaluation et légitimer à nos yeux, et à ceux du reste du monde, les talents exceptionnels dont le rayonnement s'arrêtait aux confins de leur paroisse. Le concours s'est développé jusqu'à couvrir tout le territoire canadien en 1995. Voici quelques noms de personnalités qui ont été membres des jurys au cours des années où Alain Lefèvre s'est présenté, et qui ont encore aujourd'hui une résonance dans le milieu musical canadien et international. Parmi les juges cités pêle-mêle par ordre d'apparition au cours de ces années, retenons : Rose Bampton, une des voix de Toscanini et l'épouse de... Wilfrid Pelletier, chef d'orchestre au Metropolitan Opera de New York, fondateur du Conservatoire de musique de Montréal et pilier de l'OSM dès ses débuts, Victor Bouchard, pianiste-duettiste avec sa femme Renée Morrisset, Jean Deslauriers, le chef qui a orchestré et dirigé la musique d'André Mathieu, Lucette Descaves avec laquelle Alain a travaillé à Nice l'été précédent, Pierre-Max Dubois, qui non seulement sera un de ses professeurs au Conservatoire de Paris, mais écrira et lui dédiera une Sonate. Citons Fernand Graton, Louis Fourestier, Victor Feldbrill, tous trois chefs d'orchestre remarquables, Beveridge Webster, pianiste américain spécialisé en musique française, le grand musicologue Norbert Dufourcq, l'interprète idéal de Poulenc, Jacques Février, Adèle Marcus, pédagogue redoutable et redoutée, Jean-Paul Sévilla, qui a façonné la pianiste Angela Hewitt, une des meilleures pianistes canadiennes, Claude Savard, György Sebök, Dieter Weber, un des trois plus grands professeurs de piano de la deuxième moitié du xxᵉ siècle, Guido Agosti, Jeanne-Marie Darré, spécialiste de Saint-Saëns (Alain était inscrit dans sa classe à l'Académie Internationale de Musique de Nice à l'été 1977), la grande cantatrice française Noémie Perugia, Yves Prin, chef d'orchestre de la musique de son temps, Stefan Gheorghiu, qui fut le professeur d'Angèle Dubeau, Catherine Collard, Miguel Angel Estrella, prisonnier politique que défendit Amnisty International, Eric Heidsieck, etc. Tous ces noms attestent du niveau d'excellence de ce concours. Alain s'y présente pour la première fois en 1970. Il s'y inscrira chaque année jusqu'à son départ pour le Conservatoire de Paris en 1979 et s'y classera neuf fois dans sa catégorie d'âge.

Si on dresse une courte liste (ils sont des milliers à y avoir concouru) des jeunes musiciens qui ont vu leurs espoirs récompensés ou déçus, en oubliant les catégories d'âge, on retrouve les noms de tous ceux et de celles qui ont façonné le milieu musical depuis quarante ans : Jean Gaudreault, Josée April, Stéphane Lemelin, Marie Fabi, Chantal Juillet, Anne-Marie Dubois, Johanne Arel, Mimi Blais, Denise Lupien, Richard Hoenich (qui dirigera le premier concert d'Alain avec l'osm), Geneviève Lagacé-Soly, Louis Lortie, Mario Duchemin, Michael Laucke, Marc Durand, Louise Bessette, Francine Chabot, Hélène Mercier, Carmen Picard, Esther Gonthier, Jean-Guy Proulx, Monique Leblanc, Daniel Vachon (futur réalisateur des disques d'Alain Lefèvre et réalisateur à Radio-Canada), Philippe Lefèvre, Luc Beauséjour, Jacques Drouin, Douglas Nemish, Marc-André Hamelin, Céline Dussault, Gilles Lefèvre, Chantal Rémillard, André-Gilles Duchemin, Angela Hewitt, Louise-Andrée Baril, Denise Trudel, Réjean Coallier, Angela Cheng, Desmond Hoebig, Gwen Hoebig, Esther Charron, Marie-Josée Simard, Hélène Panneton, Jean-François Rivest, Annalee Patipatanakoon, Josef Petric, Lorraine

Desmarais, Andrew Tunis, Robert Langevin, André Moisan, Brigitte Poulin, Martin V. Chalifour, Olga Ranzenhofer, Robert Bardston, Gregory Charles, Scott St. John, Lara St. John, Ofra Harnoy, Martin Beaver, Andrew Tunis et tant d'autres. Tout ce que le Canada a pu produire de musiciens est donc passé par les Concours de musique du Canada et on peut légitimement s'enorgueillir de s'y être classé neuf fois.

Malgré tous les tiraillements qu'il a pu vivre la dernière année, Alain reste profondément attaché à sa famille et ce départ pour l'Académie internationale de Nice, à l'été 1979, est le prélude à une séparation qu'il n'est peut-être pas prêt à assumer.

II
Le Conservatoire national supérieur
de musique de Paris

Peut-on détester Paris ? Cette ville faite pour l'amour, la gloire et le luxe, écrin de toutes les beautés. Y vivre est une occupation à plein temps, mais y survivre seul, arraché à son milieu et désargenté peut facilement vous mener au désespoir. Tout cet art de vivre se transforme en odieux contrepoint à la solitude, à l'isolement et à l'esseulement. L'humidité de la Seine pénètre comme un sang gelé qui paralyse et engourdit notre capacité au bonheur...

À l'été 1979, lorsqu'Alain Lefèvre se retrouve à l'Académie Internationale de Nice, il vient d'avoir dix-sept ans et, il faut le dire, un jeune dix-sept ans. Suivant le plan de carrière ourdi et mis en place par ses parents depuis sa naissance et après cette ultime victoire remportée au Concours de musique du Canada, il s'agit maintenant de décrocher un grand diplôme d'une grande institution. Aussi doué soit-il, Alain n'obtient aucune bourse de quelque palier gouvernemental que ce soit. Paris et son Conservatoire s'annoncent comme la terre d'accueil la plus évidente, d'autant plus que son frère Gilles vient d'obtenir son premier prix du Conservatoire national supérieur de musique de Paris après trois ans d'études avec le grand Christian Ferras.

Alain connaît Nice pour y avoir séjourné deux ans auparavant dans la classe de Jeanne-Marie Darré et de Lucette Descaves. Il s'agit maintenant d'évaluer les chances d'être admis à auditionner

47

pour le concours d'entrée au Conservatoire national supérieur de musique de Paris, et dans la classe de celui que Lefèvre considère encore aujourd'hui comme un des grands pédagogues du xxᵉ siècle : Pierre Sancan.

Pierre Sancan (24 octobre 1916 - 20 octobre 2008) a obtenu son premier prix dans la classe de piano du grand Yves Nat en 1937. De plus, il avait étudié la direction d'orchestre avec Charles Munch et Roger Désormière. En 1943, élève en composition d'Henri Büsser, il remporte le Prix de Rome avec *La légende d'Icare*. Ce n'est qu'en 1946 qu'il pourra séjourner à Rome. À la mort d'Yves Nat, en 1956, il est invité à lui succéder au Conservatoire de Paris, où il règnera jusqu'en 1985. À défaut d'être un grand virtuose, il comprenait la morphologie de la main. En ayant analysé l'anatomie, il était parvenu à parfaitement décortiquer la mécanique pianistique. Ce n'est pas pour rien que la Argerich elle-même ou le super Pollini le consultaient au téléphone. La légende veut qu'un jour Michelangeli répétait salle Pleyel (Sancan y avait un studio où il donnait des leçons individuelles). Sancan l'entendit non pas buter — Michelangeli avait banni ce mot de son dictionnaire — mais perçut une parcelle de poussière, imperceptible à toute autre oreille, dans le jeu du dieu. Sancan s'avança sur scène, se présenta, et murmura l'ombre d'une suggestion qui mena l'astre italien encore plus près du soleil. Sancan disait lui-même qu'il était un passeur de « trucs ».

On peut aisément mesurer l'impact et la portée de l'enseignement de Pierre Sancan si on considère que Jean-Efflam Bavouzet, Michel Béroff, Jean-Philippe Collard, Marc Laforet, Rahman El Bacha, Émile Naoumoff, Jean-Bernard Pommier, Jacques Rouvier, Daniel Varsano, Dang Thai Song et Alain Lefèvre sont passés dans sa classe de piano et font tous carrière à l'heure actuelle.

C'est que Sancan révolutionne l'école de piano française en combinant le meilleur des écoles française et russe. L'école française préconise les doigts courbés, la main arrondie, et favorise la vélocité et l'égalité — le fameux jeu perlé. L'utilisation du poids, la chute libre, la sonorité et les couleurs associées à l'école russe, Sancan les incorpore à son enseignement. Cortot, bien sûr, avait compris et avait transmis ses secrets à ses disciples, mais l'École française à la fin des années 70 repose encore sur l'héritage de Marguerite Long, d'Yvonne Lefébure, de Pierre Barbizet, etc.

La révolution la plus riche de conséquences de Sancan aura été sa profonde compréhension des muscles, des mouvements, de la mécanique physique du corps. En étudiant des rayons X, en se livrant à des expériences musculaires, en observant et en parlant avec des pianistes russes, il a pris conscience que, si l'épaule est bien placée, le bras sera plus léger et plus libre. Et en scrutant ses meilleurs élèves, il a été à même de comprendre et de transmettre un enseignement empirique. En fait, Sancan a développé une technique « naturelle » (qui tient compte du poids et de la rotation), et il a trouvé le positionnement le plus efficace, le mouvement le plus naturel, le plus porteur, travaillant lentement par déplacement. Grâce aux gammes et aux arpèges, Sancan réussissait à analyser le plus petit déplacement de chaque doigt et du poignet. Doigts plats, poignets bas; en fait Sancan, par ses recherches personnelles, rejoint les écoles de Heinrich Neuhaus, à Moscou, et celle de Dieter Weber, à Vienne.

Sancan se concentrait davantage sur les mouvements corporels de ses étudiants plutôt que sur leurs doigts. Si le corps est à sa place, le jeu, le mouvement et les couleurs jaillissent librement. Une fausse note est le résultat d'un bras ou d'une épaule mal placée. Le mouvement le plus économique est toujours le meilleur. Il disait lui-même : « Techniquement, je suis un professeur de positions ». Trouver la meilleure position pour chaque passage et la répéter dix, cinquante et peut-être cent fois. La façon de s'asseoir au piano est aussi capitale. Bref, pour Sancan jouer du piano était bien plus qu'un exercice digital.

Une des grandes obsessions de l'héritier d'Yves Nat, et une des caractéristiques de son enseignement, était la sonorité. L'orchestre comme palette de couleurs à émuler en concevant le piano comme un petit orchestre. Un son dicte la position du corps.

Autre héritage important que Sancan a transmis à Alain Lefèvre : la recherche des doigtés. Doigter chaque œuvre, chaque nouvelle œuvre. L'apprentissage dans la lenteur en notant les doigtés qui permettent d'atteindre la vitesse juste en passant par l'ajustement d'une deuxième série de doigtés, et enfin, parfois une troisième étape menant à une révision et une troisième version des doigtés jusqu'à ce que la pièce soit intégrée et que le corps ait trouvé lui-même une articulation « spontanée ». Voilà pourquoi les partitions de Lefèvre ressemblent parfois à des coupes synchroniques du processus, allant de la découverte d'une œuvre à son exécution dans la salle de concert.

À Nice, un matin de l'été 1979, Lefèvre aperçoit Sancan au sommet d'un escalier. Il se dirige vers lui et, pour briser la glace, lui demande : « Êtes-vous maître Sancan ? » « Malheureusement ! » lui lance Sancan. Il faut comprendre que les trois ou quatre cents élèves de l'Académie voulaient être dans sa classe. Sancan enseignait dès sept heures du matin jusqu'à dix heures du soir. À la fin du stage, Alain lui demande s'il peut se présenter pour sa classe du Conservatoire. Un mot du maître et tout peut basculer, mais Sancan lui répond : « Absolument ».

C'était merveilleux et c'était terrifiant. Parce qu'être accepté, cela veut dire quitter la famille, quitter sœur Sainte Berthe, quitter Montréal et se retrouver adulte, alors que l'enfant déborde encore sur l'adolescent. C'est providentiel, c'est le rêve qui se réalise, avec en prime le déracinement. Alain rentre alors quelques semaines à Montréal profiter de ce qu'il pressent déjà être la rupture finale qui va le plonger dans l'indépendance et l'autonomie.

Fin septembre, Alain s'envole vers Paris et s'installe dans le même immeuble que son frère Gilles, au 8e étage du 2, square Emmanuel-Chabrier, dans une chambre de bonne. L'ascenseur monte jusqu'au 6e, il faut ensuite continuer à pied. Ces étages sont habités par des ouvriers et leurs familles dans des conditions que résume très bien le mot précaire. Son frère Gilles, qui vient d'avoir vingt ans, est tombé follement amoureux d'une ravissante jeune femme et s'est engagé dans une relation complexe. Il mène grand train et grande cour et ce n'est pas nécessairement le meilleur moment pour lui de recueillir les doléances et le mal de vivre de son cadet hypersensible. « Et mon premier samedi, mon premier dimanche, je les ai passés seul, à Paris. Et Paris peut être la ville la plus horrible, la plus triste de la planète. »

La chambre de bonne peut à peine contenir le piano droit offert par son parrain, Georges Le Neures, celui-là même qui a déclenché la vocation musicale de son père. Il y a un lit, une table, et par beau temps, à l'horizon, une minuscule Tour Eiffel. Pour prendre son bain, il faut une clé spéciale, et on ne sait jamais qui l'a pris avant soi, ce bain, et les wc dépassent les commentaires. C'est la vie de bohème, sans Puccini et sans Mimi. « J'avais un lavabo dans ma chambre et j'ai fait bien des choses dans ce lavabo. »

Pour décorer ou maquiller cet espace misérable, Alain achète des magazines dont les pages centrales se déplient en posters géants de personnages des films de Walt Disney. La naïveté de cet écran enfantin pour recouvrir l'insoutenable dit tout…

Si Sancan l'a encouragé à se présenter au concours d'entrée, rien n'est gagné pour autant. Comme dans toute institution qui se respecte, en entrant au Conservatoire de Paris, il y a une chose qu'on t'apprend : c'est que tu ne sais rien, tu ne connais rien. Au premier rendez-vous avec Sancan, le maître, tout occupé à impressionner les jeunes filles en fleurs, fait le coq et lui demande nonchalamment s'il souhaite toujours se présenter dans sa classe. Cet accueil désinvolte enfonce un peu plus l'apprenti dans un désespoir qui commence à imprégner sa vie entière. C'est à ce moment-là qu'il apprend que le concours est en deux étapes. Première étape : le candidat joue un programme libre. Seconde étape : il faut apprendre en sept jours une pièce imposée, et cette année-là, ce sont les *Variations Abegg* de Schumann. Alain est atterré, car il n'a jamais travaillé sous pression de cette manière. Avec sœur Berthe, on choisissait les pièces et le travail s'étalait sur toute l'année. Tout ce fourmillement autour de Sancan lui confirme que tout le monde veut travailler avec Sancan. Il décide de se présenter en tant qu'étranger. C'est un pari audacieux car il n'y a que deux places offertes aux étudiants étrangers mais c'est en tant que Canadien qu'il s'inscrit aux examens d'entrée du Conservatoire parce qu'il se perçoit déjà comme tel. La tension est à son comble et Sancan est là mais n'est pas là. Gilles est difficilement disponible et l'adolescent s'installe dans une prédépression. Comme toujours, le mécanisme de défense qui lui a permis de franchir toutes les barrières vient à sa rescousse : le travail, le travail, et encore le travail. Mangeant à peine, il pleure tout le temps, il déteste Paris, il s'ennuie de ses parents. Tout ce mal de vivre lui rend Paris odieuse et la menace de l'échec est un spectre qui lui laboure les entrailles : s'il fallait…

Il faut dire que notre pianiste, affichant la belle inconscience de ses dix-sept ans, a mis à son programme d'entrée, en plus des *Variations* de Schumann qu'il doit apprendre en un temps record, une des œuvres les plus périlleuses du répertoire, tendue de pièges tout au long de ses deux cahiers, les *Variations sur un thème de Paganini* de Brahms, et pour être bien certain de vivre vraiment dangereusement, il couronne son examen avec la *Toccata* de Prokofiev.

L'insomnie, compagne fidèle depuis l'enfance, le tient au bord du précipice. Bref, il passe son concours.

Au Conservatoire de Paris, comme dans tant d'autres grandes écoles à travers le monde, on affiche les résultats. Le jour venu, le préposé se dirige vers les grandes vitrines ornées de fer forgé et placarde les résultats pour tous les concours d'entrée. Il y a là des centaines de candidates et de candidats et cette mer de monde se rue pour apprendre quel sort lui est échu. Lefèvre reste dans un coin. Il ne veut plus se battre, cette odeur de curée le dégoûte. Il en arrive à souhaiter, à espérer être refusé.

Sancan, théâtral et grand seigneur, fend la foule et s'avance vers lui : « Bienvenue dans ma classe ! Je te vois demain matin ! » Puis il poursuit sa route.

Les émotions contradictoires se bousculent. D'une part, il éprouve la joie d'avoir triomphé, d'avoir été choisi parmi tant d'autres, d'avoir atteint son but. Simultanément se manifeste la peur liée à la fin de l'enfance, à la cassure irréversible d'être jeté en bas du nid sans avoir pu tester ses ailes dont les plumes ont d'ores et déjà été froissées par un parcours singulier. Et enfin, sans qu'il s'en rende compte, ce passé si jeune lui aura donné tout l'arsenal nécessaire pour traverser victorieux sinon indemne cette course à obstacles qu'est la Carrière. Mais cela, il ne le sait pas encore. Le lendemain, c'est mercredi, et tous les mercredis de chaque semaine, de chaque mois et de chaque année, jusqu'en juin 1983, l'apprenti, le disciple, se rendra dans la classe de Sancan du Conservatoire de la rue de Madrid pour ce cours collectif de neuf à treize heures, où il retrouvera des confrères comme Stéphane Petitjean et Marc Laforet. Il y découvre aussi la main droite ou le fouet de Sancan : Marie-Madeleine Petit qui assistera le maître pendant des décennies. De neuf à treize heures, les élèves présentent leur programme devant toute la classe. Sancan les conseille, les houspille, les fait avancer, et Marie-Madeleine Petit note toutes les indications du maître. Chaque lundi, chaque disciple défile dans le studio de Mme Petit pour bien s'assurer que les conseils ont été pris en compte, qu'il n'y a pas de faux plis ou de défauts dans la cuirasse de cette discipline de fer.

Au premier cours, Sancan écoute tout le monde et, comme un grand chirurgien entouré de sa cour, distribue les notes et les remèdes à administrer à chacun. « Alors celui-ci, tu lui fais faire ceci, pour celle-là, tu changes ceci et cela, pour celui-là, tu changes ceci et tu corriges cela... »

Inutile d'ajouter que ces instructions ont valeur d'acte de foi et que Petit administre les prescriptions avec alacrité. Tous les lundis, chacun avale sa potion.

Un peu affolé, Lefèvre voit défiler l'élite de demain à qui Sancan semble trouver tous les défauts du monde. Il fallait tout changer, changer les techniques, le poignet trop haut, les doigts trop ronds, c'était dictatorial. Il fallait se plier à sa technique : les doigts plats, le poignet assez bas. C'était l'Évangile selon Sancan et Madeleine Petit était son apôtre !

C'est au tour de Lefèvre. Sancan met la main sur son épaule dans un geste que le disciple chérit encore aujourd'hui et qui lui deviendra familier, et il dit à Petit devant tout le monde : « Celui-là, tu ne touches à rien ! » Et comme Sancan ne termine jamais ses phrases et que questionner le maître ne fait pas partie des mœurs pédagogiques du Conservatoire de Paris, le disciple reçoit cet hommage comme un soufflet public, comme si Sancan déclarait qu'il n'y avait rien à faire, alors qu'en vérité, c'est un immense compliment qu'il vient de lui faire. Des années plus tard, il écrira ce mot :

Alain Lefèvre est un de mes plus brillants disciples,
premier prix de notre Conservatoire national supérieur de musique.
Il a la puissance, et la délicatesse. Je pense qu'il s'achemine
vers la grande carrière.

Fait à Paris, le 16 avril 1985.

Pierre Sancan

Mais, n'anticipons pas. C'est une recommandation lourde de conséquences. Mais insécure, vulnérable et fragile comme l'est

Alain à ce moment-là, tout ce que l'apprenti veut c'est que le maître l'aime. Et comme toujours, le phare, la bouée de sauvetage, l'ancre qui le rattachent à la réalité, c'est le travail, Lefèvre s'étourdit de travail, jour et nuit. Quelques semaines après le début des cours, Sancan demande à ses élèves de dresser la liste de leur répertoire travaillé depuis le début du semestre. Le bilan pour Alain est impressionnant : cinq des *Études-Tableaux* de Rachmaninov, *Islamey* de Balakirev, la *Sonate et Mazeppa* de Liszt, quatre *sonates* de Haydn… en tout une dizaine de pièces. Sancan le regarde et lui dit : « Toi, tu as faim ! » Et pour cause. Lefèvre avale des boîtes de Kam et des arachides. Résultat, il a le visage couvert de boutons et ce qui devait arriver arrive : il s'évanouit et se retrouve à l'infirmerie du Conservatoire. La direction n'arrive pas à trouver son frère Gilles et Alain se souvient d'une recommandation de ses parents, à savoir qu'en cas de coup dur, il pourrait toujours appeler Kito et Ginette Barouch. Les Barouch traversent Paris dans leur 404 Peugeot, franchissent la distance du boulevard Voltaire au square Emmanuel-Chabrier en un temps record et ramènent Alain chez eux. D'un regard, Ginette et Sophie comprennent tout, l'absence du frère aîné et Alain abandonné dans Paris. Sur le divan-lit du salon, le pianiste passera sa première nuit dans une vraie maison, sans craindre d'être étranglé par un ouvrier en goguette. Dans ce salon, Lefèvre retrouve et recrée la cellule familiale et s'abandonne aux larmes libératrices. Le lendemain matin, le couple magique se poste à ses côtés et lui annonce : « En décembre, nous marions notre fille. Est-ce que tu veux devenir notre fils ? » Ginette l'appelle « mon lapin » pour la première fois. Il gardera sa chambre de bonne avec son piano et les Barouch d'ajouter : « Notre maison, c'est ta maison », et ils lui donnent un trousseau de leurs clés. C'était un miracle, un cadeau inattendu, c'était la fin du cauchemar et l'entrée dans un paradis dont il ne soupçonnait pas encore à quel point il allait changer sa vie, avec cette famille et cet univers de culture, de pensée et de résilience. Kito, Ginette, Sophie et Pierre deviennent sa nouvelle famille.

> J'ai été très chanceux. En quelques secondes, j'ai oublié toutes mes misères et cet événement a été la plus grande chance de ma vie. J'avais tout d'un coup la certitude que j'allais conquérir le monde. Ça, c'est la deuxième partie de mon arrivée à Paris.

Saisissant à bras-le-corps ce secours inespéré, excessif en tout, l'adolescent qui vient de trouver un havre se lance à la conquête de la bibliothèque bien garnie de Ginette, professeur de littérature française. Flaubert, Hugo, Racine, Voltaire pavent la voie à ce boulimique de connaissances et de culture, qui va dévorer à partir de ce moment cent livres par année. Soudain, grâce à cette famille qui se substitue à la sienne, avec cette chaleur et cette sagesse immémoriale des nomades sémites, tous ces êtres s'adoptent et se reconnaissent dans une souffrance et ce mal de vivre qui les lient et les relient.

Ce nouvel élan, cet envol qui le propulse parce qu'il a recréé ce noyau essentiel, lui fait, si la chose est possible, redoubler d'efforts chez Sancan. C'est aussi à ce moment-là de sa vie qu'il va commencer à composer, adolescence oblige, des choses très tristes. C'est une nouvelle façon d'apprivoiser la vie et un merveilleux moyen d'évasion.

Cette étape de la vie est aussi et surtout le moment de l'éducation sentimentale. Dans la classe de Sancan, il y avait une pianiste d'une beauté incroyable, descendante d'une grande famille allemande. Le jeune pianiste étranger qui ressemble à Liszt et à Chopin à s'y méprendre, ce jeune homme livide et timide, ne le sait pas encore, mais il déclenche à son insu l'intérêt des femmes. Fidèle à ses habitudes, le bel adolescent s'habille avec soin et un peu de recherche. Il préfère se priver de manger pour pouvoir s'offrir l'arme suprême : un parfum. Guy Laroche vient de mettre sur le marché une grande fragrance, Drakkar, et tous les mercredis, habillé, parfumé, il attend l'apparition de la merveilleuse beauté. À travers ce labyrinthe de travail, car en plus de ceux du maître et de l'assistante, il suit les cours de musique de chambre de Geneviève Joy, l'épouse du compositeur Henri Dutilleux, les cours d'analyse musicale de Pierre-Max Dubois, ceux de déchiffrage avec Christian Ivaldi et de solfège et de théorie musicale… Et le mercredi, c'est Calèche d'Hermès qui signale la présence de la belle Teutonne.

Le jeune homme est plus habile à déchiffrer une partition et à analyser une fugue qu'à comprendre les signes subtils d'un intérêt qui se doit d'être discret. Tous les mercredis, de neuf à dix-sept heures, Alain reste tout l'après-midi pour tout assimiler et pour mieux pénétrer les arcanes de son métier, notre jouvenceau assiste au cours de tous ses confrères et consœurs. Quand Mademoiselle était là, le regard de Sancan se posait avec plus d'insistance sur son disciple et le disciple était à mille lieues de décoder tous les signaux résolument adultes qui se croisaient au-dessus de sa tête. L'intérêt est tel que le jeune sybarite montre à son père d'adoption parisien une photo de la belle enjôleuse : « Ne touche pas à ça » jaillit l'avis éclairé et ignoré de Kito.

Au bout d'un an et demi d'échanges, de regards et de conversations, Alain téléphone à sa walkyrie à une heure tardive et quasi indue, étant arrivé à la décision de passer à une autre étape et de la voir ce soir-là. Les choses ne se déroulent pas tout à fait comme espérées. Il téléphone. On décroche le combiné et la seule chose qu'on entend à l'autre bout du fil, c'est le silence. Croyant s'être trompé de numéro, il recommence. Même manège. Au troisième appel, notre amoureux jeune homme murmure son prénom et on raccroche.

Au cours suivant, Alain est finalement mis au parfum de la situation. La rumeur voudrait que Mademoiselle soit la maîtresse de Sancan. Ce soir-là, il aurait été avec elle et, curieux, aurait soulevé le combiné, voulant savoir qui téléphonait à cette heure tardive : « Je suis tombé des nues ! ».

Sancan se révèle donc être un maître capable de donner des leçons dans tous les domaines. Et pourtant, la relation devient une grande amitié. Généreux, Sancan n'acceptait aucun compromis au niveau de la pensée musicale. Son intégrité artistique était entière et, pour quelqu'un habité par le doute, et pour qui le doute est presque un dogme, les compliments sous forme de boutade étaient entendus et attendaient l'avenir pour prendre leur sens. Cette relation maître-élève s'est révélée être si riche que les principes fondamentaux de l'approche instrumentale de Lefèvre pour la sonorité, véritable obsession de Sancan, et la capacité de repenser l'œuvre, de l'assimiler au point de la faire sienne et de la jouer de façon unique — donnant par là même tout son sens au mot interprétation — se résument pour Lefèvre à cette phrase qui devient une maxime : le piano qui parle.

III
Le Concours International Alfred Cortot de Milan

Si l'entrée au Conservatoire garantit trois années de cours gratuits, les règles de l'institution sont strictes pour les concerts et les concours. Un élève du Conservatoire s'engage à ne pas jouer en concert et à ne s'inscrire à aucun concours. Comme il faut bien vivre, le Conservatoire accepte qu'un élève se propose pour être accompagnateur. Alain se retrouve dans les classes de chant de Christine Eda-Pierre et de Mady Mesplé, des classes de violoncelle, de saxophone, et naturellement la classe de clarinette dont il connaît le répertoire pour avoir si souvent accompagné son père. Le tarif: cinq francs de l'heure. De plus, son répertoire de standards comme *Les feuilles mortes* de Joseph Kosma/Jacques Prévert et sa facilité à se lancer dans un jazz classique lui ouvrira bientôt bien des portes. C'est ainsi que par l'intermédiaire de son frère Gilles, un musicien qui a travaillé avec Serge Lama lui recommande quelques endroits à la mode et, à la lueur de ce que nous savons maintenant de sa capacité à séduire un auditoire et à déclencher les réactions les plus exaltées, Alain se fait une place au soleil et arrive à gagner sa vie.

Mais Sancan dans sa superbe, quand il le juge nécessaire, part du principe que l'exception confirme la règle et annonce à Alain qu'il l'envoie représenter sa classe au Concours Alfred Cortot de Milan en avril 1981. Nouveau refus du Conseil des Arts du Canada de lui octroyer une simple bourse de déplacement.

C'est Lucette Turmel, celle qui lui avait permis de s'envoler vers Paris avec un petit baluchon de secours, qui se transformera à nouveau en fée et lui permettra d'aller et de se loger à Milan. Après une première éliminatoire à Paris, Alain s'envole pour l'Italie avec, dans ses bagages, la sonate *La Tempête* de Beethoven, les *Variations Paganini* de Brahms, les *trente-deux variations en do mineur* de Beethoven.

À 18 ans, Lefèvre est l'image même du pianiste romantique. Kito lui a offert un costume en alpaga noir, Alain possède cette chevelure à la Liszt qui le suit et le précède, une légère claudication due à une blessure au pied s'ajoutant à cette pâleur poétique, le rendent sans doute irrésistible à cette jeune Milanaise qui, malgré ses origines, arbore une chevelure d'un blond vénitien. Cette jeune fille l'escorte partout et, grâce à l'influence de son père, juge à Milan, il peut visiter la Scala qu'on ouvre spécialement pour lui. Milan en avril, c'est déjà en soi un cadeau du ciel, et tous les éléments sont en place pour lui donner des ailes.

À la fin de la deuxième étape du concours, la salle est pleine et, à l'issue de l'épreuve, un homme racé et une femme superbe s'avancent vers lui. Le Comte et la Comtesse de Milan viennent à sa rencontre : « Ce soir, quel que soit le résultat, vous êtes notre invité à dîner chez Crispi. » Pouvait-on lui annoncer de façon plus subtile qu'il n'aurait pas le premier prix mais que les Milanais avaient compris, eux, qu'il le méritait ? Pour la petite histoire, c'est officiellement le troisième prix dont Alain héritera, et il conclut : « Mon premier prix, je l'ai eu dans le cœur des Milanais et c'est là que ma carrière a commencé. »

Ce soir-là, fêté par l'élite milanaise, il goûte vraiment pour la première fois à cette ambroisie enivrante que distillent les fruits de la victoire. Quelques jours plus tard, il foule en tant que lauréat l'une des scènes les plus prestigieuses du monde : la Piccola Scala, pour participer au récital des gagnants du concours. À la fin de la soirée, Roberto Abbado, le président du jury lui glisse à l'oreille :

« Vous êtes un merveilleux pianiste. Milan vous apprécie et le meilleur est à venir. »

Cet événement lui aura appris plusieurs choses. Aussi déterminé et engagé soit-il par la carrière, le lauréat se rend compte qu'un concours international n'est pas une garantie de qualité absolue. Dans cette lutte à finir qu'est un concours international, il y a des concurrents qui vont se comporter admirablement sous pression et qui adorent la compétition, s'expriment dans la compétition et vont livrer une performance taillée sur mesure pour anéantir « l'ennemi ». Alain réalise aussi qu'il y a quelque chose de contradictoire, musicalement parlant, entre le concours international et la vraie carrière. C'est le piano qui gagne, parfois au détriment de la musique. Il n'exclut rien mais réalise qu'il lui faudra peut-être passer par d'autres chemins.

Avant même de concourir à Milan, il commence de plus en plus à jouer en Europe. Comme il accompagne son frère, il n'enfreint pas vraiment les règles du Conservatoire et, de toute façon, l'exception ne les fait-elle pas vivre ? Le service culturel des Affaires extérieures de nos ambassades du Canada a toujours besoin de jeunes artistes capables de représenter le pays et inclut ces jeunes talents à la prolifération de ses activités diplomatiques. Alain recueille une première critique pour un récital donné avec son frère Gilles au violon.

Au piano seul, Alain donnait le spectacle (sic) avec trois *Études*, 1, 5 et 9 de Serge Rachmaninov, jouant par cœur avec une technique impeccable et un doigté très sûr ces méditations romantiques sur des tableaux ; puis la *Toccata* de Serge Prokofiev, chef-d'œuvre de virtuosité, l'égale de 11 rounds de boxe ! (re-sic) Du compositeur canadien André Mathieu, ce fut d'abord le brillant *Prélude Romantique* pour piano seul ; ensuite en duo, la courte et bien rythmée *Fantaisie brésilienne*. On l'appelle « le Mozart canadien » et ce n'est pas volé…

Cette critique parue dans *Le Midi Libre* du 29 mars 1981 nous confirme que même à dix-huit ans, Alain Lefèvre est déjà le champion d'André Mathieu !

Quand Alain revient comme à chaque année pour passer ses vacances d'été à Montréal après à peine deux années d'études au Conservatoire de Paris, c'est auréolé du jeune prestige d'avoir été lauréat du Concours international Alfred Cortot, avec en poche quelques critiques et, déjà rivé au cœur, le symbole de son affection profonde pour le Québec à travers ce *Prélude Romantique* d'André Mathieu qui le hante depuis quatre ans.

Mais l'été 1981 lui garde en réserve le plus beau cadeau de sa vie, sa pierre angulaire et sa fondation. Ce romantique qui s'enivre de la cadence des vers de Victor Hugo et appréhende le monde à travers la précision et la lucidité de Flaubert, cet adolescent toujours amoureux de l'amour qui décline pudiquement ses passions à travers Chopin et Rachmaninov va simplement trouver l'amour de sa vie au croisement des rues qui l'avaient vu quelques années plus tôt, se faire battre dans cet abribus. La vie semblait vouloir racheter par un effet de justice immanente l'injustice dont il avait été victime en mettant sur son chemin l'amour de sa vie.

IV
Johanne Martineau

Être la compagne d'un artiste n'est pas une sinécure. Par définition et par nature, ces êtres exercent une fascination incoercible sur leurs semblables et ne peuvent faire autrement que d'imposer leur monde à leurs proches, moduler leur environnement et organiser la vie entière pour atteindre leur vision d'un idéal et mener à terme ce grand œuvre dont ils sont dépositaires.

Pour aimer ces êtres d'exception, au propre comme au figuré, il faut pouvoir entrer dans leur univers, l'épouser et choisir de faire tout, absolument tout ce qui est nécessaire pour que leur rêve se matérialise. Naviguer un quotidien en contournant tous les écueils pour mener sur scène, dans le cas qui nous occupe, un artiste, à travers une mer d'incertitudes, de doutes et de découragements. Johanne Martineau aura choisi et accepté dès le premier regard d'être à la fois les voiles, la proue et l'ancre de ce navire appelé Alain Lefèvre.

Comme trente ans plus tard la magie de cette relation amoureuse reste intacte et que sa vitesse de croisière ne semble pas vouloir ralentir, je nous propose d'essayer de remonter les voies impénétrables par lesquelles ces deux destins se sont liés.

Pour la plupart des jeunes filles de bonne famille, suivre un cours de ballet classique fait partie de l'apprentissage de la féminité nécessaire pour acquérir la grâce, le port altier et cette élégance qui sert de passeport pour franchir les frontières sociales.

Mais pour Johanne Martineau, la danse est un monde de beauté et de perfection dont le prix d'entrée est la discipline, la rigueur, la ténacité voire l'opiniâtreté et où la volonté — muscle suprême — mène vers la maîtrise et le succès. Les mouvements mille fois répétés, cette quête de la position parfaite, ces efforts qui doivent être invisibles et disparaître sous le geste qui provoque l'émotion la plus pure, Johanne apprendra dès l'âge de cinq ans et jusqu'à ses dix-huit ans à en faire l'expérience au quotidien. Quête de l'absolu jamais atteint, mais toujours à la portée du corps ici plus que jamais le vaisseau de l'âme, le ballet est à Johanne ce que le piano est à Alain.

Les parents Martineau, Blanche et Louis, sont installés à Sherbrooke et sont à la tête d'une famille de quatre enfants dont Johanne est la seule fille. Dans l'ordre, il y a Luc, Roch, Johanne et Pierre. Le grand-père Alphonse était avocat et protonotaire. Il comptait sir Wilfrid Laurier parmi ses correspondants. Pour d'un trait saisir le bonhomme, signalons qu'il annotait ses livres en latin ! Traditionnellement, dans la famille Martineau, l'aîné doit étudier le droit ; le premier fils d'Alphonse, Paul, suivra les traces de son père et deviendra même ministre des Mines sous le gouvernement Diefenbaker. Il fut aussi un des plus ardents partisans pour l'obtention du drapeau canadien. Le frère aîné de Johanne, Luc, n'a pas créé d'exception à la règle puisqu'il est présentement juge de la cour fédérale.

Deux événements vont ponctuer l'année des douze ans de Johanne. Pour qui veut devenir ballerine à cette époque, l'École supérieure de danse des Grands Ballets canadiens est le passage obligé, le sceau d'authenticité pour la transmission de l'héritage apporté sur nos rives par la formidable Ludmila Chiriaeff qui a fondé les Grands Ballets canadiens en 1957. Pour franchir cette première étape de la vie d'une danseuse professionnelle, Johanne vient à Montréal passer l'examen d'entrée et est d'abord acceptée à l'Académie puis ensuite, à l'École supérieure. Pendant deux ans, elle fera l'aller-retour Sherbrooke-Montréal chaque week-end pour parfaire son apprentissage et sa technique. Parallèlement au ballet, cette jeune sylphide se livre à la poésie, les vers prolongeant les lignes et la grâce de ses gestes quotidiens. À douze ans, elle est lauréate des « Concours olympiques 1972 » organisés par le COJO 1976. Trois cent mille jeunes du Québec doivent soumettre un texte et Johanne se classe parmi les cinq finalistes de sa catégorie, défrayant à ce sujet les manchettes du journal *La Tribune* de Sherbrooke. La nouvelle qu'elle a écrite sur les Jeux olympiques ne lui aura pas permis de réaliser son rêve de voyage, soit de se rendre avec ses parents aux Olympiades de Munich (ce premier prix qui lui échappera). Mais ce goût du voyage, il lui reste toute sa vie pour l'assouvir. La révélation que sa courte nouvelle lui aura procurée, c'est le pouvoir des mots, le pouvoir de faire surgir les images, d'évoquer des sentiments, de cerner des situations et de dépeindre des personnages. Cette fascination pour l'écrit en fera la collaboratrice essentielle de Lefèvre quand viendra le moment de trouver les titres et d'écrire les textes de ses albums de compositions. Alain, dans la première interview qu'il accorde au critique Claude Gingras ne nous annoncera-t-il pas, dès l'été 1985, que Johanne travaille à son premier roman?

Lassée de ce va-et-vient entre Sherbrooke et Montréal, Johanne, en 1974, quitte les Cantons-de-l'Est et entre pensionnaire à l'Académie Michèle-Provost. L'année suivante, leur fils aîné Luc ayant commencé ses études de droit à l'Université d'Ottawa, leur deuxième fils Roch, inscrit à l'université du Québec à Montréal, Johanne poursuivant ses études aux Grand Ballets Canadiens et le petit dernier, Pierre, suivant sa sœur à l'Académie Michèle-Provost, la famille Martineau vient s'installer à Montréal au 5159, avenue Notre-Dame de Grâce, à deux pas de la tribu Lefèvre, logée au 5125 de la même artère.

À quinze ans, Johanne Martineau poursuit son rêve avec tout l'engagement dont sa nature idéaliste, jusqu'au-boutiste et

passionnée est capable. Johanne, qui s'impose un régime de répétitions et de travail infernal doit compenser une morphologie
qui ne lui offre pas spontanément et naturellement la position
« en dehors », si essentielle pour atteindre la pureté suprême et
cette parfaite élégance de la ligne. En travaillant d'arrache-pied,
elle parvient à maîtriser ce handicap. Au moment où elle allait
être acceptée dans les classes supérieures pour enfin entrer dans
le corps de ballet, ce qui aurait dû être le couronnement de toutes
ces années d'apprentissage, un événement va faire voler en éclats
sa raison de vivre jusque-là. La venue à Montréal du National
Ballet of Canada lui permet d'être invitée à prendre part aux cinq
représentations de *la Belle au bois dormant,* de Tchaïkovsky, pour
tenir un des rôles de figuration en extra. Le légendaire Rudolf
Nureyev incarne le prince Désiré tandis que Karen Kain et Nadia
Potts dansent en alternance le rôle de la princesse Aurore. Cette
confrontation avec le nec plus ultra de la quasi-perfection et à
la réalité du monde de la danse professionnelle lui font réaliser
que jamais, elle ne pourra être danseuse étoile, la *prima ballerina
assoluta* qui incarne son idéal de vie. Tout au plus deviendrait-
elle membre du corps de ballet. Elle met fin abruptement à son
long apprentissage car pour Johanne Martineau, il n'y a jamais
eu de demi-mesures : c'est tout ou rien ! Son père, au moment où
elle terminait son cégep au Collège Jean-de-Brébeuf en Arts et
Lettres, prudent, lui avait suggéré de postuler à la Faculté de droit,
à tout hasard, au cas où... la tradition familiale en ferait la première femme avocate. Contre toute attente, Johanne est acceptée.
Les examens d'entrée se déroulent au pavillon principal de l'Université de Montréal et, si jusque-là la danse avait été toute sa vie,
la *gravitas* et l'ambiance du milieu universitaire la touchent et
elle entreprend ses études de droit à 18 ans. Elle sent qu'elle peut
appliquer la même discipline et la même rigueur qui furent ses
règles de vie à l'étude du droit. Johanne se souvient encore vivement de l'émotion ressentie pendant un cours de responsabilité

civile dès son entrée à la Faculté. Pour illustrer le quantum des dommages que pouvait réclamer une victime, le professeur avait choisi, entre autres exemples, celui d'un pianiste qui, blessé aux mains, serait incapable de poursuivre sa carrière. Habitée toute sa vie par la «hantise de la blessure», qui est le cauchemar du danseur, cet exemple lui triture d'autant plus la conscience qu'il lui rappelle l'idéal auquel elle vient de renoncer. Trois ans plus tard, licence de droit en poche, Johanne doit entreprendre le barreau en septembre 1981 avant d'être reçue avocate l'année suivante. Elle profite des dernières semaines du mois d'août avant de rejoindre un milieu qui ne lui appartiendra jamais tout à fait et où elle se sentira étrangère. C'est ici que la vie va mettre en branle ses grandes machines. Et puisque leur relation dure depuis plus de trente ans, c'est le moment de faire entrer le prince charmant en scène…

Comme chaque année, Alain est venu passer l'été en famille à Montréal. Ainsi qu'il le fait depuis plus d'une décennie et, semble-t-il pour le reste de sa vie, Alain travaille. C'est-à-dire, nonobstant le fait que l'été devrait l'inciter à prendre des vacances, il donne au piano la meilleure partie de sa journée. Pour le reste, il a retrouvé son ami Pierre Martineau et l'amie de cœur de celui-ci. Martineau, qui travaille pendant ses études à la tabagie du coin où Alain s'approvisionne, est un ami de Louis Jacob, l'ancien «garde du corps» d'Alain à l'école St-Luc. Ce jour-là, le pianiste a décidé de faire une balade à vélo. Comme c'est le cas depuis l'enfance, même en été et même à bicyclette, sa tenue est soignée : chemise et short kaki, lunettes Ray-Ban jaunes et, pour parachever l'œuvre, Alain s'est aspergé d'*Eau Sauvage,* de Dior. À l'angle des rues Décarie et Notre-Dame-de-Grâce, attendant le passage au vert du feu de circulation, il aperçoit une jeune femme «belle à couper le souffle». Il reconnaît la sœur de son ami Pierre qui lui a montré une photographie. Johanne porte un uniforme d'agent de bord. Si nous étions au cinéma, il faudrait faire dérouler cette scène digne du meilleur Lelouch au ralenti tant l'intensité de ce choc les sidère l'un et l'autre.

Par cette splendide journée d'août, Johanne revient de l'aéroport de Dorval et s'apprête à rentrer chez elle. À cette époque, la compagnie aérienne Air Canada engageait des étudiants pour les remplacements d'été sur ses vols réguliers et la future avocate en était à son troisième été à l'emploi de la compagnie aérienne. En sortant de la banque, au coin des rues Décarie et Notre-Dame-de-Grâce, elle croise le regard d'un jeune homme qui soulève ses Ray-Ban. Plus de trente après, la sensation de reconnaître et de reconnecter avec ce qui semble avoir existé de tout temps est intacte et reste aussi intense. Ce premier émoi qui neutralise tous les sens et fera basculer pour toujours leurs vies, nous l'avons bien enregistré. Remettons la projection à la vitesse normale. C'est plus qu'un coup de foudre, c'est un déplacement de plaques tectoniques qui emporte Johanne hors du monde. Son frère Pierre lui avait parlé du pianiste Alain Lefèvre, et soudain, elle réalise que ce jeune homme, ce pianiste, elle le connaît depuis toujours. Depuis six ans que les Martineau sont installés avenue Notre-Dame-de-Grâce, tous les jours, Johanne passe devant la maison des Lefèvre et entend Alain travailler à son instrument matin, midi et soir. Elle a toujours voulu frapper à la porte et dire merci pour la musique, elle pour qui cet univers est le pain quotidien. Une certaine pudeur l'a toujours retenue, et voilà qu'elle a devant elle celui qu'elle entend et qu'elle écoute depuis six ans. Maintenant qu'elle le voit, le sortilège finit d'opérer. Nous savons déjà qu'Alain éprouve des sensations rigoureusement réciproques. Les mots qu'elle utilise encore aujourd'hui sont : « Magnifique, lumineux. Ça s'est emparé de moi, j'étais bouleversée ! » Alain se présente et lui dit la reconnaître et il lui propose de venir l'entendre à son prochain récital. Il la salue et s'éloigne. Et Johanne, qui partage la même passion pour les parfums, se souvient qu'Alain portait ce jour-là *Eau Sauvage* de Christian Dior et Alain se rappelle qu'elle portait *Quartz* de Molyneux.

Arrivée chez elle, le désintérêt qu'elle avait manifesté face à cet Alain Lefèvre, n'ayant pas associé la musique qui jaillissait du 5125 avec le pianiste dont son frère lui avait vanté les mérites, se transforme en : « Organise une soirée avec Alain ! » Quelques jours plus tard, Pierre, sa copine, Alain et Johanne vont dans le Vieux-Montréal au célèbre bistro Les Deux Pierrots, où Philippe, le frère d'Alain, joue du piano avec son groupe de rock. Après la soirée, Johanne est encore plus éprise et il lui semble qu'Alain vibre au même diapason. Quelques gestes de tendresse ont été échangés et, de la rue Saint-Paul à l'avenue Notre-Dame-de-Grâce, c'est sur un nuage que s'accomplit le retour. Au moment de se séparer et de se dire bonne nuit, Alain lui déclare : « Je te souhaite de rencontrer l'homme de ta vie ; quant à moi, je cherche toujours l'âme sœur. »

Johanne se précipite dans les bras de sa mère et lui raconte sa soirée. Blanche Martineau, qui n'aime pas voir souffrir sa fille, écrit le nom d'Alain Lefèvre sur un bout de papier et le brûle. Jojo peut dormir en paix.

Le lendemain, à neuf heures, quelqu'un frappe à la porte des Martineau. C'est Alain. Il n'a pas dormi de la nuit et a composé une pièce pour elle, Jojo — à partir de maintenant, appelons la Jojo —, et lui joue *L'espace d'une rencontre,* qui deviendra *Paris sans toi,* puisqu'il doit repartir pour Paris décrocher ce premier prix au terme de ce qui devrait être sa dernière année au Conservatoire. Il lui raconte qu'il a été blessé, trompé et meurtri par une belle fille du Rhin au Conservatoire, et qu'il se méfie, qu'il a peur de s'engager et de souffrir, enfin…

Quelques jours plus tard, le 19 septembre 1981, l'agente de bord ne fait plus la différence entre la terre et le ciel quand les amoureux vont au cinéma voir le film de Claude Lelouch, *Les uns et les autres.* Il y a dans ce film Jorge Donn et le Ballet du XXe siècle et un chef d'orchestre et de la musique et de la danse et Ravel… Ce petit chef-d'œuvre donne des ailes à l'amour et achève de mettre le feu au cœur de ces deux idéalistes qui doivent transfigurer en œuvre d'art chaque journée de leur vie.

Est-ce sa passion pour la danse et son monde idéal où tout n'est qu'ordre et beauté qui retient Jojo de revêtir un tailleur, l'uniforme des femmes de pouvoir des années 80 ? Elle est toujours, non seulement élégante, mais affiche sans ostentation ce je-ne-sais-quoi qui ne laisse personne indifférent et attire les regards sans les provoquer. Très critique de son nouveau milieu, même si sur le plan intellectuel elle trouvera passionnante l'étude du Droit, Jojo, le moment venu, prendra la décision de le quitter : « Alain m'a sauvée d'un milieu qui n'était pas le mien ».

Les lettres d'amour quotidiennes volent d'un côté à l'autre de l'Atlantique et les amoureux, que Noël a réunis, ressentent la confirmation de ce qui s'avèrera être encore le grand amour. Commence aussi pour cette jeune femme « une des plus grandes épreuves de ma vie : subir le rejet des parents de l'être que j'aime le plus au monde. »

Thérèse et André voient arriver Jojo et craignent de la voir ruiner l'avenir d'Alain qu'ils ont planifié avec tant d'acharnement, de sacrifices et d'autorité. Va-t-elle le détourner de la carrière, va-t-elle vouloir fonder une famille et obliger l'élu de son cœur à quitter la musique et à prendre un travail pour la faire vivre ? Et, obstacle infranchissable et révélateur de préjugés et de jugements face à leur pays d'adoption, Johanne Martineau est Québécoise, elle n'est pas Française et, terre promise ou pas, aux yeux des Lefèvre, le Québec et sa jeune culture, quand elle existe — ce français approximatif et ces manières… — leur font, comme à tant de leurs compatriotes, mépriser ce pays que leurs ancêtres ont abandonné et auquel ils devraient pourtant accorder la plus grande mansuétude. Cette attitude explique paradoxalement la passion viscérale et l'amour inconditionnel d'Alain Lefèvre pour le Québec.

De plus, pour ces gens qui pratiquent un retour à la nature draconien, s'habillent simplement, et pour qui la spiritualité est le centre de la vie, l'apparent matérialisme qu'ils perçoivent dans le look so-phistiqué et l'image *glamour* que Jojo projette, est aux antipodes de leur idéal. Les vêtements, le maquillage, l'attitude, tout dans cette jeune femme hérisse Thérèse Lefèvre. Jojo vit d'autant plus mal ce premier rejet que les parents Martineau accueillent et ouvrent leur cœur et leur maison au nouveau venu. Après tout, ne laissent-ils pas aller leur unique fille dans les bras d'un artiste par définition fauché, un pianiste de vingt ans qui forcément n'a pas encore de carrière et dont l'avenir est imprévisible sinon improbable, et ce malgré les rêves qu'ils ont peut-être caressés pour elle, avocate, pouvant espérer un bon parti? Blanche et Louis, comme le veut l'expression consa-crée, ne perdent pas une fille, ils gagnent un fils. Même quand Jo-hanne recevra son passeport français, les Lefèvre ne desserreront pas les lèvres. Elle restera toujours l'intruse, l'étrangère, mais Thérèse, avec le temps, finira par voir Johanne avec les yeux d'Alain.

Le jour du mariage, l'amie de toujours, Lucette Turmel celle qui avait soutenu Alain en lui permettant d'aller à Milan, qui le fera au-ditionner pour Alexander Brott, contribuera à organiser son pre-mier concert avec l'OSM, ira jusqu'à prêter son piano à queue au jeune couple quand il s'installera définitivement à Montréal, cette femme admirable menace André et Thérèse Lefèvre : « Si vous ne venez pas au mariage d'Alain, je ne vous adresserai plus la parole de ma vie ! » À leur corps défendant, en ce 17 septembre 1983, les Lefèvre assistent au mariage de leur fils. L'église de Saint-Léon de Westmount reçoit les vœux immémoriaux que, trente ans plus tard, ces éternels jeunes mariés semblent toujours prendre au pied de la lettre, amour, fidélité, assistance dans toutes les circonstances.

La première question à laquelle Jojo est systématiquement sou-mise dès l'établissement d'un certain degré d'intimité demeure : « Comment fais-tu pour vivre dans l'ombre de ton mari ? » Et, jolie formule, mais réalité profonde et quotidienne, Jojo répond :

Mais je ne vis pas dans l'ombre d'Alain, je vis dans sa lumière. Je n'aurais pas pu le soutenir si je n'avais pas cru totalement à son talent. Ça aurait été impossible pour moi. J'ai épousé ce qui était plus grand que nous. Je ne suis pas au service d'Alain, nous sommes au service de la musique et de tout ce qu'il peut transmettre par son art. Ce que les gens ne réalisent pas, c'est le privilège de pouvoir, au quotidien, l'entendre travailler du matin au soir et d'être avec l'être qu'on aime toute la journée. C'est un cadeau de ne pas pouvoir vivre l'un sans l'autre.

Pour pouvoir être toujours ensemble, Jojo a quitté son cabinet d'avocats, malgré une offre de partenariat alléchante, mais ne renonce pas à son indépendance pour autant ; ce qui permet à cette liberté et à cette autonomie pour le couple de se maintenir intacte, c'est aussi le fait que, dès l'âge de douze ans, Jojo savait qu'elle ne voulait pas avoir d'enfant, parce qu'un enfant change tout, modifie la vie de fond en comble. La cellule n'est plus la même.

Ce n'est pas une question d'égoïsme, c'est choisir ses combats. Privilégier la carrière, l'art, le rêve et la beauté qu'un récital ou un concert donné en état de grâce peut procurer à des milliers d'auditeurs. J'ai eu la chance de rencontrer quelqu'un qui m'a suivie et m'a soutenue dans ma décision.

La question est suffisamment importante pour pousser un peu plus loin la réflexion.

Ce n'est pas que je n'aime pas les enfants, mais mon besoin d'indépendance était plus fort. Ç'a toujours été comme ça ! J'ai tellement reçu de mes parents, ils m'ont tellement donné… C'est un conte de fées mon enfance avec mes parents, je n'ai pas besoin de prouver ou de conquérir quoi que ce soit, les enfants, la carrière, je n'ai pas ce besoin-là.

Alain va encore plus loin quand il dit : « Quand elle m'a épousé, elle a épousé ma carrière. »

En fait, Jojo est le paratonnerre de l'homme et de l'artiste. Si le lendemain d'un concert ou d'un récital, la critique est bonne, Alain n'a même pas besoin de lire l'article, Jojo irradie le bonheur. Si les journalistes n'ont pas aimé, elle souffre tellement, elle prend si pleinement sur elle le commentaire qui tue, que l'intensité de sa peine absorbe la blessure d'Alain.

Il se dégage un tel respect, une telle inconditionnalité de son amour et de son engagement qu'on se surprend malgré soi à se demander comment cela est possible.

C'est qu'Alain étant au piano toute la journée, j'entends sa musique et c'est mon cadeau. Heureusement, car cela arrive rarement, mais les rares fois où la maladie le terrasse, je suis privée de sa musique, je n'entends pas le piano dans la maison. C'est terrible, car j'ai besoin de sa musique.

Il n'y a qu'une seule chose que Jojo demande à Alain Lefèvre : ne jamais laisser le doute ni l'amertume s'installer parce que le doute, chez un artiste, tue. Avec les communications instantanées, les attaques peuvent être sournoises, anonymes et destructrices, et, chez un être sensible, fissurer les fondations toujours diaphanes de son métier : « C'est la seule chose que je lui demande : Ne jamais douter. N'oublie jamais que ton art est un diamant. »

Lors d'une rencontre avec Denise Bombardier pour son émission *Parlez-moi des hommes, parlez-moi des femmes*, Lefèvre provoque l'incrédulité et enfin l'admiration de l'animatrice : « La plus belle chose que je pouvais faire, c'était de réussir mon mariage. »

La seule fois où Jojo ne l'a pas accompagné en tournée, c'était au Japon, il y a des décennies, *because* les budgets. On propose à Alain des filles et le jeune homme de refuser parce que :

Être bien amoureux, c'est la vraie liberté. La fidélité ne vous pèse pas du tout. Il y a une question spirituelle dans l'amour. C'est la quête, c'est le regard dans le même esprit. Moi, je monte sur scène parce que Jojo est là. Je ne suis pas bon sur scène parce que je suis bon sur scène. Je joue parce que j'ai ma femme, parce qu'elle est là, parce qu'elle me porte. Je suis le résultat de mon amour.

Et cet amour est si fort et si entier qu'Alain se pose la question, simplement : « Est-ce que je veux survivre à Jojo ? »

Pour transcender le quotidien, la beauté est très importante. D'où l'allure, les vêtements, le rêve. Ce n'est même pas tant l'image qui compte, c'est la magie constante qui doit être entretenue tous les jours. Car si cette femme porte l'artiste à bout de bras, elle avoue, un peu embarrassée, que le ménage, la cuisine, le repassage, tout ce qui est traditionnellement associé au rôle de l'épouse, lui est totalement étranger. En matière culinaire, disons que ses talents voisinent avec le « menu pour enfants » et qu'il faut compter trois jours de vaisselle après un apéro à la maison !

Mais en cet automne 1981, alors qu'Alain et Johanne vivent leur première séparation et qu'un océan les sépare, nous sommes encore loin du partage quotidien. Et cet amour balbutiant, mais volubile, doit s'incarner dans une correspondance qui fera peut-être un jour l'objet d'une publication et, qui sait, rejoindra sans doute les échanges épistolaires célèbres qui font mourir d'envie les amoureux dont le vocabulaire du cœur doit se décliner autour des thèmes éternels.

De retour à Paris pour cette dernière année d'études, Alain retrouve Sancan, Kito et Ginette. C'est le cœur léger qu'il se prépare à passer son concours. En décembre, Alain vient passer Noël en famille à Montréal et surtout retrouver ce nouvel amour qui l'habite, le comble et le porte. Pour amortir les frais de son séjour, il organise une série de récitals à La Chaconne, un café concert réservé à la musique classique et situé au coin des rues Ontario et Saint-Denis. Une danseuse flamenco de Chicoutimi, Sonia del Rio, anime les lieux de main de maître. Au programme, quelques *Études-Tableaux* de Rachmaninov, la *4ᵉ Ballade* de Chopin, la *Sonatine* de Ravel, *Chorale, Prélude* et *Fugue* de Franck et… le *Prélude Romantique* d'André Mathieu. Alerté par un ami, André Morin — l'éminence grise qui avait réussi à imposer la musique d'André Mathieu aux cérémonies d'ouverture et de clôture des Jeux olympiques de Montréal, et qui aura finalement consacré sa vie à la réhabilitation d'André Mathieu — vient écouter Alain Lefèvre. Cette rencontre, nous le verrons plus tard, aura des conséquences incalculables sur les décennies à venir.

Alain manifeste son amour en offrant à Jojo une fragrance de Jean-Louis Scherrer. Les envois de toutes sortes se sont d'ailleurs croisés au-dessus de l'Atlantique tout au long de l'automne. Jojo éprouve un plaisir entêtant à offrir des cadeaux somptuaires à son bien-aimé, alors qu'Alain l'entoure de poèmes, de tous ces feux d'artifice qui permettent à la coquille narcissique d'éclater et de laisser pénétrer les flots d'amour endigué si longtemps, dans l'espoir de rencontrer l'âme sœur, l'âme frère, cet idéal qui nous amène à donner notre véritable mesure.

Retour à Paris pour ces ultimes mois avant ce premier prix du Conservatoire qui le jettera dans cette carrière exigeante, terrifiante et exaltante. Ce prix symbolise la clef qui permet à Alain d'accéder à sa vraie vie d'homme après trois années intenses qui ont permis à sa ferveur de se manifester et de toucher les autres, trois années qui l'auront aussi amené à se positionner sur l'échiquier international en côtoyant le gratin de la future génération d'interprètes.

La vie a réservé un baptême de carrière, un rite de passage aussi spectaculaire qu'inattendu à Alain Lefèvre. Non pas un récital dans une salle prestigieuse sponsorisé par un mécène richissime et mondain, mais un événement où son nom est associé à celui d'un des plus grands artistes de la dernière moitié du xxᵉ siècle, le

violoniste Christian Ferras (17 janvier 1933-14 septembre1982).
Il n'est peut-être pas inutile de rappeler que le prodigieux Ferras
obtient ses premiers prix de violon et de musique de chambre du
Conservatoire de Paris à treize ans. Après Benedetti, c'est auprès
de Georges Enesco qu'il se perfectionne et se classe deuxième au
concours Long-Thibaud à Paris en 1949. C'est à ce moment-là
qu'il donne son premier récital avec celui qui sera son partenaire
attitré pendant trois décennies, Pierre Barbizet. Il a dix-huit ans,
quand le grand Karl Böhm l'invite à la Philharmonie de Berlin
pour jouer le *Concerto* de Brahms. Cette même année Ferras part
en tournée au Japon et en Amérique du Sud. Trop tôt, trop vite.
En 1954, il enregistre ce même *Concerto* de Brahms avec Carl
Schuricht au pupitre, et c'est Charles Munch qui dirigera dans
ce concerto fétiche ses débuts américains en 1958. Année faste, à
26 ans, il enregistre le *Double Concerto* de Brahms avec Yehudi
Menuhin et se retrouve à Prades, partenaire de Pablo Casals et de
Wilhelm Kempff. Le duo Ferras-Barbizet tourne partout à travers
le monde et enregistre sans cesse. Enfin arrivent les plus beaux
fleurons d'une carrière extraordinaire : il enregistre une série de
concertos — Brahms, Beethoven, Tchaïkovsky, Sibelius — avec
Herbert von Karajan, et les deux artistes signent là quelques-
uns de leurs plus beaux enregistrements respectifs. À trente-et-
un ans, Ferras est à l'apogée de sa carrière qui s'arrête en pleine
course. Il entre en cure de désintoxication, ravagé par un alcoo-
lisme virulent. Sa carrière interrompue, il est nommé professeur
au Conservatoire de Paris en 1975, et l'année suivante Gilles Lefèvre deviendra son élève. À ses problèmes de santé s'ajoutent
de graves difficultés financières qui l'obligent à vendre un de ses
deux Stradivarius pour rembourser des dettes de jeu. Se battant
contre ses démons, tentant grâce à l'enseignement de retrouver
un but et un équilibre, ayant déjà entendu Alain accompagner
son frère à plusieurs reprises, il syntonise France-Musique le
29 novembre 1981 et écoute l'émission du producteur François

Serette, qui accueille le Canadien Alain Lefèvre et l'interroge sur sa jeune vie. Alain jouera Rameau, puis une *Ballade* de Chopin, la quatrième, où déjà perce une approche personnelle, puis, il livre trois des *Études-Tableaux* d'un de ses compositeurs fétiches, Rachmaninov. Lefèvre termine l'émission en jouant le *Prélude Romantique* d'André Mathieu, dont on n'avait sans doute pas entendu les œuvres sur les ondes de la radio française depuis les nombreuses diffusions d'André Mathieu lui-même en 1947.

À son insu, le jeune pianiste a un auditeur prestigieux. Sans doute prévenu par son frère Gilles, Ferras l'écoute et manifeste le désir de le rencontrer et de travailler avec lui. A-t-il reconnu chez l'autre ce même feu qui l'habite et cette capacité à déjà prendre son envol?

Christian Ferras arrive quelques semaines plus tard au volant de sa grosse voiture américaine, une Ford Granada qui fait jaser les habitants de l'immeuble du square Emmanuel-Chabrier. Dans cette chambre de bonne qui fait pâlir les descriptions de Murger et de Balzac, l'ascenseur s'arrêtant au 6e, Ferras arrive en sueur avec son violon et découvre les posters de Walt Disney et le piano droit qui n'a pas, en ce début d'hiver, pu retenir son accord. Alain, nourri de toutes les histoires que lui raconte son frère, voit apparaître une des légendes du monde musical dans son minuscule appartement. Malgré l'humidité qui pénètre jusqu'à la moelle des os, Ferras transpire beaucoup. Il avait officiellement cessé de boire, mais en fait il buvait un peu en cachette. En passant à travers un programme exigeant, testant sans qu'il le sache son jeune partenaire, ensemble, ils jouent les sonates de Franck, Grieg, Lekeu, la *Printemps* et celle en do mineur de Beethoven. Lefèvre se souvient encore de cette session parce qu'il a eu l'impression que Ferras « jouait comme si c'était la dernière fois de sa vie ». À la fin de cette rencontre-répétition, Ferras lui lance : « Mon prochain récital, c'est avec toi que je le fais ! »

Cette annonce est aussi excitante pour Lefèvre qu'elle est terrible pour le partenaire de Ferras depuis plus de trois décennies :

Pierre Barbizet, avec qui il a enregistré tout le répertoire et fait le tour du monde plusieurs fois depuis leur rencontre en 1949. De dix ans son aîné, Barbizet a protégé et éduqué cet adolescent qui ne connaissait que le violon. Il l'a traîné dans les musées, lui a appris les beautés du monde, ce n'est donc pas un simple partenariat que Ferras brise ici, c'est une amitié.

Barbizet (20 septembre 1922-19 janvier 1990), décroche son premier prix du Conservatoire de Paris en 1944. Grand copain du légendaire Samson François, il enregistre avec lui Chopin, Ravel et Debussy. Il sera le directeur du Conservatoire de Marseille de 1963 à sa mort. Il enseigne aussi au Conservatoire de Paris à partir de 1974. Est-ce lui qui a convaincu la direction du Conservatoire d'engager Ferras dès l'année suivante ? Parmi ses élèves, mentionnons Hélène Grimaud, Philippe Cassard et Jean-Yves Thibaudet. Malgré plus de trente ans de carrière ensemble, de complicité et de partage de grands moments, Ferras et lui se seront toujours vouvoyés. C'est plus qu'un camouflet que lui inflige Ferras en faisant sa grande rentrée parisienne avec un autre, c'est un soufflet public.

Le mardi 9 mars 1982, à cinq heures trente, Christian Ferras, rongé par le trac, débarque rue de La Boétie avec les frères Lefèvre, Gilles son disciple, et Alain son jeune et nouveau partenaire. Sa femme l'a laissé à l'entrée des artistes pour rejoindre son fauteuil de la Salle Gaveau, où le maître a choisi de faire son *come back*. Coïncidence curieuse, l'imprésario qui avait présenté le premier récital d'André Mathieu à Paris en décembre 1936 est celui-là même qui organise le retour de Ferras. Conjoncture surprenante quand on sait l'importance que la vie et l'œuvre de Mathieu prendront dans la vie de Lefèvre.

Nous arrivons ensemble salle Gaveau. Pour moi, c'était fou, j'avais une loge avec mon nom inscrit sur la porte à côté de celle de Christian Ferras, à dix-neuf ans, salle Gaveau. Ensuite, il faut savoir, pour mesurer la cruauté de l'événement qui va se produire, que Ferras avait cultivé l'habitude de boire du Johnnie Walker à étiquette rouge…

Ferras ouvre la porte de la loge d'Alain alors que Gilles fait la même chose pour Ferras. À peine entr'ouverte, il s'arrête et recule. Sur la table, il a aperçu une bouteille de Johnnie Walker, étiquette rouge déposée là pour Ferras. Le visage de Gilles se décompose et le jeune homme entraîne le grand violoniste par les épaules. Une carte sans signature accompagne la bouteille : « Bonne chance ». En quelques instants, Lefèvre, qui va jouer pour la première fois dans une des grandes salles de Paris, vient aussi d'entrevoir des abîmes de méchanceté dans lesquels l'humanité peut sombrer. Ferras traverse une nouvelle fois l'épreuve du feu et termine son programme avec la gigantesque *Chaconne* de la *Partita en ré mineur pour violon seul* de J.S. Bach.

Barbizet est évidemment venu entendre son vieux complice et dit tout haut à celui qui a pris sa place au piano : « Ha ! Je ne pourrais jouer Bach comme tu l'as fait ! » On peut interpréter ce compliment comme on veut. Mais une vieille amitié musicale de trente ans ne peut se balayer du revers de l'archet. Et le 6 mai 1982, toujours salle Gaveau, un des duos légendaires du XXe siècle donnera son dernier récital.

Quelques jours plus tard, Ferras, tout heureux, annonce à Alain que c'est confirmé : Alain et lui vont partir en tournée en Espagne et au Portugal avec les sonates de Franck, Grieg, Beethoven, etc. qu'ils ont déjà travaillées ensemble.

À quelques semaines de passer son concours pour décrocher son premier prix tant convoité du Conservatoire de Paris, l'avenir semble s'être installé sur un tapis volant et c'est le cœur léger que Lefèvre aborde les épreuves. Cette année-là cependant, le destin veut que le président du jury soit Pierre Barbizet. Quatre pianistes de la classe de Sancan doivent passer leur concours :

Olivier Gardon, Marc Laforet, Stéphane Petitjean et Alain Lefèvre. La pièce imposée cette année-là, qu'il lui faut apprendre en sept jours, est *l'Isle Joyeuse* de Debussy. Cette musique exultatoire est le véhicule parfait pour cet amoureux qui ne rêve que de retourner à Cythère à la veille de rentrer à Montréal.

La veille de l'annonce des résultats, Alain est chez Kito et Ginette, loin de l'agitation du monde. Il reçoit un coup de téléphone d'un confrère pianiste aujourd'hui très connu, élève de Barbizet, qui lui dit, énigmatique : « Tu sais Alain, je t'aime beaucoup, ne t'inquiète pas. » Et il raccroche. Ce n'est que le lendemain que le nouveau partenaire de Ferras comprend l'avertissement « affectueux ». Aucun élève de la classe de Sancan n'obtiendra de prix, les quatre pianistes étant tous recalés. Sancan sort de la salle Berlioz furieux et devra présenter des excuses après coup.

C'est qu'on ne badine pas avec la grande tradition française. Sancan et ses recherches bouleversent les fondements sur lesquels repose cette grande institution et cet affront cinglant n'est qu'une manche dans une partie à finir. « À Paris, à l'époque, il y avait de grandes écoles, de grands mouvements, il y avait de grands personnages, et moi, j'étais avec Sancan ! »

Mis au courant, Ferras prendra même le temps et la peine d'envoyer à Alain un mot d'encouragement que Lefèvre chérit encore :

Le 26/6/82

Avec toute mon affection et mes remerciements — et puis, ne t'en fais pas, ce n'est que partie remise — il y a beaucoup d'autres artistes qui n'ont pas eu de 1er prix, et ils ont quand même réussi. Courage et pense à la musique !

Avec toute ma grande affection.

Christian F.

Même s'il obtient son premier prix en musique de chambre et en solfège, ce délai, car ce n'est pas un échec, lui impose une nouvelle année à Paris et, bénéfice marginal précieux, de travailler une année de plus avec Sancan. Ce délai, à dix-neuf ans, ne met pas la demeure en péril et va lui permettre d'intégrer plus profondément les principes et l'héritage de Sancan. De plus, avec cette tournée à l'automne et les récitals qu'il a donnés en compagnie de son frère Gilles tout au long du printemps, c'est le cœur malgré tout léger qu'il rentre à Montréal. Comme chaque année, il va passer l'été avec les siens et surtout retrouver sa muse, son amour, Jojo, qui a terminé son barreau et a décroché un emploi dans une étude d'avocats. Les gens heureux n'ont pas d'histoire, et conséquemment, il n'y a rien à dire sur cet été 1982. Cependant, un coup de tonnerre déchire la fin d'un été qui s'annonçait glorieux. Christian Ferras, avec qui Alain devait partir en Espagne, s'enlève la vie le mardi 14 septembre 1982. Cette association avec le prodigieux violoniste, qui offrait à Alain, non seulement un partenariat prestigieux, mais une école de vie, ramène le jeune pianiste qui vient d'avoir vingt ans à la case départ.

Sur la scène du théâtre musical du Châtelet à Paris, pour rendre un dernier hommage à ce géant fragile, lundi 4 octobre 1982, Alain retrouvera sur scène le violoniste Ivry Gitlis, le pianiste Pierre Barbizet, le partenaire de toujours et son frère Gilles, le dernier disciple du maître. Ce coup dur va évidemment propulser Alain dans des abîmes de travail afin d'arracher, enfin, ce premier prix qui lui a échappé pour des raisons qui ne le concernent pas.

Un des rares reproches qu'Alain Lefèvre formulera à l'égard de l'École normale de musique et de sa chère sœur Berthe est la quasi-absence d'apprentissage des œuvres concertantes, qui laisse désarmés les jeunes pianistes appelés à jouer avec orchestre. Ce bourreau de travail va donc profiter de cette année supplémentaire avec son maître pour se mettre dans les doigts quelques concertos. Le *premier* de Chostakovitch, le petit *la majeur* de Mozart, le *ré majeur* de Haydn, pour lequel Sancan lui donnera la cadence qu'il a lui-même écrite, et enfin le *Concerto en sol majeur* de Ravel. Si l'on considère que Sancan avait travaillé ce même concerto avec Marguerite Long, qui en est la dédicataire et la créatrice, et qu'elle l'avait travaillé avec Ravel lui-même, l'interprétation de Lefèvre du *Concerto pour les deux mains* de Ravel peut se réclamer légitimement d'une filiation directe avec le compositeur.

À mi-parcours de cette dernière année, c'est le retour à Montréal pour les vacances de Noël, et surtout pour sceller aux yeux de sa famille et du reste du monde les liens avec celle qu'il a choisie, celle avec qui il s'engage à passer le reste de sa vie : Johanne Martineau. Notre élève du Conservatoire national supérieur de musique de Paris amorce ensuite la dernière étape de sa formation. Cette année-là, la pièce imposée est *Triana*, tirée d'*Iberia*, le chef-d'œuvre d'Albeniz. Et Alain, à vingt ans, se retrouve Premier prix du Conservatoire de Paris. Il a obtenu son grand diplôme d'une grande école. La vie peut maintenant commencer.

V

La naissance d'une carrière

Des milliers d'artistes peuvent en témoigner, la naissance d'une carrière est un tour de force qui conjugue chance, talent et travail, bref, relève d'une conjoncture incontrôlable. Cette étape constituée d'obstacles divers, d'instants de découragement, d'espoirs déçus, d'efforts inutiles, d'occasions ratées, représente avant tout un combat à mener avec soi-même. Tout se met en place pour éliminer les pusillanimes. Resteront ceux pour qui le public est une nécessité impossible à étouffer et une présence qui assure leur survie par le regard et l'oreille de ceux qui viennent les applaudir. Lutte à finir aussi pour une suprématie qui se décline en plusieurs étapes. D'abord il faut, tâche colossale, arriver à exister, se manifester pour rendre conscient de son existence et de son talent, un milieu capricieux, partial et volatile. Puis, deuxième étape, durer. Occupation à plein temps qui requiert un arsenal allant bien au-delà du talent et même du génie qu'on peut avoir. Tous les milieux et particulièrement tous les milieux artistiques sont des jungles impitoyables où les théories de Darwin se vérifient chaque minute. Ce n'est pas que les autres ne soient pas extraordinaires, bouleversants, merveilleux, uniques et incomparables, c'est que celles et ceux qui finissent par s'imposer possèdent cette qualité indéfinissable qui nous fait reconnaître un roi caché dans une foule, une déesse dans un couvent, ce que tout animal perçoit d'instinct et le fait se soumettre à l'autre. Long, très long cheminement.

D'autant plus que le milieu musical montréalais, québécois, canadien du début des années 80 se cristallise autour de quelques noms qui, trente ans plus tard, restent les joueurs essentiels sur les scènes nationale et internationale.

Pour bien brosser le paysage pianistique, positionner les pièces sur l'échiquier de la carrière et mettre en perspective les générations d'interprètes, il n'est peut-être pas inutile de tracer une brève chronologie du piano canadien.

Ronald Turini (30 septembre 1934) était passé dans les mains d'Yvonne Hubert avant de devenir l'élève, pendant cinq ans, du grand Vladimir Horowitz. Cette association donna un sérieux coup de pouce à sa carrière. Claude Savard (16 octobre 1941), formé par Germaine Malépart, rejoint Vlado Perlemuter à Paris. Excellent chambriste, il privilégie le partenariat avec des artistes lyriques. Michel Dussault (8 juillet 1943) suit la filière gagnante d'Yvonne Hubert à Montréal et de Vlado Perlemuter et Yvonne Lefébure à Paris. En 1977, l'année où Alain découvre le *Prélude Romantique* d'André Mathieu, Dussault enregistre entre autres la *Sonate* et le *Quintette* de Rodolphe Mathieu. Louis-Philippe Pelletier (7 août 1945) pourrait se réclamer d'un lien direct avec Chopin, ayant étudié avec Lubka Kolessa, mais c'est auprès de Claude Helffer qu'il parfait sa formation et choisit de défendre la musique de notre temps.

André Laplante (12 novembre 1949) est lui aussi un élève d'Yvonne Hubert. Il se rend ensuite à l'école Juilliard pour étudier avec Sascha Goronitzki et au Conservatoire de Paris avec Yvonne Lefébure. À l'été 1978, il partage le second prix au Concours international Tchaïkovsky de Moscou avec le Français Pascal Devoyon. Il donne un récital au Carnegie Hall de New York le 21 octobre 1978. Reconnu grand interprète du répertoire romantique, au milieu des années 80, il est en pleine carrière.

Henri Brassard (16 janvier 1950) est aussi un produit d'Yvonne Hubert. Avant d'étudier quelques années avec l'incomparable Dieter Weber à Vienne, il passe par New York chez Nadia Reisenberg. À partir des années 80, tout en poursuivant une carrière de soliste, il se tourne de plus en plus vers la musique de chambre.

Janina Fialkowska (7 mai 1951) suit le même parcours qu'André Laplante, c'est-à-dire Yvonne Hubert, Yvonne Lefébure et Sascha Goronitzki. En 1974, le légendaire Arthur Rubinstein la remarque et l'auréole de son prestige en la lançant sur la scène internationale.

William Tritt (27 décembre 1951) suit la filière Lucille Brassard, Yvonne Hubert, Gilles Manny, Yvonne Lefébure pour achever ses études aux États-Unis avec György Sebök. Excellent soliste et chambriste, il meurt prématurément en 1992.

Angela Hewitt (26 juillet 1958) étudiera à Toronto avec Earle Moss et Rose Myrtle Guerrero, la seconde épouse d'Albert Guerrero, qui a formé Glenn Gould, et ensuite à Ottawa avec Jean-Paul Sevilla. En 1985, elle remporte le premier prix du *Toronto International Bach Piano Competition* et enregistre son premier disque sous étiquette DGG.

Louis Lortie (27 avril 1959) travaille avec Yvonne Hubert à Montréal, Dieter Weber à Vienne, Menahem Pressler et Marc Durand. En 1975, il remporte le Tremplin international des Concours de musique du Canada. En 1978, il part avec l'Orchestre symphonique de Toronto et Andrew Davis en tournée au Japon et en Chine. Récipiendaire en 1984 du premier prix au Concours international Busoni en 1984 et du quatrième au Concours international de Leeds, derrière Jon Kimura Parker. Restés dans toutes les mémoires, ce sont l'enregistrement et un récital de l'intégrale des études de Chopin à la salle Claude Champagne en février 1985 qui en font le point de mire de sa génération.

Déjà mentionné, Jon Kimura Parker (25 décembre 1959) reçoit l'enseignement de Kum-Sing Lee, Marek Jablonski et enfin d'Adèle Marcus à l'école Julliard.

Enfin, Marc-André Hamelin (5 septembre 1961) recevra des mains d'Yvonne Hubert le même héritage que tous les autres avant d'aller étudier à Philadelphie auprès d'Harvey D. Wedeen et de Russell Sherman. En 1982, il remporte le Tremplin international des Concours de musique du Canada et le Concours international de piano de Pretoria. En 1985, il est propulsé sur la scène internationale en remportant le premier prix du *Carnegie Hall International American Music Competition,* avec à la clé un récital dans l'illustre salle et un premier enregistrement. En 1987, il est le soliste invité de l'Orchestre symphonique de Montréal et de Charles Dutoit pour sa tournée européenne.

Voilà la topographie pianistique dans laquelle Alain Lefèvre doit se tailler une place. Phénomène un peu particulier, et à ce jour inexpliqué, tous ces musiciens ont été à plusieurs reprises boursiers du Conseil des Arts du Canada, que ce soit pour des études à l'étranger, des déplacements ou des allocations pour participer à des concours internationaux. Alain Lefèvre ne s'est jamais vu attribuer aucune bourse du Conseil des Arts du Canada à quelque niveau que ce soit.

Pourtant l'aide de cette institution, pour un artiste en début de carrière, s'avère souvent indispensable. De plus, le Conseil des Arts du Canada est dans une position privilégiée pour recommander des artistes à des organismes qui s'enquièrent auprès de lui de leur statut et de leur « valeur » marchande. Déclarer qu'un artiste n'a jamais été récipiendaire d'une bourse ou simplement ne pas reconnaître son nom peut être un verdict assez lourd à porter.

Une autre façon qu'a le Conseil des Arts de reconnaître l'excellence des artistes canadiens est l'attribution de prix prestigieux auxquels sont attachées des sommes importantes. Citons les prix

Virginia-Parker, Virginia-P.-Moore ou Bernard-Diamant. Les liens que le Conseil des Arts du Canada a aussi développés avec la Grande-Bretagne permettent à ses boursiers de faire des débuts remarqués à Londres et facilitent la signature de contrats avec des maisons de disques britanniques. Tous ces outils sont d'un secours inestimable dans une carrière où la réputation est si longue à bâtir et si difficile à maintenir. Comment expliquer alors ce *cold shoulder* face à un jeune artiste qui se distance déjà de la masse ?

Ce ne sont pas ses origines françaises, puisque ses frères Gilles et David seront soutenus à plusieurs reprises par l'auguste institution. Ce n'est pas l'absence d'un palmarès, puisque son nom circule depuis longtemps dans le milieu musical qui, bien avant l'avènement de Facebook ou de Twitter, ne manquait pas de propager les nouvelles à la vitesse du feu. À ce jour, l'hypothèse la plus vraisemblable pouvant justifier cet ostracisme systématique serait peut-être cette rencontre où, très poliment et à mots couverts, les bailleurs de fonds publics laissèrent entendre à Alain Lefèvre que sa carrière aurait plus de chances de s'épanouir... en Europe ! Comme les conséquences de nos actes et de nos choix nous suivent longtemps, lorsque Yvonne Hubert manifeste le désir d'entendre Alain Lefèvre et que, tout pétri d'amour pour sa chère sœur Berthe, il refuse de jouer pour l'illustre professeur, cette décision motivée par la fidélité et la loyauté s'est-elle répercutée jusqu'à Ottawa ? Presque tous les élèves de cette légendaire pédagogue ont reçu le soutien du Conseil des Arts. Sœur Berthe elle-même reprochera à Alain son geste, pressentant qu'il valait mieux ne pas se faire une ennemie d'une femme dont le jugement pouvait ouvrir ou fermer bien des portes...

En ce début d'automne 1983, Jojo quitte la pratique active du droit pour se consacrer à la carrière d'Alain qui a son Premier Prix pour toute armure et tout avenir. Nouveaux époux et tout à la joie de l'être, la lune de miel devra cependant attendre car dès le lendemain, c'est au piano qu'il retourne. Alain doit participer à un concert entièrement consacré aux œuvres de son professeur Pierre-Max Dubois, devenu un ami. Le jeune couple s'envole vers Paris et, le 28 novembre 1983, à la salle Rossini, Pierre-Max Dubois devient le premier des compositeurs en porte-à-faux de son époque qu'Alain Lefèvre choisit de défendre. Pimadu (contraction affectueuse du nom du compositeur pour les intimes) est un compositeur *politically incorrect*. Il a choisi de maintenir la grande tradition française et d'ignorer les recherches de la contemporanéité. Voici ce qu'il écrit à son jeune ami canadien :

> On parle toujours du roi après Brendel — (par exemple) — pourquoi ne pas parler du roi Lefèvre ?… Parce qu'il n'est qu'un petit prince actuellement, trop jeune. Alors je suis tranquille = je sais que le prince va grandir vite, très vite, et découronner les rois actuels — c'est une certitude —…

Quelques jours plus tard, c'est au musée Ludwig, de Cologne, le 4 décembre 1983, qu'Alain Lefèvre donne son premier récital, non plus en tant qu'étudiant ou disciple, mais en tant qu'artiste et musicien de plein droit. C'est aussi l'occasion de lire les premières impressions d'un critique musical parues dans le *Kölner Stadt-Anzeiger* :

Intensiver Chopin

> […] la dernière matinée de la série de récitals « Concerts pour connaisseurs et amateurs » peut se vanter d'avoir découvert dans l'œuvre pour piano de ces romantiques, des sons nouveaux pour l'auditeur. La raison en est l'interprétation fascinante, par sa clarté et son éclat, du jeune pianiste canadien Alain Lefèvre qui […] vient de faire ses débuts à Cologne. Ceux qui choisissent la sonate en un seul mouvement en si mineur de Liszt, s'attaquent à une œuvre qui exige non seulement une grande réserve de force et la plus haute

perfection technique [...] mais une étude approfondie des structures... Lefèvre a parfaitement répondu à toutes ces exigences et a nimbé l'œuvre d'une cohérence tangible. Sa performance, qui renonçait complètement au voile que donne l'usage de la pédale, accentuait les figures d'accompagnement, de même que les lignes basses en contrepoint. En les traitant au même niveau que la mélodie, elle rendait clairement reconnaissables, décalages rythmiques et dissonances. Grâce à cette approche structurelle, le pianiste a su éviter, dans la *Ballade en fa majeur opus 38* de Chopin, comme dans les *Moments musicaux* de Rachmaninov, la sentimentalité [...].

Dès le départ de sa carrière, remarques révélatrices, cette volonté de Lefèvre de faire entendre toutes les voix est un choix esthétique, déjà une signature. C'est un fait digne d'attention puisqu'il engage une nouvelle approche et une relecture des œuvres en se démarquant des interprétations traditionnelles.

Pendant les trois prochaines années, Alain et Jojo vont se partager entre l'Europe et l'Amérique. Une jeune carrière se doit de ne rien négliger. Et bien qu'Alain se soit déjà produit en Belgique, en France et en Allemagne, le premier grand coup d'éclat de sa carrière lui sera apporté par cette amie de toujours, si fidèle et si généreuse, Lucette Turmel. Cette femme, présidente du Comité Féminin de l'Orchestre symphonique de Montréal, amie proche de Thérèse et supportrice de la première heure de notre jeune loup, connaît tout le monde. Elle lui décroche une audition auprès du vénérable chef d'orchestre Alexander Brott, afin qu'il engage Alain comme soliste de son *McGill Chamber Orchestra*.

Le lundi 17 septembre 1984, au Théâtre de la salle Maisonneuve de la Place des Arts de Montréal, Alain Lefèvre fait ses débuts nord-américains. Rien, mais absolument rien, n'aurait pu être un plus beau cadeau pour souligner leur premier anniversaire de mariage et de bonheur que ce concert. Le patriarche Brott a choisi de compléter le programme avec Bach, Haendel et McMillan, alors qu'Alain brisera la glace avec deux œuvres travaillées avec son maître Sancan : le *Concerto en ré majeur* de Haydn et le spectaculaire *Concerto pour piano, trompette obbligato et orchestre de chambre* de Chostakovitch.

Au souper qui suit le concert, Lotte Brott, l'épouse du chef et compositeur qui, de ses yeux d'un bleu azur, voyait et prévoyait tout de la nature humaine met Alain Lefèvre en garde en lui rappelant le conseil du grand violoniste Henryk Szeryng : « Dans cette carrière, il faut avoir une carapace de rhinocéros. »

Cette femme remarquable déclare aussi, comme une prophétie : « Il a eu un gros succès, mais ce sera difficile pour lui. » Était-elle devineresse ? La presse écrite donnant raison à Lotte Brott, juge ce coup d'essai comme un coup de maître.

Dans *Le Devoir* du mercredi 19 septembre, Gilles Potvin écrit :

> Après l'avoir entendu exécuter d'une façon brillante, étincelante même, les concertos de Haydn et de Chostakovitch, on peut prédire que son nom ne tardera pas à figurer sur les grandes affiches. Il se présente avec une assurance désarmante, en véritable professionnel, et son jeu offre déjà toutes les garanties d'une carrière qui devrait être des plus réussies. Il n'est pas exagéré de parler ici d'une véritable découverte et il est à souhaiter que cette initiative fort louable de l'Orchestre de chambre McGill se répète d'année en année, suite à l'incontestable succès remporté lundi. Le public a d'ailleurs réagi avec un enthousiasme spontané, reconnaissant en Alain Lefèvre un talent authentique, promis à un bel avenir.

Le quotidien *The Gazette* avait mandaté son critique senior, Eric McLean. Dans son édition du mardi 18 septembre 1984, ce juge sévère parle cependant d'un « outstanding young Canadian pianist », Alain Lefèvre.

Alain Lefèvre brille [...]

Alain Lefèvre, 22 ans, a étudié avec le regretté Pierre Sancan (entre autres) [celui-ci ne mourra pourtant qu'en octobre 2008!] et semble mieux connu à Paris que dans son pays natal, le Canada [re sic] — mais cette situation va sûrement changer, étant donné son talent engageant et communicatif. Il habite chaque mesure de la partition et engage son auditoire dans une chaleureuse complicité. La chose était évidente dans les concertos de Haydn et de Chostakovitch, deux œuvres d'un caractère très différent. Il est parvenu à souligner les caractéristiques les plus originales du Haydn, tout en retenant la saveur classique de son écriture. Il a donné au Chostakovitch un air de romantisme refoulé, s'élançant dans de belles envolées lyriques, dont la plupart se terminaient par un pied de nez. Cependant, le mouvement lent était fort émouvant. [...] Il faut noter que la très belle cadence qu'Alain Lefèvre a exécutée dans le mouvement lent du Haydn était l'œuvre de son professeur, Pierre Sancan.

Ne manquait pour parachever ce triomphe qu'une critique élogieuse du chroniqueur musical du quotidien *La Presse*. Cela viendra!

Avec la naïveté du petit chaperon rouge, conscient qu'il faut avoir en main un dossier de presse bien garni, Alain, avec ses deux nouvelles critiques, tente de rejoindre la direction de l'OSM. Ses appels resteront sans réponse. La manière la plus simple et la plus efficace d'établir son pouvoir passe indubitablement par le silence, pire qu'un refus, puisqu'il laisse s'infiltrer le doute. Ce mépris muet est le plus cruel et le plus pernicieux des rejets puisqu'il nous annihile en nous ignorant. Alain n'obtiendra pas d'audition ni de rencontre. Quand, enfin, il jouera avec l'OSM, d'autres pianistes québécois de sa génération s'y seront déjà imposés: Louis Lortie y aura donné plusieurs concertos et Marc-André Hamelin aura même été le soliste invité pour une tournée européenne en

1987. Conjoncture artistique, encombrement de grands talents, c'est Lefèvre qui est laissé pour compte en périphérie.

> Tout a été très difficile. À Montréal, l'impression générale que j'avais, c'est que toutes les portes étaient fermées. C'est comme si chez nous, on ne peut aimer deux ou trois artistes en même temps. Il faut systématiquement en tuer un et en glorifier un autre ; il faut qu'il y ait un roi, que le roi meure, et qu'il y ait un nouveau roi.

À l'orée de cette jeune carrière, le couple Lefèvre-Martineau choisit de partager sa vie entre la Ville-Lumière et Montréal. À Paris, Kito et Ginette les accueillent, le piano offert par Georges Le Neures déménage boulevard Voltaire et Alain abandonne sa chambre de bonne du square Emmanuel Chabrier. À Montréal, ce sont Blanche et Louis, à quelques portes de la maison des Lefèvre, qui vont héberger les nouveaux mariés.

La précarité financière associée au début de carrière sert généralement de réservoir, la gloire venue, aux anecdotes plus pittoresques les unes que les autres. La scène bouleversante de *La ruée vers l'or* de Chaplin, où Charlot fait bouillir ses vieilles bottes et mange ses lacets en spaghetti n'est pas éloignée d'une image de bohème inévitable à ce stade de la vie d'un artiste. L'adage québécois « Pas facile d'être un artiste quand on n'est pas vedette » prend ici tout son sens.

Jojo décide de se consacrer à plein temps à la carrière de l'homme qu'elle a choisi. Dossiers de presse mis à jour, sollicitation de lettres de recommandation, demandes d'auditions, propositions de programmes de récitals et de concertos envoyées à toutes les institutions, etc. La question lancinante qui se répète à chaque génération et à chaque début de carrière se pose ici : comment lancer la roue, comment faire rouler les dés qui, malgré les doubles six, jamais n'aboliront les hasards d'une carrière balbutiante ?

Le ou les répertoires abordés par un jeune artiste vont lui permettre de se positionner, d'une certaine façon d'être étiqueté, et ainsi d'être plus aisément « marketable » en suggérant un profil de carrière. On associe Kempff, Backhaus, Fischer et Brendel à Beethoven, Mozart et Schubert, alors que Cortot, Horowitz et Rubinstein sont célébrés pour leur interprétation de Chopin et d'autres romantiques. Lefèvre, dès le début de sa carrière, va multiplier les explorations dans le répertoire inhabituel mais tonal. Ayant entendu et accompagné des dizaines de musiciens au Conservatoire, il a pu expérimenter et définir ses terres de prédilection : le grand romantisme avec Chopin et Schumann, les classiques du XVIIIe siècle, Rameau, et Mozart, le postromantisme avec César Franck, Rachmaninov et les grands Français, comme Ravel, auquel bientôt il ajoutera la *Sonate* de Dutilleux, les œuvres de son ami Pierre-Max Dubois et, on l'a vu, déjà si tôt dans sa carrière, André Mathieu avec *le Prélude Romantique*.

Même s'il a déjà joué à Aveiro, Béziers, Bragua, Cannes, Dijon, Garmischparten-Kirchen, Grainau, Liège, Lisbonne, Marseille, Mons, Montréal, Oldenburg, Paris, Perpignan, Porto, Stuttgart et Cologne, Lefèvre va franchir ici une nouvelle étape. Le 17 novembre 1984, il est à Londres pour faire ses débuts. Programme audacieux, la *Fantaisie, opus 17* de Schumann, la *Sonate en si bémol mineur, opus 36* de Rachmaninov et, témoignage d'amitié et de reconnaissance, une *Suite pour piano* d'Alexander Brott, qu'il vient d'apprendre et à laquelle il donne des allures de chef-d'œuvre. Alors qu'il se présente dans une des capitales mondiales de la musique, il impose déjà une œuvre inconnue. Un des *producers* importants de la BBC est impressionné et s'entretient avec un des représentants du Conseil des Arts du Canada…

De retour à Montréal, début février 1985, Alain part pour Albany dans l'état de New York pour créer la *Sonate* que son professeur et ami Pierre Max Dubois a écrite pour lui et qui lui est dédiée. À peine rentré des États-Unis, Alain se retrouve avec le jeune chef Gilles Auger à la barre de l'Orchestre des jeunes du Québec dans le *Concerto pour les deux mains* de Ravel, qu'il a travaillé avec Sancan. C'est peut-être pour cette raison que l'adagio central, sous les doigts de Lefèvre, est si touchant. Victoriaville et Châteauguay seront les premières villes québécoises après Montréal à recevoir le jeune artiste.

Dans son édition du 31 août 1985, le critique musical du quotidien *The Gazette,* Eric McLean, annonce la participation en septembre d'Alain Lefèvre au Festival international d'Istanbul. Lefèvre est invité à jouer en solo et en chambriste pour cet événement prestigieux, « the only Canadian to be invited to do so ». Le programme proposé comprend entre autres *Prélude, Chorale et Fugue* de Franck, le *Carnaval* de Schumann et, non seulement sa pièce-talisman, *le Prélude Romantique* d'André Mathieu, mais la pièce que Claude Champagne a donnée à sœur Berthe, qui l'a confiée à son tour à Alain, *Pour mes filles.*

En 1985, il y a déjà trente-deux ans que le chroniqueur musical du quotidien *La Presse,* Claude Gingras, distribue parcimonieusement les louanges et sème la terreur dans tout le milieu musical, tant local qu'international. On dit que Brendel aurait refusé de jouer à Montréal pendant des décennies tant une flèche décochée par notre critique local l'avait atteint en profondeur. Prenant son courage à deux mains, ce jeune homme qui vient d'avoir vingt-trois ans ose appeler ce redoutable gardien du temple de la musique pour lui annoncer sa participation au Festival international d'Istanbul. Le 14 septembre 1985, Gingras, qui n'avait pu assister au concert de l'Orchestre de chambre McGill, signe son premier de nombreux articles consacrés à Alain Lefèvre ; ils couvriront tout le spectre des réactions humaines, de la dérision à l'extase. Dans ce texte, se retrouvent en filigrane les mécanismes de l'interviewer chevronné qui cerne par ses questions le jeune artiste trop heureux de voir sur deux colonnes, sa photo sous son nom en capitales. On y apprend ceci :

[…] il a conservé des liens étroits avec son premier et son dernier professeur. « Sœur Massicotte est une autorité, une de ces grandes pédagogues qui restent dans l'ombre mais dont le rôle est très important dans la formation d'un jeune musicien. Chaque fois que je reviens au pays, je vais la voir et j'apprends encore quelque chose. » Par ailleurs, il fut en 1979 le seul étranger admis dans la classe de Pierre Sancan au Conservatoire de Paris. Sancan l'appelle d'ailleurs son « disciple », dans une lettre où il lui prédit « la grande carrière ». « Je retourne à Paris dans quelques jours et lui jouerai mon programme d'Istanbul. Sancan me reçoit chaque fois et m'écoute deux ou trois heures — et sans parler d'honoraires, on peut bien le dire ! »

Le critique l'amène ensuite à parler de ses répertoires de prédilection et des pianistes qu'il aime :

Mais le jeune homme précise qu'il écoute rarement les pianistes au concert ou sur disques. « Quand j'ai fait huit heures de piano, je préfère écouter de l'opéra ou du Bruckner. Et surtout je n'écoute jamais un enregistrement d'une œuvre pendant que je la prépare. »

Le reste de l'article relate ce que nous savons déjà. Mais, pour la première fois, Alain Lefèvre a vu sa photographie et lu son nom dans le plus grand quotidien francophone d'Amérique.

Lefèvre fait donc sa première apparition dans un grand festival : Istanbul l'accueille avec chaleur et enthousiasme. Dans le journal *Posta* du 2 octobre, Suna Tanalty ne lésine pas sur les compliments. Après avoir retracé les étapes de sa carrière, elle enchaîne :

En écoutant Lefèvre, vous vous dites, « Quel événement ! Quel don ! Comment le sentiment, la conscience et la technique peuvent-ils se réunir de cette manière ? » Ce jeune pianiste aimable, avec son sourire clair et sachant très bien ce qu'il fait, est d'une réelle maturité à cet âge. Un don extraordinaire est mis en valeur par un travail systématique. De plus, il est un jeune remarquable par sa maîtrise, son intelligence et ses sentiments […]. Vous l'écoutez avec une grande admiration […].

Le journal *Hürriyet* du 28 septembre, sous la plume de Hayati Asilyazici, va encore plus loin et le consacre vedette :

La vedette au sommet du Festival était le pianiste canadien Alain Lefèvre. Sa musicalité et son interprétation sont telles, qu'il est allé au plus profond de chaque compositeur et a créé un dialogue musical entre la vie et l'homme ; de Bach à Franck, de Schumann à Ravel. Le récital qu'il a donné avec le violoniste Olivier Charlier était du même niveau.

C'est donc le vent dans les voiles qu'Alain se prépare à faire ses grands débuts en récital à Montréal. À la fin de l'année 1985, la société de concerts Productions Internationales présente trois jeunes artistes, trois pianistes en début de carrière : d'abord Éric Trudel, maintenant établi comme coach au Connecticut, Alain Lefèvre le 4 décembre, et quelques jours plus tard, Claude Webster, associé depuis des années à l'Opéra de Montréal, un des meilleurs partenaires lyriques de toute une génération.

Alain a inscrit au programme une sonate travaillée avec le grand ancêtre Paul Loyonnet, la *Sonate en do majeur Köchel 330* de Mozart, le *Carnaval* de Schumann et, en clôture de la première partie, un cheval de bataille increvable, la *Méphisto Valse* (la plus connue) de Liszt. Il ouvre la deuxième partie avec le lancinant *Prélude, Chorale et Fugue* de César Franck et allège l'atmosphère avec la *Sonatine* de Ravel, pour finir avec la *Valse*, également de Ravel.

Le lendemain dans *La Presse*, Claude Gingras titre : « Alain Lefèvre — Un talent extraordinaire. » Le célèbre critique attaque ensuite par une mise en contexte :

Le premier des trois récitals de jeunes pianistes lauréats de concours, présentés au théâtre Félix-Leclerc, avait été, on le sait, catastrophique. À cause de l'environnement, et principalement à cause du piano. La deuxième soirée fut meilleure. Mais, là encore, il fallait transposer. Avec le talent extraordinaire qui l'habite et le superbe programme qu'il avait en main, on imagine quel récital Alain Lefèvre aurait donné dans des conditions normales. L'acoustique de la salle reste ce qu'elle est, c.-à-d. mauvaise. Mais on l'avait éclairée décemment — même si, hier soir encore, il y avait un fantôme qui jouait avec les lumières du plafond. Quant au piano, on avait remplacé le Yamaha du premier soir par… un autre Yamaha — plus petit encore, mais qui sonnait tout au moins, bien qu'il perdît son accord plusieurs fois en cours de route. Malgré tout, y compris l'obligation de jouer devant un auditoire très peu nombreux, Alain Lefèvre a donné, je pense, son maximum — le maximum d'un garçon de 23 ans : on le sent plein d'idées, non encore matérialisées. Bien que de constitution frêle, il a joué pendant deux heures avec une énergie qui semblait augmenter à mesure que progressaient le programme et la difficulté des pièces. On l'a vu déchaîné dans la spectaculaire transcription de *La Valse* de Ravel, y ajoutant un « bis » également de très haute voltige, la *Toccata opus 11* de Prokofiev, où il a su mêler humour et motorique. La clarté continuelle de son jeu servait tout particulièrement ces deux pièces ainsi que la première (et fameuse) *Méphisto-Valse*. Beaucoup de délicatesse dans la *Sonatine* de Ravel. Mais cette musique de forme et de couleur exige une réalisation pianistique absolument parfaite, ce qui ne fut pas le cas. Une grande finesse aussi dans le *Carnaval*. Un bon nombre de fausses notes surtout en première partie, mais, dans les circonstances, il faut lui accorder le bénéfice du doute. Son Franck manque encore de concentration. Son Mozart d'entrée était très sensible, mais je ne comprends pas qu'un pianiste aussi intelligent décide d'omettre systématiquement toutes les reprises.

La pirouette en chiquenaude finale sera une des constantes du rapport Lefèvre/Gingras.

Avec ce récital, l'année 1985 se termine en beauté. D'autant plus que le réalisateur de la télévision de Radio-Canada, Pierre

Morin, qui a consacré sa carrière à la célébration des arts et particulièrement du ballet, a réalisé à l'automne une captation en studio d'un récital qui sera présenté dans le cadre des *Beaux Dimanches* à la fin de janvier. Alain propose l'œuvre de Franck et le Ravel de la *Sonatine* qu'il promène un peu partout. Pour la première fois, la télévision publique l'accueille. Événement considérable, les *Beaux Dimanches* ayant été pendant des décennies le portail obligé par excellence de la renommée et de la reconnaissance.

Au début du printemps, le jeune couple repart pour Paris où l'ancien professeur de musique de chambre d'Alain au Conservatoire, Geneviève Joy-Dutilleux, lui facilite l'accès à son mari, le compositeur Henri Dutilleux. Avec lui, Alain travaille en profondeur la *Sonate* pour piano de 1947/1948 que son auteur considère comme son véritable opus I. Lefèvre enregistrera l'œuvre pour la radio de Radio-Canada et ce nouveau témoignage de l'intérêt passionné qu'il manifeste pour la musique nouvelle et accessible de son temps lui vaut une diffusion dans le cadre de l'émission *Récital*. Maître Dutilleux (1916 -) reconnaîtra son engagement en lui écrivant ce mot :

Paris, le 19 novembre 1986

Cher Monsieur,

Je me réjouis que l'occasion se soit enfin offerte de vous entendre au cours de votre séjour en France, alors que j'ai si souvent été privé de vous applaudir lors de vos concerts parisiens. Votre interprétation de ma *Sonate* est venue confirmer ce que je savais déjà de votre talent, grâce à ceux qui suivent régulièrement le cheminement de votre carrière. J'ai vivement apprécié l'aisance avec laquelle vous êtes parvenu à assimiler cette œuvre de grande difficulté et de vastes proportions aussi bien sur le plan du style qu'au niveau de l'architecture de l'ensemble. Comme je vous l'ai fait remarquer, l'édition de cette partition déjà ancienne (*forty years old!*) souffre d'une relative absence de précisions dans la mise au point des nuances et des indications métronomiques. En attendant une nouvelle publication, je demande toujours aux interprètes de suppléer à ces lacunes par leur instinct et leur imagination. Il faut donc «réinventer», n'est-ce pas là le propos de toute interprétation? En tout cas, je vous renouvelle mes compliments pour tout ce que vous êtes déjà parvenu à traduire de cette œuvre. Avec mes souhaits les meilleurs en cette presque fin d'année, je vous prie de croire, cher Monsieur, à mon fidèle et cordial souvenir.

Henri Dutilleux

Comme le laisse entendre Dutilleux, Alain fait partie de cette jeune génération d'interprètes dont le nom circule et dont on commente l'évolution à chaque concert ou récital. Bien que frappé par la maladie d'Alzheimer, et ayant dû quitter sa classe au Conservatoire, Sancan se tient encore au courant et suit son disciple.

Dès cette époque, Alain en est conscient, et il le répète aujourd'hui: il n'y a rien de plus triste qu'un artiste qui ne s'intéresse qu'à sa musique, qui se concentre sur le métier et n'est intéressé qu'à parler boutique. La fascination et la passion qu'il a pour l'actualité et l'information font d'Alain Lefèvre un interlocuteur averti et un redoutable avocat de la démocratie. Cette capacité à se forger une opinion, de réfléchir et de défendre des principes à travers sa connaissance de l'Histoire et sa curiosité pour les mécanismes du pouvoir, captivera l'attention des puissants auxquels Lefèvre s'adresse en questionnant les fondements et la base éthiques des privilèges qu'ils détiennent. Lefèvre a développé le don de fasciner ses interlocuteurs par sa curiosité insatiable et cette culture littéraire, politique et historique qui comptent parmi les traits les plus attachants de sa personnalité.

C'est ce qui explique les amitiés qui vont se développer tout au long de son parcours avec les puissants de ce monde, ceux qui ont le pouvoir de changer les choses et d'infléchir le cours de l'Histoire. Ses positions sur la démocratie, sur la liberté de choisir de vivre ou de mourir, sur l'injustice, lui ouvriront bien des cœurs.

À l'occasion de l'Exposition universelle qui se tient en 1986 à Vancouver, Alain est invité comme soliste pour une série de concerts donnés au Pavillon du Canada par le Edmonton Symphony Orchestra dirigé par Uri Mayer. Il interprète à plusieurs reprises le premier concerto qu'il ait jamais appris, le 23ᵉ de Mozart en la majeur Köchel 488. Enfin, il est de retour à Montréal juste à temps pour honorer un engagement à la Maison Trestler de Vaudreuil, où Anne-Marie Marquart, alors directrice artistique de ce lieu ancestral et amie de la famille Lefèvre, l'a invité. Il propose la *Barcarolle* de Chopin et, pour la première fois, le cycle complet des *Études-Tableaux, opus 39* de Rachmaninov.

L'année de ses vingt-cinq ans, Alain Lefèvre prend une décision qui va orienter sa vie de façon permanente : il choisit de faire de Montréal sa base, d'y plonger ses racines et d'y poser ses assises. La plupart de nos autres grands artistes sont installés à l'étranger, Lortie à Berlin, Hamelin à Boston, Laplante n'est rentré à Montréal que depuis quelques années après avoir passé plus d'un quart de siècle aux États-Unis. Lefèvre, encore une fois, prend le contre-pied de ce qui paraît être la norme. Mais pourquoi ne pas rester à Paris, rayonner sur l'Europe, et revenir chez lui quelques semaines par année ?

> Je voulais vivre à Montréal. Cela a peut-être été une erreur, mais ça a été ma décision. J'ai été interpellé toute ma vie par le chauvinisme des Français et par ce que j'appelle la grandeur du peuple québécois.

C'est-à-dire cette souffrance collective qu'on a, de vivre, 5 millions de francophones entourés de 300 millions d'anglophones.

Ayant aussi été témoin très tôt du mépris que les Français pouvaient déverser sur les Québécois, Lefèvre choisit définitivement la terre d'accueil qui lui a tout donné : une patrie, son éducation, sa femme, ses amis et enfin sa carrière. Comme pour réparer une injustice, les Lefèvre s'installent le 1er août 1987 dans leur premier appartement, au 359, avenue Victoria. Lucette Turmel, sa marraine et bonne fée lui prête, tant qu'il en aura besoin, son piano à queue, et des amis nobles et généreux s'engagent à les soutenir pendant les périodes où les contrats se feront plus rares. Ces bienfaiteurs anonymes ne failliront jamais à leur promesse et c'est avec une reconnaissance éperdue que les Lefèvre rendent grâce de la générosité et de la bonté de ce couple magique qui souhaite rester anonyme.

À peine installé dans son nouvel appartement, Alain joue à la Maison Trestler un programme entièrement russe, trois *Préludes* et la *Sonate en si bémol mineur, opus 36* de Rachmaninov et les trois mouvements de *Petrouchka,* de Stravinsky, transcrits pour piano pour Arthur Rubinstein.

Daniel Vachon — un élève lui aussi de sœur Berthe, ce qui lui a permis de rencontrer Alain — est entré comme réalisateur depuis quelques années à la Société Radio-Canada au service des émissions musicales. Grâce à son amitié et à sa diligence, Alain décroche un récital important, dans le cadre de la prestigieuse série des récitals du vendredi soir, diffusés en direct de la salle Claude-Champagne.

Alain s'impose un programme monstrueux composé du *Prélude et fugue en la mineur* de Bach dans la transcription de Liszt, la grande *Sonate en si mineur* du même Liszt et, pour finir, les *Tableaux d'une Exposition* de Moussorgski. Le vendredi 27 novembre 1987, en direct sur les ondes de Radio-Canada, Alain attaque son programme. Tout va bien pour le *Prélude et fugue* de Bach, mais pendant la *Sonate* de Liszt, le piano commence à perdre son accord à mesure que la pièce avance, ce qui gâche passablement le travail. Pour la deuxième partie, le pianiste change de piano et se retrouve à jouer sur un instrument moins faux, mais qui n'a été ni accordé ni réglé. L'expérience est plutôt déstabilisante et, encore aujourd'hui, laisse l'artiste perplexe face aux aléas du destin. D'autant plus que, trois semaines auparavant, il a fait ses grands débuts à Paris, dans le *Concerto en do mineur, opus 18*, le fameux 2ᵉ de Rachmaninov, qui reste, plus de cent ans après sa création, le concerto le plus joué sur la planète. À la salle Pleyel, avec l'orchestre des Concerts Pasdeloup, Gérard Devos est le partenaire de notre pianiste.

Dans la notice biographique du programme des Concerts Pasdeloup, ce Montréalais se décrit comme suit : « Alain Lefèvre, pianiste canadien né en 1962, commence ses études de piano à cinq ans à l'École Normale de musique de Montréal […] » Il n'est plus question de pianiste canadien d'origine française, né à Poitiers. Lefèvre est maintenant, à vingt-sept ans, un Québécois pure laine.

Jean-Louis Roy, alors délégué général du Québec à Paris, s'est assuré de donner le maximum de visibilité, d'audibilité devrions-nous dire, à cet événement. Lefèvre est en effet le premier Canadien à être invité à jouer avec l'orchestre des Concerts Pasdeloup. L'ambassadeur du Canada à ce moment-là, Lucien Bouchard, est présent. Le chef d'orchestre sorelois Jacques Beaudry, qui avait dirigé l'OSM lors de sa tournée en Russie en 1962, et qui mène une belle carrière en Europe, s'est également déplacé. Enfin, Hélène Mercier, complice de Louis Lortie depuis l'adolescence, vient féliciter Alain en coulisse après sa prestation. Si vous avez déjà assisté à un concert d'Alain Lefèvre, vous avez sans doute fait l'expérience de sa capacité à chauffer une salle à blanc, jusqu'à l'incandescence. La soirée est un triomphe et Alain est réinvité pour la saison 89/90.

Jacques Beaudry, dont le nom circule pour éventuellement prendre la direction de l'Orchestre Métropolitain, pose un geste aussi étonnant que généreux en donnant à Alain Lefèvre une des lettres de recommandation les plus senties de sa carrière :

Le 7 novembre 1987 j'assistais à un concert de l'Orchestre Pasdeloup en la salle Pleyel à Paris. Je m'y étais rendu par courtoisie pour entendre le jeune pianiste canadien de 25 ans Alain Lefèvre, qui m'était complètement inconnu alors. Les jeunes pianistes d'aujourd'hui étant en général dotés de belles mécaniques, plutôt que de qualité de sensibilité et d'émotion, je dois avouer que mes préjugés n'étaient pas des plus favorables. À mon grand étonnement, j'ai senti dès les premiers accords du *2ᵉ concerto* de Rachmaninoff, que nous avions en face de nous un pianiste en pleine possession de tous ses moyens. Et à mesure que se déroulait l'œuvre mon étonnement s'est transformé en admiration. Alain Lefèvre, malgré son air juvénile, faisait preuve non seulement de moyens techniques à toute épreuve mais d'une rare maturité musicale. Il dominait totalement cette œuvre gigantesque. Il en donnait une interprétation de grand maître. J'en étais à la fois ému et époustouflé. Et les personnes qui me connaissent bien savent parfaitement que je suis plutôt avare de compliments. Alain Lefèvre a donné de ce concerto une interprétation que je n'hésite pas à qualifier de géniale, une interprétation qui m'a comblé totalement comme il m'est rarement arrivé de l'être au cours de ma carrière. Grâce à Alain Lefèvre je suis sorti de ce concert en me sentant enrichi, vivifié, et me disant que, grâce à la musique, la vie valait la peine d'être vécue.

Jacques Beaudry,
Chef d'orchestre.
Opéra de Paris

Et honnis soient ceux qui mal pourraient y penser, car à ce stade-ci de sa carrière, Jacques Beaudry n'a rien à attendre ou à espérer de ce jeune loup qui vient à peine de commencer à chasser.

VI
Des années charnières

Le balancier qui oscille entre l'Europe et l'Amérique penche définitivement vers l'Amérique pour l'année 1988.

La Société Radio-Canada, qui avait plutôt fait la sourde oreille
jusque-là, engage Alain Lefèvre pour deux récitals à cinq jours
d'écart, les 14 et 19 janvier. En fin d'après-midi, en direct de
la salle Tudor du magasin Ogilvy de la rue Sainte-Catherine, à
Montréal, pour finir la journée en beauté, la Société d'État diffuse
en direct des récitals d'une heure. La salle Tudor n'a pas de loges
pour les artistes et, en sortant de scène, Lefèvre se retrouve dans
le studio improvisé et sans coulisses. Là, il peut entendre tout ce
qui se dit et être témoin de tout ce qui se passe derrière la salle.
Lui, toujours le plus conciliant et le moins enclin à la confrontation des hommes, dénonce un quart de siècle plus tard l'attitude
à son avis inacceptable du réalisateur qui trahit l'éthique professionnelle jusqu'à rire du *Prélude Romantique* d'André Mathieu,
si cher à Alain Lefèvre, et déclarer que Rachmaninov est le plus
mauvais compositeur sur terre… Ces deux récitals se passent
dans les pires conditions et cela, Lefèvre ne l'a jamais ni par-
donné ni oublié.

Durant ces mêmes années, Radio-Canada diffuse tous les soirs
de la semaine des concerts d'orchestres européens, américains
et canadiens. Dans le cadre des échanges internationaux entre
radios publiques, certains concerts d'Alain Lefèvre enregistrés à

l'étranger sont soumis pour diffusion sur les ondes de la radio publique. Jamais les prestations de Lefèvre ne sont retenues et le réalisateur et ami Daniel Vachon s'insurge contre ce traitement qui lui paraît injuste.

> J'ai beau avoir le doute rivé au cœur, je suis quand même surpris de cet ostracisme systématique de la part de Radio-Canada. Daniel (Vachon) reçoit un jour l'enregistrement du *1ᵉʳ concerto* de Rachmaninov et le juge excellent. Il décide de croiser le fer avec la coordonnatrice de la programmation des concerts et essuie une fois de plus un refus. « Non, on ne diffusera pas Alain Lefèvre » et ça a été comme ça pendant de longues années.

Si Daniel Vachon est le champion de son ami d'enfance, il n'est pas le seul et il ne faut pas mettre tout le monde dans le même panier. Parmi les plus beaux fleurons d'un passé désormais glorieux de notre radio d'État, il faut mentionner les sœurs Paré, toutes deux réalisatrices à la radio, Huguette, l'aristocrate des ondes, et Pauline, inépuisable source d'enthousiasme.

> Je ne peux pas oublier que quand c'était trop difficile, ce sont elles qui m'ont donné un coup de main. Huguette m'invitait à la célèbre émission *Chronique du disque* et elle a toujours été adorable avec moi. Il est de gens auxquels je préfère ne pas penser parce que Daniel m'a dit bien des choses…

Les deux récitals de la salle Tudor laissent plus qu'un goût amer, ils lui font prendre conscience de sa fragilité d'artiste confronté à un environnement qui le prive de tout soutien et le trahit en lui refusant le respect le plus élémentaire dû à un interprète qu'on a engagé. Malgré ces conditions atroces, *La Presse*, dans son édition du 21 janvier, et sous la plume de Claude Gingras titre :

ALAIN LEFÈVRE
PUISSANCE ET CLARTÉ POUR RACHMANINOV

C'est décidément la « saison » d'Alain Lefèvre. Le jeune pianiste passe plusieurs fois aux concerts publics de Radio-Canada, il joue avec l'Orchestre symphonique de Montréal et l'Orchestre symphonique de Québec, fait une tournée avec l'Orchestre de la Montérégie, et sera bientôt la vedette d'un « spécial » à la télévision… Radio-Canada n'avait d'abord annoncé que les *Études-Tableaux*. Le minutage le permettant, Alain Lefèvre ajouta, en début et en fin de programme, des pièces québécoises : un *Prélude Romantique*, page de jeunesse d'André Mathieu, et un *Prélude pour mes filles* non daté (et en manuscrit), de Claude Champagne, deux pièces qui, la première naïve, la deuxième d'une grande tendresse, cadraient avec les *Études-Tableaux* (les encadraient en fait) car elles montrent l'influence que la musique de Rachmaninov exerça sur les compositeurs de l'époque, y compris ceux d'ici. Les pages de Mathieu et de Champagne que je ne connaissais pas furent manifestement bien jouées. Mais la pièce de résistance était bien sûr les neuf *Études-Tableaux opus 39*. Des neuf, deux ou trois seulement offrent une certaine originalité (notamment la sixième que Rachmaninov lui-même enregistra, en 1925) […]. L'ensemble reste plutôt vaseux et assez vide, et l'interprétation d'Alain Lefèvre n'a pas modifié mon opinion, bien qu'on le sentait gagné par son sujet à mesure que progressait le récital. Mais cette musique est aussi d'une très grande difficulté d'exécution, elle requiert notamment une force pianistique peu commune. À cet égard Alain Lefèvre s'est montré à la hauteur. Son jeu possédait la plus grande puissance et en même temps la plus grande clarté, avec une sonorité presque toujours très belle. Le public lui a fait une ovation considérable, à laquelle il a répondu par deux rappels […].

Dès son retour au Québec, que ce soit à la télévision ou à la radio, Alain a démontré sa capacité à créer dès le départ un sentiment d'intimité qui vous laisse l'impression qu'il est seul avec l'intervieweuse ou l'intervieweur, et que les sujets qu'il aborde sont vitaux, précieux et essentiels.

Le 3 février 1988, Cynthia Dubois l'accueille au magazine d'actualités culturelles *Les Belles Heures* de ce qui est alors le AM de Radio-Canada, qui deviendra par la suite la Première Chaîne. C'est l'occasion pour Alain de faire un tour de piste et de rappeler les principaux jalons de sa courte vie. Audiblement intriguée, Cynthia Dubois remarque son allure romantique, avec ses cheveux longs, ses lunettes sombres, cette énergie qui l'anime et parfois l'agite, ce fume-cigarettes qui dit-il, lui permet de fumer en travaillant sans avoir la fumée dans les yeux… et il mentionne qu'il a trouvé un agent à Toronto, John Cripton, qui dirige Great World Artists Management.

Tout artiste rêve d'attirer l'attention d'une agence d'artistes importante qui va lui procurer des engagements et lui permettre de se consacrer à son art sans se demander à la fin de chaque mois comment il va payer le loyer ou l'hypothèque. À moins qu'il ne dispose d'une fortune mise à disposition pour la location de salles, le matériel publicitaire, les déplacements, les auditions, sans parler des engagements avec orchestre où le mécène accepte d'acheter une partie des sièges de la salle pour compenser le manque à gagner en considération du peu de pouvoir d'attraction sur le public qu'un nom inconnu peut générer. Toute cette *business* qui en bout de ligne ne vise qu'à servir la beauté et à nous réduire nous, mélomanes, en larmes, se gère comme une entreprise qui doit suivre l'offre et la demande, les besoins et les caprices d'un marché aussi volatil que toutes les industries de luxe. Une croyance hélas répandue veut nous faire croire que l'art, la culture et la connaissance sont des besoins secondaires face à l'éducation, aux soins de santé, aux structures routières et aux sommets économiques.

Les rôles de l'imprésario et de l'agent ont évolué et se sont même considérablement transformés au cours du XXᵉ siècle. La voie royale d'une carrière était relativement simple dans le passé, non pas qu'il n'y ait plus aujourd'hui le cortège des espoirs déçus et des carrières projetées en comètes qui se terminent en étoiles filantes. Mais à l'époque, l'agent s'engageait à faire connaître un artiste et à développer sa carrière avec lui. Aujourd'hui, l'agent a besoin des artistes et il est faux de penser qu'il va prendre un pianiste et le faire connaître. Un agent prend aujourd'hui un artiste sous contrat parce que chaque mois, l'artiste doit verser son *artist fee*. Et tout cela pour être certain de voir son nom imprimé dans les brochures de la prestigieuse agence qui l'a signé. De plus, si par bonheur il décroche des engagements, l'artiste s'engage à verser 20 % de son cachet à l'agent, même si c'est par son propre réseau et ses contacts qu'il a décroché le contrat. Parfois, pour pallier l'absence de demandes, les mécènes peuvent verser sa redevance à l'agent. Cela permet à l'imprésario d'attendre patiemment qu'il se passe quelque chose, grâce à cet appui massif de fonds, permettant de faire démarrer et décoller «la carrière». Dans un monde idéal, l'artiste devrait décrocher suffisamment de contrats et d'engagements pour lui permettre de couvrir ses frais et de vivre. Quand le marché n'est pas porteur, et pour un débutant il l'est rarement, c'est finalement ce jeune artiste qui, en apportant son tribu chaque mois, entretient l'agent. Ce dernier privilégiera cependant la carrière de ceux qui reçoivent suffisamment de fonds pour jouer, chanter, diriger, faire des disques, en d'autres mots, faire carrière. Ainsi va le monde et voilà pour les agences.

Pour l'artiste, l'appartenance à telle écurie prestigieuse donne ainsi l'impression qu'il a été choisi et le rassure en lisant son nom accolé à ceux de célébrités en pleine carrière. Cet échange de bons procédés peut justifier les frais parfois énormes attachés à cette représentation, comme si par mimétisme de proximité l'éclat du grand artiste allait compenser l'obscurité et l'indifférence que

votre nom ne provoque même pas. Effet pervers et dommage col-
latéral de cette situation, on arrive ainsi à la situation délirante où
ce n'est plus la valeur de l'artiste qui est la fondation d'une carrière, mais la puissance de celui qui le représente. Le marketing, la
publicité et les campagnes de matraquage pilonnent aussi bien les
orchestres que les sociétés de concert et imposent un « produit »
attaché à une écurie. À partir de ce constat, on peut et on doit se
demander quelle sera la destinée de la musique. C'est la grande
question que se pose aussi Alain Lefèvre.

> Le piano n'est pas un instrument olympique. S'il le devient, notre art
> devient cirque. Aujourd'hui, la nouvelle coqueluche est une jeune
> pianiste qui joue plus vite que son ombre. Certains journaux parlent
> de ses longues jambes et certains critiques s'émeuvent de sa beauté,
> de sa jeunesse et de sa rapidité et tout cela devient très dangereux.
> Lorsque Michelangi jouait *les Ballades* de Brahms, la salle ne respi-
> rait plus, le temps était suspendu. La musique pénètre l'âme comme
> une lumière chaude et même les gens qui ne connaissent pas la mu-
> sique ressentent l'émotion. Et ils sentent juste. Que ce soit la Callas
> ou Backhaus, on faisait l'expérience du miracle. Aujourd'hui, il y a
> moins de miracles parce qu'il y a la vitesse, l'absence de silence. Ce
> qu'il y a de terrible, c'est qu'un artiste parte en tournée avec une quel-
> conque intégrale pendant deux ans. Cela ne correspond plus à une
> nécessité intérieure, c'est une usine, c'est du *business*, un métier qui
> n'engage plus l'âme et la vie…

Mais savourons cette année spectaculaire qui commence et ne
prêtons pas au jeune homme la lucidité de l'adulte.

Début février de la lumineuse année 1988, Alain retrouve
son complice du *Concerto* de Ravel avec l'Orchestre des jeunes
du Québec de 1985, Gilles Auger qui, trois ans plus tard, dirige
l'Orchestre symphonique de Québec, notre plus vieil orchestre,
pour les débuts d'Alain dans la capitale. C'est avec le *Concerto* de
Grieg, enregistré par Radio-Canada-Québec, et qui sera diffusé

le 19 mai dans le cadre de l'émission Concerts canadiens, que Lefèvre conquiert Québec.

Mais le premier grand événement de cette saison, c'est l'invitation officielle de l'Orchestre symphonique de Montréal pour un concert Esso, série présentée le dimanche après-midi. Ce n'est pas la série la plus prestigieuse, Dutoit n'est pas au pupitre. On y trouve son assistant depuis 1985, Richard Hoenich, qui a abandonné son poste de bassoniste pour prendre la baguette. Alain choisit pour ses débuts une des trois œuvres concertantes qu'il place au-dessus de toutes, le *Concerto en mi mineur, opus 11*, de Chopin. (Parmi ses autres œuvres favorites, il classe le *Concerto en sol majeur* de Beethoven et le *Concerto* de Schumann.)

Comme si sa saison n'était pas assez chargée, Alain se fait le partenaire de son père dans un récital clarinette/piano à la Faculté de musique de l'Université de Montréal. Le 8 avril, père et fils donnent les *Sonates* de Saint-Saëns et Poulenc, et en création mondiale, une œuvre écrite pour André et Alain Lefèvre, la *Sonata di Mady* de Pierre-Max Dubois. Un *Concertstück* de Gallois-Montbrun clôt le programme. On se plaît à imaginer Lefèvre père tout heureux et tout fier de se retrouver sur scène avec ce fils dont la carrière explose cette année-là. Une anecdote rapportée par une grande amie du couple, la psychiatre parisienne Sieglinde Iung, nous aidera peut-être à saisir les mécanismes intimes de cet être secret et complexe.

Projetons-nous dans le temps et à Paris. Le 2 décembre 1989, Alain vient d'être ovationné à tue-tête par le public subjugué par son interprétation du *Concerto no 3* de Rachmaninov à la salle Pleyel.

Mes parents sont là. Ils parlent à Sieglinde. Le lendemain, elle nous invite chez elle et me dit: «Je ne sais pas comment tu as fait pour être normal. Tu sais ce que ton père m'a répondu quand je lui ai dit: "Vous devez être fier de votre fils?" Il m'a parlé d'un de tes frères qui avait joué à Coudreceau. » Coudreceau, c'est encore plus petit que Brunelles… et que c'était tellement beau le concert de mon frère et qu'il avait si bien joué… qu'il n'a rien voulu ou pu dire sur ma prestation. Et Sieglinde aujourd'hui encore pense que c'est un miracle que je sois normal.

Mais le revirement le plus spectaculaire de cette année 1988, c'est l'invitation de Charles Dutoit, qui accepte enfin de diriger son orchestre avec Alain Lefèvre comme soliste. Le compte-rendu de son concert avec le jeune Montréalais, que Richard Hoenich a dû faire à son chef, devait être dithyrambique pour expliquer la volte-face du maestro qui jusque-là ne lui avait pas encore tendu la main. Le jeudi 19 mai, à la conférence de presse annonçant fièrement sa saison estivale, dans les parcs, à l'aréna Maurice Richard (rebaptisé depuis centre Pierre Charbonneau), et bien sûr, à la basilique Notre-Dame de Montréal, vitrine prestigieuse de la série « Mozart plus », parmi les solistes se trouve le nom aussi inattendu qu'espéré d'Alain Lefèvre. Dutoit lui suggère le *Concerto no 3* de Tchaïkovsky, totalement inconnu et extrêmement difficile à assimiler. Pour Alain, ce n'est pas le moment de faire la fine bouche et il apprend expressément la partition pour ces concerts.

Dans deux des quotidiens français de Montréal du 20 mai, *Le Devoir* et *La Presse*, Alain apparaît en compagnie de Charles Dutoit sur la terrasse de l'Hôtel de Ville, avec les gratte-ciel de Montréal en arrière-plan. Il peut y croire. Les fruits des années depuis le Conservatoire tiennent la promesse des fleurs. D'autant plus que Dutoit l'a aussi invité comme soliste à l'automne dans le *Concerto pour 3 pianos Köchel 242* de Mozart, avec les deux pianistes Minna Re Shin et Josée Allard, un cadeau empoisonné qui ne lui permettra pas de donner sa pleine mesure. Mais restons sur la terrasse qui surplombe Montréal et savourons le moment.

Les deux concerts à l'aréna Maurice Richard arrivent enfin et, dès la première répétition, il est évident que les conceptions du chef et du soliste sont divergentes sinon antagonistes.

Eh oui, il y a eu certains grands *clashes* avec certains chefs d'orchestre et le plus spectaculaire a été avec Charles Dutoit : nous étions aux antipodes l'un de l'autre pour les tempi. Il faut comprendre que le chef d'orchestre a un orchestre, et céder devient une question de respect pour le chef et pour l'orchestre.

Malgré ces *discrépances* de points de vue, Claude Gingras, dans l'édition de *La Presse* du 5 août titre :

DEUX JEUNES ET BRILLANTS SOLISTES, ALAIN LEFÈVRE ET ANDRÉE AZAR

[…] Le troisième *Concerto* pour piano en un seul mouvement n'est connu que des discophiles. Qu'on aime Tchaïkovsky ou non, il s'agit d'une page irrésistible, que le jeune pianiste montréalais Alain Lefèvre a rendu avec tout le brio, le panache et le charme qu'elle requiert. L'œuvre comporte une des cadences les plus longues et les plus difficiles du répertoire concertant tout entier. Visiblement très bien préparé, M. Lefèvre avait non seulement transcendé tous les problèmes techniques mais il est allé plus loin : son jeu, toujours intelligent et toujours sensible, possédait un réel sens du drame et de la surprise. Après une saison un peu inégale, Alain Lefèvre a raffermi là sa position parmi nos pianistes vraiment importants.

On arrive à croire que tout le monde vient de découvrir Alain Lefèvre en cette année 1988 car, le 9 juillet, ce sera au tour du Festival Orford d'accueillir pour un récital le jeune pianiste omniprésent cette année-là.

Le rapprochement avec l'Orchestre symphonique de Montréal a sans doute aussi permis la naissance d'une amitié entre le violon solo de l'orchestre, Richard Roberts, et ravivé les souvenirs de chambriste d'Alain Lefèvre qui ressort les partitions travaillées avec son frère Gilles et le grand Christian Ferras. Accueillis en amis à la Maison Trestler, le 18 août, ces nouveaux partenaires présentent Vitali, Brahms et Lekeu.

Après ces deux concerts avec l'osm, l'invitation la plus importante qui lui est faite cette année-là lui vient du Ladies' Morning Musical Club, qui choisit de lancer sa 97e saison avec un récital d'Alain Lefèvre. Être invité à Montréal par le Ladies est l'équivalent local d'un récital au Carnegie Hall de New York. Si ce comité de dames dont les espions sillonnent la planète à la recherche de la fine fleur des nouvelles générations vous sélectionne, c'est déjà en soi une consécration. Les dames du Ladies ont aussi des idées très arrêtées sur le répertoire que leurs abonnées, qui se transmettent leurs places de mère en fille, veulent entendre. Ce sont rassemblées là, des oreilles averties, des connaisseurs, la crème de la crème du monde mélomane montréalais.

Fort de ses vingt-six ans, Lefèvre propose Schubert, Brahms et un de ses porte-bonheur, *La Valse* de Ravel.

Cette première année d'enracinement sur sa terre d'adoption et d'élection atteint son apogée le dimanche 2 octobre. La salle Pollack de la rue Sherbrooke en ce dimanche après-midi affiche complet. En plus d'être fidèle, le public est curieux. Un murmure d'anticipation retentit dans la salle. La volée de bois vert et la douche écossaise qu'on lui sert le lendemain dans les journaux locaux mettent un terme à la lune de miel.

Dans son édition du lundi 3 octobre, Arthur Kaptainis, du quotidien *The Gazette,* n'y va vraiment pas de main morte :

Hier, le Ladies' Morning Musical Club a choisi d'inaugurer sa saison 1988-89, non pas avec un vieil ami, mais avec une nouvelle connaissance : le jeune pianiste montréalais Alain Lefèvre. L'expérience ne fut pas un succès absolu. Même si son style d'interprétation communicatif se mariait à la musique lorsque celle-ci était d'un caractère similaire, ce récital donné à la Salle Pollack était souvent terne ou empreint d'une ardeur inutile. Pour un jeune pianiste ayant longtemps étudié en France, Lefèvre n'a pas retenu grand-chose de la préoccupation qu'on y entretient envers le raffinement des couleurs tonales. Il se sert largement de la pédale et appuie à fond sur les touches. En outre, il semble aller là où ses émotions le portent, une autre caractéristique que l'on ne remarque pas souvent chez les pianistes français. Son exubérance et sa souplesse technique ont fait de la suave *Valse* de Ravel une œuvre ouvertement exaltée. Les couleurs se mélangeaient librement, et même si Lefèvre eut tôt fait d'élever la température émotionnelle de la musique, il s'est gardé une réserve suffisante pour aboutir, comme il se devait, à un paroxysme orgastique. Cette apothéose est arrivée au bon moment, à la fin du récital. L'œuvre d'ouverture du programme, la *Sonate en la mineur D. 537*, de Schubert, rarement jouée, a démarré d'une façon robuste, mais les volumes élevés et les rythmes lourds ont rapidement provoqué l'ennui. Le thème lyrique principal du deuxième mouvement […] avait presque une saveur *honky tonk* sous les mains (parfois brutales) de Lefèvre. En ce monde repu d'un Schubert doux et discret, Lefèvre peut au moins se vanter d'avoir l'originalité de son défaut. Cependant, le pianiste tâtait des extrêmes : la dernière des *Quatre Ballades* de Brahms, opus 10, a été aplatie et étirée en un continuum placide. Souvent, le traitement musclé accordé par Lefèvre à cette musique prenante captivait l'intérêt de l'auditeur, et *La Valse* a certes suscité l'approbation du public. Mais il y avait tant d'éléments flous et confus qu'on a du mal à en garder un sentiment positif.

Critique assassine s'il en est. La porte était ouverte pour que Claude Gingras, de *La Presse*, parachève la curée :

S'il veut occuper une place de quelque importance dans notre monde musical, et dans le monde musical en général, Alain Lefèvre devra absolument se débarrasser des maniérismes, hérités de l'école française, qui affectent encore son jeu : a) une tendance à

« piocher » (il n'y a pas d'autre mot) qui est particulièrement désagréable lorsqu'il dispose comme hier après-midi, d'un piano accordé trop brillamment à l'aigu ; b) un manque de naturel et une approche trop superficielle de musiques qui demandent, au contraire, de la réflexion. En ce sens, son groupe Schubert fut particulièrement décevant : une *sonate D. 537* trop affirmée, dépourvue de toute confidence, et des *Klavierstücke* pris presque à la légère, comme des rappels de récital (le dernier fut même bousculé). Pourtant, Alain Lefèvre ne manque pas de talent. Il nous a même étonnés. Si, dans les trois premières *Ballades op. 10*, de Brahms, nous retrouvions un pianiste en lutte avec le piano, la quatrième fut un moment miraculeux. Tout à coup, sans bouger, sans grimacer, le pianiste décrivit le passage central en croches marqué « Col intimissimo sentimento… » avec une égalité et une pureté incroyables, donnant à l'auditeur l'impression, tout simplement, de sortir d'un rêve… Alain Lefèvre est donc capable de grandes choses. Au départ, il ne manque pas de moyens techniques. Son exécution phénoménale de *La Valse* de Ravel (malgré un écart de rythme et quelques fausses notes) fut de celles qui provoquent plus que de l'étonnement : un véritable plaisir.

Pour un artiste, il n'est plus profonde douleur que de lire une critique qui dissèque le récital que vous venez de donner en traitant du bout des mots ce que vous avez mis tout votre cœur, votre talent et votre art à préparer. Le musicien est sa musique et il ressent comme un rejet les commentaires de ces auditeurs professionnels. Sa seule et maigre consolation est de remarquer les contradictions des différents points de vue. Sans parler de l'effet dévastateur et du courant d'opinions que provoque l'écrasement des jeunes pousses d'une carrière naissante.

Et l'année 1988 se termine avec cet engagement pour le *triple Concerto* de Mozart avec Dutoit au pupitre. Ce concert met fin à une brève collaboration et annonce un intermède de six années pendant lesquelles Lefèvre ne sera pas invité à jouer à l'OSM, ni avec Dutoit, ni avec personne d'autre.

L'année 1989 voit les premiers fruits de l'association avec l'agence Great World Artists Management, basée à Toronto, qui compte parmi ses titres de gloire celui d'avoir donné ses premières chances au Cirque du Soleil. Parmi ses poulains, on trouve le violoncelliste Denis Brott, la pianiste Angela Hewitt, qui avait remporté le Bach International Competition en 1985, et le chef d'orchestre Howard Cable… Mais dans une agence, et Alain va l'apprendre rapidement, il y a les pianistes et il y a les autres. Des pianistes, il y en a des milliers à travers le monde, beaucoup plus que de violonistes, violoncellistes, flûtistes, ou même chanteurs. Les pianistes sont la catégorie la plus encombrée de toutes les agences d'artistes du monde. Il y a plus de pianistes que de tout autre instrument ou catégories d'instruments. Une autre grande différence dans le traitement, au sein même de l'agence, s'établit entre les instrumentistes et les chefs d'orchestre. Le chef d'orchestre devient une monnaie d'échange très puissante, d'autant plus valorisée s'il est attaché à un orchestre. Il est le seul dans cette écurie à recevoir un salaire. Il apporte beaucoup à l'agence puisqu'il peut engager les solistes qui y sont affiliés et inviter d'autres chefs à diriger son ensemble. Si ces mêmes maestros l'invitent à leur tour à diriger leur orchestre, il peut ainsi élargir son réseau et étoffer ses contacts avec d'autres solistes. Mais le réel impact de ces démarcheurs professionnels intrigue notre artiste :

> Ce qui m'a mis la puce à l'oreille, c'est que l'agente qui m'était attachée m'a téléphoné pour me dire qu'elle allait faire une demande de bourse à l'Office des Tournées du Conseil des Arts du Canada. J'ai alors réalisé à quel point ils étaient aussi désespérés qu'un artiste seul peut l'être pour trouver des engagements et, à partir de ce moment, ça s'est terminé très rapidement.

Seules les années permettront à Lefèvre, après la période des essais et des erreurs, à ranger dans la colonne «profits et pertes», à imposer ses règles du jeu.

Les maisons de la culture ont toujours été un formidable bastion pour la propagation des arts et de la musique. Celle dont la vocation avouée est la musique classique, à savoir la Chapelle historique du Bon-Pasteur, invite Alain le 16 février à donner un récital sur son célèbre piano Fazioli. La saison se poursuit par une tournée des maisons de la culture de Montréal en avril et en mai avec, en plus, un engagement, décroché par son agence à Halifax, avec le Symphony Nova Scotia et le grand Georg Tintner pour le *Concerto en la majeur* de Mozart Köchel 488.

Lefèvre profite ensuite de l'été pour apprendre les œuvres concertantes qu'on lui a demandées pour l'automne.

Aux deux tiers de l'été, le 20 août, un grand article-interview, très *human interest* comme disent les Anglais, paraît dans le quotidien *La Presse,* accompagné d'une photo occupant le quart de l'espace de l'article. Puisque Claude Gingras fait le point sur cette jeune carrière, survolons avec lui le chemin parcouru :

> À ce jour, Alain Lefèvre a été invité par les organismes montréalais et québécois suivants : l'Orchestre symphonique de Montréal, l'Orchestre symphonique de Québec, l'Orchestre symphonique de la Montérégie, l'Orchestre des jeunes du Québec, l'Orchestre de chambre McGill, le Ladies' Morning Musical Club, le Centre d'Arts d'Orford et la Maison Trestler. En 12 ans, le Festival international de Lanaudière ne l'a jamais invité ; il espère aussi un jour jouer avec l'Orchestre Métropolitain et les Musici et se produire à Pro Musica et au nouveau Festival international de Musique de Montréal.

Opéra et lecture

Interrogé sur ses préférences en musique et ses goûts en dehors de la musique, Alain Lefèvre nous fait ce qu'on pourrait presque appeler des « révélations ».

« J'écoute peu de piano. Plutôt de l'opéra et de la musique vocale. La musique que je préfère écouter : les opéras de Wagner. Je les connais tous, y compris les très rares : *Das Liebesverbot* et *Die Feen*. Ensuite, ce sont les opéras de Richard Strauss. Mais là, je ne connais que les plus courants. Je lis beaucoup. J'ai lu 200 livres cette année. Actuellement je suis dans Witold Gombrowicz. Et puis j'ai ma collection de parfums : j'en ai 500 bouteilles. Certaines ont plus de 120 ans et valent des fortunes. Je n'ai pas de télévision, j'ai une radio qui ne fonctionne pas et je ne lis jamais les journaux. Je déteste le soleil et je dois dire que j'ai très hâte à l'hiver ! Ces jours-ci, je me terre dans mon logis avec mon piano pour ne pas voir le soleil. J'ai une femme, que j'adore, qui est avocate et qui s'occupe de mes affaires. Et qui, actuellement, écrit un roman. »

Bien qu'il écoute très peu les autres pianistes, Alain Lefèvre en a quand même entendu suffisamment pour avoir quelques opinions. Les noms qu'il place au-dessus de tous les autres sont ceux de Gilels, Lipatti, Rubinstein, Serkin et Richter. En cours de conversation, il ajoutera aussi Samson François. Il met dans une autre classe les plus jeunes. Il retient « tout de Zimerman » et parle de « certains moments de Pogorelich. » […] Chez les Canadiens, il n'a que du bien à dire de — nommés dans cet ordre — Lortie, Hamelin, Laplante, Savard et Brassard. Il conclut : « C'est un métier très difficile et j'ai beaucoup d'admiration pour tous ceux qui l'exercent. »

La carrière, mot mythique à la fois exaltant et maudit, est un monstre qui peut vous broyer et effacer jusqu'au souvenir de votre nom. Le talent n'est qu'un élément de l'appareil nécessaire à vous propulser sur le devant de la scène. Cette carrière, il faut la désirer plus que tout au monde. Jouer doit être une nécessité vitale, indispensable, essentielle à votre survie. Cette « carapace de rhinocéros », dont parlait Lotte Brott, est un bouclier qu'il faut avoir soudé au corps. Ne croyez pas l'artiste qui vous assure ne jamais lire les critiques. Il ment. Dans un métier où la perception est tout, exister d'abord, durer ensuite, et enfin occuper le sommet de la pyramide pour un certain temps, en étant perpétuellement conscient de l'infinie fragilité de votre position, le regard et l'opinion de l'autre sont l'oxygène indispensable à tout artiste qui n'est pas sur scène. Tous les artistes ont des pieds d'argile, leur statue fut-elle coulée dans le bronze ou taillée dans le marbre.

À l'aube d'une nouvelle décennie, Alain Lefèvre a accumulé une feuille de route impressionnante, mais bien des portes lui restent encore fermées et certaines vont même se refermer et rendre son ascension encore plus excitante.

Le 19 octobre, le pendant du Ladies' Morning à Toronto, le Women's Musical Club of Toronto l'accueille. Ici encore, Alain Lefèvre risque son va-tout en programmant la grande *Fantaisie, opus 17* de Schumann, la *Méphisto-Valse* de Liszt, les *Six Moments Musicaux* de Rachmaninov et, comme si déjà le programme n'était pas suffisamment délirant, *Islamey*, de Balakirev.

Deux jours plus tard, on le retrouve à Thunder Bay avec un chef d'orchestre de son agence. Si on achève bien les chevaux, Howard Cable veut-il tester l'endurance de son pianiste ? Au programme, le *Concerto no 3* de Rachmaninov, la *Rhapsody in Blue* de Gershwin, et le *Scherzo* de Litolff. Qui dit mieux ?

Qu'à cela ne tienne, ce programme lui a servi de répétition générale au concert qu'il doit donner à la salle Pleyel, où Alain est à nouveau invité par l'Orchestre des concerts Pasdeloup, dirigé cette fois par Richard Hoenich. Le 2 décembre 1989, sous les auspices de l'Ambassade du Canada à Paris, Alain Lefèvre s'attaque au redoutable troisième concerto de Rachmaninov. Non seulement le Conservatoire est-il représenté par Pierre-Max Dubois, Geneviève Joy-Dutilleux et son mari Henri Dutilleux, ainsi que par le compositeur Claude Pascal, mais le Président du Sénat, Alain Poher, à deux reprises Président de la République française par intérim, honore la soirée de sa présence.

Jean-Paul Bury, journaliste canadien, achemine sur le fil de presse son compte rendu du concert que les quotidiens *La Presse* et le *Journal de Montréal* s'empressent de diffuser :

> Le jeune pianiste Montréalais a joué le *Concerto no 3* de Rachmaninov à la perfection. Son interprétation de cette œuvre particulièrement difficile du compositeur russe a soulevé l'enthousiasme du public et l'admiration de la direction des concerts Pasdeloup, qui l'a dès samedi soir, invité à se produire de nouveau à Paris lors de la prochaine saison [...].

Chacun le sait, le téléphone arabe et le bouche-à-oreille répandent les rumeurs les plus folles et établissent les réputations les plus éclatantes en s'appuyant sur la qualité, la position et la crédibilité des témoins qui répercutent ces courants d'opinions à la manière d'un écho, d'un continent à l'autre. Jacques Beaudry, qui avait assisté deux ans auparavant, dans la même salle et avec le même orchestre, aux débuts d'Alain, connaît très bien André Bachand (1917-2010). Il n'a pas pu ne pas dire tout le bien qu'il a pensé d'Alain Lefèvre à son ami Bachand qui a tant fait pour positionner l'Université de Montréal sur l'échiquier universitaire tant national qu'international. Bachand est aussi conseiller adjoint chez Québecor et un intime de Pierre Péladeau dont il a l'oreille et la confiance. Sans doute suggère-t-il à son patron et ami qu'Alain Lefèvre est un jeune artiste qu'il conviendrait de rencontrer...

Après un récital avec le violoniste Jean Desmarais à la Chapelle historique du Bon-Pasteur, le 17 janvier 1990, avant d'attaquer sa saison concertante, Lefèvre est à nouveau invité au micro de l'émission culturelle de la chaîne AM de Radio-Canada, *Les Belles Heures*, où Cynthia Dubois le pousse dans ses derniers retranchements. Rarement Alain se sera livré avec autant d'abandon et d'impatience. D'exposer sa vulnérabilité le rend encore plus attachant. Dubois commence par citer le mot et le commentaire de Sancan, à savoir qu'on peut ne pas toujours être d'accord avec Alain Lefèvre, mais que quand il joue, il se passe toujours quelque chose. Dubois s'étonne qu'il n'ait pas encore enregistré, Lefèvre ne laissant personne indifférent :

> Il y a des tas de jeunes pianistes qui enregistrent alors qu'ils n'ont rien à dire. Je sais que ça peut aider terriblement dans une carrière, mais je ne me considère pas prêt, et surtout, j'ai le temps. À long terme, le gagnant, c'est l'artiste sérieux qui construit sa cathédrale. Quand on joue et qu'on aime la musique, on vit dans un monde extraordinaire où le péché n'existe pas. Mais dans notre milieu, la compétition est très forte et la lutte, carnassière. Et cette lutte devient beaucoup plus difficile quand le combat se fait à armes inégales, quand un autre artiste a trouvé des appuis et joué d'un réseau d'influences que vous n'avez pas.

L'intervieweuse l'amène ensuite sur le terrain miné de la perfection technique.

> Bien sûr, s'il y a trop de fausses notes, ça ne passe pas. Je crois quand même que, « pianistiquement », j'ai fait mes preuves. Mais techniquement, je ne veux pas dire que n'importe quel singe est capable de tout jouer, mais je dirais presque ça. Musicalement, c'est une tout autre histoire. Un artiste doit avoir des idées et, de mon côté, je veux les deux, mais on n'est pas des robots. Je préfère un récital avec une idée qu'un récital avec des notes parfaites où il n'y a pas d'idées.

Quelquefois les idées peuvent être mauvaises, mais au moins tu les as eues… Il faut sortir ému d'une salle de concert. L'artiste doit essayer d'être aussi beau que sa musique.

Dubois qui ne lui fait définitivement pas de cadeaux lui demande quels sont ses points forts et ses points faibles :

> Quand on arrive sur scène et qu'on a un tempérament qui n'est pas encore contrôlé, qui n'est pas tenu, ça fait faire des choses, des exagérations, ça peut causer des problèmes. Ça je le sais et c'est ce que j'ai combattu. Je me suis discipliné, je suis parti de très loin, je suis parti d'extrêmement loin. Je pressais, je me laissais emporter par un crescendo, mais il fallait aussi que je parte de là pour qu'il m'en reste un petit peu parce que si l'on part de rien, il reste moins que rien. Mon point fort, sur scène : je suis honnête. Quand j'entre en scène, je fais peut-être des fautes, je fais peut-être fait des erreurs j'en suis certain, mais je suis toujours honnête.

L'intervieweuse poursuit en demandant à Lefèvre s'il n'a pas eu à certains moments envie d'abandonner :

> Moi, je suis du style pitbull quand il a trouvé un os. Et mon os, c'est ma carrière. Pour faire la carrière, il faut une carapace de rhinocéros et j'ajouterais maintenant, il faut avoir la carapace du rhinocéros et la gueule d'un pitbull.

L'interview se termine dans un éclat de rire et l'annonce du concert avec l'orchestre de ses débuts, l'Orchestre de chambre McGill, dirigé cette fois par Boris Brott. Il reprend, le 29 janvier, le *Concerto no 1* de Chostakovitch qui avait allumé les premiers feux de sa gloire. Pour faire bonne mesure, il ajoute *Malédiction* de Liszt. Arthur Kaptainis, du quotidien *The Gazette*, est à nouveau partagé, mais agite tout de même un peu l'encensoir :

Le soliste de la soirée était le pianiste Alain Lefèvre. Malgré la formation qu'il a reçue en France, ce jeune Montréalais a donné une tonalité profonde et colorée aux sections lyriques du *Concerto pour piano n° 1* de Chostakovitch. Tout le passage exubérant était réglé d'une façon impeccable, même dans les dernières mesures, survoltées, que Lefèvre a attaquées avec l'enthousiasme approprié. Son interprétation de la *Malédiction* de Liszt, une œuvre rarement jouée, a également bénéficié de sa robustesse et de son grand raffinement technique. Mais le soliloque romantique était étrangement direct, les profonds silences n'évoquaient guère de philosophie visionnaire, et il manquait un punch véritable aux épisodes de virtuosité.

Carol Bergeron, du quotidien *Le Devoir*, titre :

Alain Lefèvre a ménagé le meilleur moment de la soirée [...] Nous devons à cette œuvre, (le Chostakovitch) certes, le plus beau moment de la soirée. Dès les premières notes, le pianiste Alain Lefèvre indiqua que son interprétation allait se dérouler sous le signe d'une sensibilité toute imprégnée de poésie et d'esprit. En fait, sa conception de l'ouvrage suscita un intérêt constant. De plus, il sut donner à sa réalisation instrumentale quelque chose d'exemplaire.

Pour un jeune artiste en début de carrière, le sentiment le plus rassurant et le plus nécessaire est de pouvoir feuilleter son calendrier et de voir, de semaine en semaine, mois après mois, les engagements se succéder. Alain Lefèvre continue de rayonner au Canada anglais. Cette année 1990 lui assure une présence ontarienne importante. Le 26 mars, il est à la Public Library de Sarnia, avec le même programme qu'au Women's Musical Club l'année précédente. Le 14 mai, il rejoint le Toronto Chamber Orchestra dirigé par Paul Robinson et étrenne pour l'occasion un nouveau concerto de Mozart, le do majeur, Köchel 503.

L'année précédente, les trois concerts avec l'osm, dont deux avec le maître de l'orchestre, avaient été les temps forts de sa jeune carrière. Mais la fin de cette décennie lui ménage une rencontre qui va modifier le cours de sa vie et lui apporter enfin le soutien et la puissance sur lesquels asseoir sa carrière.

À la fin d'un concert, André Bachand, mélomane passionné qui, comme on l'a vu, avait sans doute été alerté par le chef d'orchestre Jacques Beaudry, annonce à Alain Lefèvre, qu'il connaît bien : « Monsieur Péladeau voudrait faire ta connaissance. » Lefèvre téléphone au magnat et Pierre Péladeau l'engage séance tenante à sa chapelle de Sainte-Adèle qu'il a transformée en Pavillon des arts. Dans cet ancien temple de prières, il rassemble l'élite québécoise de tous les milieux, interprètes classiques, artistes de la scène et de la télévision. Le maître de céans se joue des préjugés en se livrant aux cocktails les plus inattendus, faisant se rencontrer des gens qui ne se seraient jamais croisés autrement.

La secrétaire du spectaculaire entrepreneur appelle Alain pour arrêter un programme. Un des héros absolus du fondateur de Québecor est Beethoven. Péladeau aime sa musique, admire son courage et comprend son combat. Il s'est engagé par son soutien aux artistes et à son orchestre, le Métropolitain, dont il assure pérennité depuis quelques années, à diffuser son message. C'est tout naturellement que la secrétaire du grand patron de Québecor demande à Lefèvre quelles sonates de Beethoven il a choisies pour son premier récital à Sainte-Adèle. N'importe quel autre pianiste se serait hâté d'apprendre l'une ou l'autre des immortelles, mais Lefèvre répond qu'en ce moment il n'en a pas au bout des doigts et lui propose plutôt Chopin et Rachmaninov. La secrétaire, connaissant bien M. Péladeau, ajoute : « Pensez-y bien, monsieur Lefèvre, si vous ne jouez pas de Beethoven, monsieur Péladeau ne va pas vous engager. » Avec l'assurance qui n'appartient qu'aux grands insécures acculés au pied du mur, le pianiste lui rétorque : « Dites à monsieur Péladeau que si le public ne se lève pas et n'applaudit pas pendant cinq minutes après mon Chopin et mon Rachmaninov, je lui rends mon cachet!» Deux minutes plus tard, Péladeau est au bout du fil: «Toi, mon p'tit vlimeux, t'as du *guts*!» dit-il avant d'éclater de rire.

C'est ainsi que naît une des relations les plus précieuses avec un des hommes les plus puissants et les plus médiatisés de la société québécoise.

Au moment où Pierre Péladeau avait accepté la présidence du Conseil d'administration de l'Orchestre Métropolitain (1987), la chef Agnès Grossmann en assumait la direction artistique depuis l'année précédente. Péladeau, dont la verdeur n'a d'égale que l'éclectisme, aime par-dessus tout Balzac, Platon et Beethoven. À raison de 500 000 $ de subvention par année, il considère avoir le privilège de suggérer à la maestra certains interprètes. Les 10 et 11 juillet, Alain Lefèvre retourne donc à l'aréna Maurice Richard, mais avec l'*autre* orchestre, un autre chef et le *2ᵉ* de Rachmaninov, un de ses concertos fétiches dont il s'est fait une spécialité. L'aréna Maurice Richard fait salle comble les deux soirs grâce, notamment, à l'émission *Montréal ce soir* de Radio-Canada, où on voit Alain en répétition, au piano avec l'orchestre et interviewé chez lui. Cet été 1990 va inaugurer une longue collaboration avec ses deux nouveaux partenaires: le Métropolitain et son chef, Agnès Grossmann.

Si le grand événement de cette année sur la scène interne est la rencontre et le soutien de Pierre Péladeau, au niveau international, c'est son engagement avec le Houston Symphony Orchestra, sous la direction de Christoph Eschenbach, qu'il faut marquer d'une pierre blanche. Eschenbach, un pianiste qui a abandonné le clavier pour la baguette, est un homme puissant dont l'influence étend ses ramifications à travers le monde. Au mois de mars de l'année précédente, Eschenbach est venu diriger l'Orchestre symphonique de Montréal et Alain a auditionné pour lui. Ce musicien raffiné s'est pris de passion pour ce jeune pianiste qui l'a séduit. Alain lui a proposé l'œuvre porte-bonheur qui lui a déjà ouvert tant de portes : le *1ᵉʳ concerto* de Chostakovitch. Les Lefèvre débarquent à Houston et c'est à ce moment-là qu'Eschenbach, un des arbitres du milieu musical international, fait la connaissance de Jojo, la femme de son soliste.

À en croire les deux critiques qui relatent l'impact de sa prestation, Alain est le fleuron qui couronne ce marathon de plus de quatre heures qui affiche dix concertos et autant de solistes. Lefèvre est le seul étranger invité. Dans le *Houston Post* du 30 juillet 1990, Carl Cunningham écrit :

> Le pianiste canadien Alain Lefèvre a terminé le marathon avec une interprétation musclée du *Concerto en do mineur* de Chostakovitch, avec, en contremélodie, un brillant solo du trompettiste principal John De Witt. Leur mouvement lent, tour à tour obsédant et passionné, épicé de solos de trompette *bluesy* et du jeu brillant et changeant de l'orchestre, a donné au concert une conclusion étincelante.

Impossible de résister au plaisir de citer un autre critique subjugué, Charles Ward, du *Houston Chronicle* :

> Alain Lefevre [sic], 28 ans, a révélé la personnalité la plus affirmée dans le *Concerto pour piano no 1* avec trompette, de Chostakovitch. Né en France, mais élevé au Quebec [sic], LeFevre [resic] a insufflé un enthousiasme quasi excessif à son jeu et à son interprétation. Grâce à un style séduisant, il a navigué sans effort à travers les formes et les ambiances diverses de l'œuvre. J'aimerais l'entendre contenir un peu plus ses ardeurs pour les appliquer aux grandes œuvres concertantes de Rachmaninoff.

Dommage qu'il n'ait pas assisté aux concerts de l'aréna Maurice Richard deux semaines auparavant.

À peine revenu à Montréal, Lefèvre enchaîne avec deux récitals ; d'abord son rendez-vous annuel avec la Maison Trestler, le
23 août et, deux jours plus tard, le premier récital au Pavillon des
arts de Sainte-Adèle avec Chopin et Rachmaninov négociés de
main de maître, auxquels il ajoute la *Fantaisie* de Schumann et
La Valse de Ravel. Il va sans dire que Pierre Péladeau a bel et bien
versé son cachet à ce nouvel ami pour qui il deviendra au fil des
ans un allié fidèle et dont, d'ores et déjà, il se fait le champion.

L'automne 90 s'ouvre avec une nouvelle invitation de ses
nouveaux partenaires, l'Orchestre Métropolitain et Agnès
Grossmann. Au programme, un des piliers du répertoire pianistique, le *Concerto no 2 en si bémol majeur, opus 83* de Brahms.
Claude Gingras, de *La Presse,* va sortir ici son artillerie la plus
percutante ; le titre, avec son allusion au roman de Françoise
Sagan, est déjà à lui seul un poème :

Aimez-vous encore Brahms ?

La souriante Agnès Grossmann et son Orchestre Métropolitain
entreprenaient hier soir leur saison à la PDA avec un programme
Brahms répété depuis le 8 octobre dans cinq municipalités de l'île
de Montréal. Le programme ne comprenait que deux œuvres, mais
deux œuvres fort longues qui totalisent environ trois quarts d'heure
chacune : le colossal *deuxième Concerto pour piano*, qui fait quatre
mouvements, et l'interminable *première Sérénade* qui en fait six.
Dans l'ensemble et dans ses parties constituantes, on peut dire que
l'orchestre sonnait bien. Seuls les cors ont connu quelques difficultés. Il faudra y voir, comme on l'a fait à l'OSM il y a quelques années. Malgré quelques beaux passages au piano et à l'orchestre, le
concerto se révéla au-dessus des moyens du soliste, Alain Lefèvre,
qui fit beaucoup de fausses notes (moins que d'habitude cependant !), au-dessus également des moyens de Mme Grossmann, qui
ne sut pas maintenir une continuelle coordination entre le piano et

l'orchestre. Le même orchestre, avec un autre pianiste et surtout un autre chef, eût certainement produit un meilleur Brahms. Mais le public de M. Péladeau était ravi. Il applaudit après chaque mouvement et les premières rangées firent un triomphe, debout, aux deux principaux participants.

Que tout le monde reste en selle, le meilleur est encore à venir ! Trois semaines plus tard, c'est à nouveau l'Orchestre symphonique de Québec dirigé par l'excellent Michel Tabachnik (qui connaîtra quelques années plus tard une notoriété extra musicale qui ne nous concerne pas ici) qui invite Alain. Pour l'occasion, il s'est mis sous les doigts *Les nuits dans les jardins d'Espagne*, de Manuel de Falla. Tabachnik rédige alors un éloquent mot de recommandation :

> Je viens d'avoir le plaisir de diriger *Les nuits dans les jardins d'Espagne* avec Alain Lefèvre au piano. Je tiens à dire l'immense plaisir musical qu'il me procura lors de cette exécution et encourage vivement les organisateurs de concerts d'associer ce jeune artiste à leurs divers programmes. Électricité, réponse enthousiaste du public, tout concourt au succès avec Alain.

À l'incitation du Gouvernement français, Michel Tabachnik ayant collaboré à la fondation de l'Orchestre philharmonique de Lorraine joindra la parole aux actes en s'assurant qu'Alain soit engagé à y jouer en 1992.

Lefèvre semble suivre à la lettre sa devise : « Être toujours là où on ne t'attend pas. » Avant la fin de l'année, il ménage un nouveau coup d'éclat en faisant ses débuts avec le Toronto Symphony Orchestra, les 15 et 16 décembre 1990. C'est à nouveau avec un concerto qu'il apprend pour l'occasion, le *Concerto no 2 en fa mineur, opus 21* de Chopin, qu'il va se présenter devant un des orchestres majeurs du pays. Günther Herbig, qui est alors le directeur artistique de l'orchestre et a auditionné Alain, non seulement engage ce dernier, mais le paire avec un jeune chef américain, disciple de Leonard Bernstein qui vient de mourir deux mois mois plus tôt, le 14 octobre. Carl St.Clair a été chef assistant du Boston Symphony Orchestra de 1986 à 1990 et il s'est retrouvé propulsé sur la scène internationale lorsque son mentor, Leonard Bernstein, incapable de finir de diriger le dernier concert de sa vie au festival de Tanglewood, le 19 août 1990, lui a cédé la baguette pour diriger une de ses propres œuvres, *Arias and Barcarolles,* avec le Boston Symphony.

Nommé *music director* du Pacific Symphony Orchestra, ce Texan vient tout juste d'entreprendre sa première saison en septembre. Les deux musiciens font ensemble leurs débuts à Toronto et il va sans dire qu'ils veulent tous les deux laisser un souvenir impérissable. Alain, par contrat, a droit à une heure et demie de répétition avec l'orchestre. Attendant dans sa loge d'être appelé sur scène, le soliste se rend compte qu'il ne reste plus assez de temps pour répéter l'œuvre entière. Quand enfin il s'assoit au piano, déçu et légèrement paniqué, nonchalamment St.Clair lui annonce qu'il va supprimer les tutti, c'est-à-dire tous les passages où l'orchestre joue seul. Il ne couvrira que les passages d'entrées et de sorties du piano pour peaufiner les enchaînements, en excluant aussi les passages solos pour sauver plus de temps. Si le soliste reprend un concerto familier, la chose est envisageable, mais si c'est une nouvelle œuvre, aussi préparé et solide soit-il, c'est un pari risqué. Alain se retrouve dans la position délicate d'avoir envie d'assassiner son chef et de devoir ménager son partenaire. Inutile de dire que sur l'échelle du stress, on atteint de nouveaux sommets. Contre toute attente, les deux concerts se déroulent bien, et même très bien, et l'entente chef-soliste est qualifiée de « miraculeuse ». En prime, Alain et St.Clair sympathisent. Si sur scène leur chimie semble évidente, Alain se dit que voilà un chef qui n'aime pas accompagner les solistes en concert. C'est dans ces moments-là qu'Alain prend pleinement conscience du privilège d'être toujours accompagné de Johanne Martineau. Que ferait un soliste dans la même situation ? Appeler son agent, inquiéter sa famille ou ses proches en leur communiquant ses angoisses ? Jojo est là, fidèle, convaincue, apaisante, certaine que tout ira forcément bien… puisque c'est Alain Lefèvre qui doit jouer.

On ne peut pas soupçonner l'immensité du travail de Jojo. Personne n'aurait pu faire ce qu'elle a fait. En disant ça, j'oublie que c'est ma femme. Elle a suivi la grande tradition des agents d'une autre époque qui croyaient à leurs artistes et se battaient passionnément pour les faire entendre et les imposer. Elle l'a fait d'une manière exceptionnelle.

Jojo et Alain rentrent à Montréal pour célébrer Noël et le Jour de l'An avec leurs familles.

VII
À la croisées des chemins

L'annus horribilis d'Alain Lefèvre arrive inopinément, aussi imprévisible qu'inattendu. Pour un artiste, un soliste, un chanteur, un chef d'orchestre, pour tout musicien, vivre c'est jouer, chanter, diriger, avoir le privilège d'exercer un art auquel on a consacré sa vie et pouvoir aller au bout de son talent, de soi-même. La chose la plus insoutenable est d'espérer un téléphone, un courriel, attendre le prochain contrat. Et en 1991, la conjoncture professionnelle d'Alain Lefèvre devait avoir beaucoup de planètes en carré, car, à part deux récitals au Pavillon des arts de Sainte-Adèle, qui l'accueille bon an mal an au printemps et à l'automne, et deviennent autant de visites de famille et de soirées entre amis, le seul récital recensé pour cette année se déroule à la Caisse Populaire de Verdun, le 15 septembre. Ayant été invité trop récemment, les organismes musicaux ne peuvent lui offrir un autre concert ou récital. Et les portes qui ont refusé de s'ouvrir jusqu'ici restent verrouillées.

Puisque sa carrière lui en laisse grandement le temps, Alain Lefèvre étrenne du nouveau répertoire en préparation, lit-on dans les notes de programme de son premier disque. Le *Fandango* de Padre Soler, les *14 valses* et la *Sonate en si bémol mineur* de Chopin, celle qui contient la *Marche funèbre* et une transcription de Liszt, l'*Ouverture* de l'opéra Tannhaüser de Wagner. Sinon, rien !

Il y a eu de longues périodes noires, des tunnels. Il fallait avoir de la résilience. Mais je savais que ce n'était pas grave, je savais que je resterais, que je ferais ma place. C'est sûr et certain que tout pouvait me décourager mais ça ne me décourageait pas parce que je savais exactement où j'allais. Il y a eu une période où je n'ai rien compris : je joue à Montréal, les critiques sont emballés et l'année suivante je suis jeté aux orties. Mais j'ai travaillé encore plus et je me suis dit : ce n'est pas grave, je serai victorieux. Je n'ai jamais arrêté. Parfois il y avait des périodes où il n'y avait rien pendant de longs mois… Mais j'avais Jojo, j'avais le caractère que j'ai… et j'avais aussi été trop battu pour que cela m'atteigne. Ce que je leur disais en silence : « Vous avez la mauvaise méthode avec moi, je ne serai pas un autre de nos saints martyrs canadiens. » J'aurais été déçu d'être envieux de mes collègues ; j'étais conscient d'une injustice mais l'injustice n'était pas grave pour moi, je pressentais que la formule de carrière classique ne pourrait fonctionner éternellement et que les choses allaient changer.

Il faut se rappeler une chose qui nous paraît maintenant anodine, mais qui pèse lourd à ce moment de sa carrière : contrairement à tous ses collègues musiciens, il est le seul à élire domicile à Montréal et à vouloir, coûte que coûte, faire carrière et gagner sa vie chez lui. Mais il y a un prix à payer pour faire du Québec sa base et le centre de sa carrière. Car vouloir accomplir ce qu'aucun autre artiste n'a entrepris apparaît bien être un choix digne d'Alain Lefèvre. Cette approche, sommes-nous surpris, est diamétralement opposée à celle de tous ses collègues, toutes catégories confondues. Alain conçoit ses tournées de récitals et de concerts à l'étranger comme le complément de son calendrier professionnel. Nos grandes voix, qu'il s'agisse de Raoul Jobin, Pierrette Alarie, Léopold Simoneau, Richard Verreau, Jon Vickers, Joseph Rouleau, etc., ont rayonné sur les grandes scènes du monde et revenaient au pays le temps d'un engagement et d'une diffusion à Radio-Canada. Les grands pianistes, à moins d'être attachés à une maison d'enseignement comme Henri Brassard, Claude Savard, Louis-Philippe Pelletier, Richard Raymond, etc., ont tous élu domicile à l'étranger. Le seul pianiste en carrière à vouloir et choisir faire carrière depuis Montréal, à Montréal et chez lui au Québec, c'est Alain Lefèvre. Cette décision est aussi irrationnelle que passionnelle.

Alors qu'à l'aube de la trentaine tout semble lui échapper et que le monde devient un océan d'indifférence, son amie, la psychiatre Sieglinde Iung, lui rend visite à Montréal. Elle entend tous les jours Alain s'installer au piano et travailler comme s'il allait faire ses débuts au Carnegie Hall dans une semaine. Sentant la musique prête à être offerte au public, elle lui demande où il doit donner son prochain récital. Lefèvre de lui répondre que son agenda est vide. Cette femme comprend que le travail, la discipline et la musique sont les seuls garde-fous qui le protègent de l'abîme. Pour un artiste, ne pas être vu, entendu, apprécié ou aimé, c'est une petite mort quotidienne. Et Lefèvre réfléchit, analyse, planifie, et peu à peu, sans même que les choix affleurent à la conscience et s'articulent, ce jeune artiste se rend compte que ce milieu du concert et du récital classique est en pleine métamorphose, que le monde musical chavire et ne sera plus jamais ce qu'il a été. Toute une génération de géants vient de basculer dans la mort et avec eux disparaissent une structure, une tradition, une façon de vivre et de faire de la musique. Kempff, Arrau, Serkin, Horowitz, Bersntein, Karajan, ces idoles ont quitté définitivement la scène. Le système s'écroule. Alain réalise qu'autour de lui, tous ces artistes subventionnés qui font partie d'une coterie sélecte et habitent une tour d'ivoire aussi inaccessible que mystérieuse, sont les derniers représentants d'un système artificiel qui ne correspond plus à la nouvelle réalité.

L'image qui persiste encore aujourd'hui, à savoir que la musique classique, c'est ennuyeux, c'est cher, c'est mort, et ce n'est surtout pas pour vous, est le point de départ de ce nouveau Moïse qui croit dur comme fer que tous peuvent traverser la mer Rouge. Et comme tant d'autres fois dans cette encore jeune vie, Lefèvre tire les conclusions qui s'imposent, que la logique lui impose. On ne peut pas l'entendre avec l'orchestre de sa ville, les sociétés de concerts l'ignorent, la radio publique ne lui offre rien, ne l'enregistre ni ne le diffuse, eh bien il ira jouer là où on veut l'entendre. Comme il l'avait fait à l'école St-Luc, il visite les établissements scolaires, réunit des classes, et à lui seul, en Don Quichotte moderne, tente de pallier la démission, la presque trahison d'un idéal qui privilégiait l'intelligence et la conscience à l'efficacité. Se retrouver devant trente, cinquante ou cent enfants, leur parler juste, abolir le mur, trouver le chemin pour piquer leur curiosité, les amener à interagir, les garder intéressés pendant une heure et plus, quelle fabuleuse école pour développer ce sixième sens qui lui permet aujourd'hui de tenir ses auditeurs au bout de leur fauteuil ! Le plus spectaculaire résultat de ces visites aux élèves du primaire et du secondaire, c'est ce public de jeunes et maintenant moins jeunes qui vient le remercier d'avoir visité leur école il y a un quart de siècle. Non seulement encore aujourd'hui offre-t-il à ces jeunes une proposition qui ne leur est plus faite ailleurs, mais il ouvre une fenêtre d'une maison qu'ils n'ont jamais visitée. Alain éveille en eux une curiosité pour l'inconnu, une invitation vers l'ailleurs, à entrer d'une zone où ils peuvent faire l'expérience d'un superflu qui est en vérité essentiel pour être un homme digne de ce nom.

Si la jeunesse reste au cœur de ses pérégrinations, Lefèvre visite aussi les foyers où végètent bien souvent des êtres exquis que les circonstances sociales écartent du courant vital de leur société, mais dont la soif de beauté n'est en rien diminuée, si eux le sont un peu. Avec volubilité et empathie, le pianiste apporte mieux que la beauté, il offre la consolation. L'important, ce n'est pas de faire carrière, c'est de jouer, de donner, de faire en sorte que tout le monde soit heureux. Et Lefèvre s'invente de toutes pièces un nouveau public. Sur deux décennies, il va déclencher un tsunami d'affection qui déferle toujours, parce qu'Alain Lefèvre a compris que les temps ont changé. Cet artiste est aimé avant d'être entendu et il sera écouté parce qu'il est aimé. Et puisqu'on ne souhaite pas l'accueillir là où son métier l'amènerait naturellement, Lefèvre, avec son opiniâtreté et son inexorable volonté va pénétrer un milieu où aucun musicien classique n'est jamais allé, n'a jamais même été invité, et de prime abord dont la présence est un non-sens, à savoir le royaume des Variétés et de l'information. Ayant pour lui la protection d'un homme aussi puissant que Pierre Péladeau, développant et cultivant un réseau qui deviendra son milieu d'élection et dans lequel il trouvera des amis sincères et merveilleux, à partir de ce moment Alain Lefèvre entreprend la conquête du public :

> Puisque le milieu ne veut pas de moi, c'est parfait, j'irai autre part. Savez-vous pourquoi je vais voir les jeunes ? « Pour te sauver, aide les autres. » Dans les pires moments de désespoir, je prends toujours le téléphone pour aider quelqu'un. Je n'ai aucun mérite, c'est ma thérapie. Tu ne penses plus à ton malheur, tu vois que celui des autres est tellement colossal que tu ne penses plus au tien. Et tu n'es plus seul dans ton malheur. À un moment donné, il fallait avoir la foi, il fallait avoir beaucoup d'imagination.

À la fin d'une année qui s'étale comme un long silence, Claude Gingras fait un superbe cadeau de Noël au jeune pianiste en lui offrant une demi-page de l'édition du samedi 14 décembre 1991 de *La Presse*, une vitrine où Lefèvre peut se projeter dans l'avenir :

> Alain Lefèvre, où êtes-vous ?
> À Paris, aux É.-U., au Japon, en Russie !
> Nous étions sans nouvelles d'Alain Lefèvre depuis un certain temps. Le pianiste voyage beaucoup et tous ses engagements futurs

l'amèneront à l'étranger. Pour l'instant, Montréal ne lui offre rien, sauf une brève télévision le 27 décembre, à *Studio libre*, où il jouera le deuxième Scherzo de Chopin. Des pourparlers à l'Orchestre Métropolitain, mais rien à l'osm, à l'osq, chez les Musici, au Ladies' Morning, à Pro Musica, à Lanaudière ou à Orford. Rien... En revanche, le pianiste de 29 ans a plusieurs engagements à remplir prochainement à Toronto et en France où il joue régulièrement... Deux gros projets à son programme : ses débuts au Japon et en Russie, en janvier et février 1993... Au Japon, il fera une tournée de 25 concerts avec Vladimir Spivakov et ses Virtuoses de Moscou, jouant 25 fois le même concerto, le *K. 414* de Mozart. « Je finirai par le savoir ! », lance-t-il avec humour... Du Japon, il se rendra immédiatement en Russie pour une vingtaine d'engagements : récitals et concerts avec trois orchestres, de Moscou, de Kiev et de Saint-Pétersbourg... Avec ces orchestres, il jouera trois concertos : le *deuxième* de Chopin, le *deuxième* de Brahms et le *quatrième* de Rachmaninov (celui des quatre qu'il préfère).

Aux États-Unis

Cette semaine, à Washington, Alain Lefèvre auditionnait pour les grands patrons du National Symphony Orchestra — qui l'ont engagé pour l'été prochain, pour le *1er concerto* de Tchaïkovsky. [...]

En France

Alain Lefèvre a également retenu l'attention du grand imprésario parisien Albert Sarfati. « Il m'a entendu à Paris et il m'a dit : "Je veux vous faire connaître." C'est lui qui m'a obtenu les tournées au Japon et en Russie... » Il est aussi question d'un disque, qui serait son premier. Et comment Alain Lefèvre a-t-il décroché tous ces engagements ? Sans fausse humilité et avec sa spontanéité caractéristique, il répond : « À mon talent. Je n'ai pas d'agent. Je n'ai pas d'argent. Les agents américains ont même de la difficulté à prononcer mon nom ! » Montréal semble donc l'avoir oublié. Mais il n'en garde aucune amertume, au contraire. « Moi qui voyage beaucoup, je suis devenu de plus en plus amoureux de Montréal. Pour moi, c'est la plus belle ville du monde, avec un cachet européen, un peu de chic anglais et le côté pratique de l'Amérique. »

L'année 1992 pulvérise cette inertie paralysante et les engagements déferlent sans interruption. Mais le vertige, ce vacuum qui le laissait chaque fois face à lui-même, sans personne d'autre que Jojo pour l'entendre traquer la perfection, il ne l'oubliera jamais, il ne l'a toujours pas oublié. Et jamais plus Alain Lefèvre ne se retrouvera claquemuré dans ce silence étouffant.

Dès le 19 janvier, il rejoint le Toronto Philharmonic Orchestra où il reprend un de ses porte-bonheur, le *1er concerto* de Chostakovitch. Comme pour exorciser à jamais ces mois sombres, il donne en rappel l'*Ouverture* de l'opéra Tannhaüser de Wagner transcrite par Liszt, une pièce qui dure vingt minutes. Un rappel est généralement un bonbon, un clin d'œil, un baiser, pas une cathédrale !

En mars, l'Ontario toujours, avec le Hamilton Philharmonic Orchestra et Howard Cable qui, décidément, lui propose à nouveau un programme un peu moins boulimique avec le *Scherzo* de Litolff, la *Rhapsody in Blue* de Gershwin et le finale du *Concerto no 2* de Rachmaninov. L'édition du 16 mars 1992 du quotidien *The Spectator* nous relaie les impressions de son critique, Hugh Fraser :

Cable a ramené du Québec un jeune pianiste plein d'énergie, Alain Lefèvre. Ce jeune homme est un phénomène. Il me rappelait une description que Bernard Shaw faisait du grand Paderewski : « On dirait qu'il a des doigts d'acier. » Lefèvre aussi. Il a une clarté et une attaque tonifiantes, quasi cristallines : c'est comme si l'on entendait un marteau de piano casser une tige de verre au lieu de frapper une corde. Lefèvre a tôt fait de démontrer sa technique phénoménale dans […] une interprétation vraiment extraordinaire du finale du *Concerto pour piano no 2* de Rachmaninoff. La salle s'est spontanément levée pour applaudir à tout rompre.

Non seulement Alain recueille cette critique dithyrambique, mais il reçoit le Mildred Dixon-Holmes Award remis annuellement à un jeune soliste exceptionnel. Après une année de silence, le crépitement des applaudissements doit lui réchauffer le cœur.

De retour à Montréal, Lefèvre finit d'assimiler une œuvre qui lui semble taillée sur mesure et qu'il aborde pourtant pour la première fois : le spectaculaire *Concerto no 1 en si bémol mineur, opus 23* de Tchaïkovsky. Ce concerto, favori absolu du public depuis bientôt un siècle et demi, exige du panache, de l'émotion et cette capacité à décoller en donnant l'impression d'improviser la musique. Lefèvre est un maître incontesté de cette approche. Cette audition à Washington, dont *La Presse* faisait état en décembre, se concrétise dans cet engagement avec le Washington Symphony Orchestra sous la direction du chef Randall Craig Fleischer. Dans le cadre du Wolf Trap Festival, devant des milliers de personnes sur lesquelles pleuvent des hallebardes, Alain Lefèvre se jette à corps perdu dans cette œuvre dont on s'étonne qu'il n'en ait pas fait une spécialité. Une fois encore, il récolte une critique du *Washington Post* dont tout artiste rêverait :

> Le public avait toutefois été préparé par l'interprétation fracassante de Lefèvre du *Concerto pour piano n° 1*, propulsée par un élan irrésistible et une virtuosité exubérante. Elle a suscité une joie et un enthousiasme […] qui, ensemble, ont rendu au vieux cheval de bataille sa fraîcheur et sa jeunesse.

Les yeux de Jojo pétillent encore en évoquant l'euphorie qui a balayé cette foule de milliers d'auditeurs après le Tchaïkovsky.

Le directeur du festival de Wolf Trap le recommande auprès d'un important agent américain : Melvin Kaplan, qui l'accepte dans son écurie. L'espoir luit comme un brin de paille en cette année 1992 qui se poursuit sous les meilleurs augures.

VIII
Poco a poco

Cet automne-là, Alain se rapproche d'Ottawa, où il n'a encore jamais joué, et donne un récital à la maison de la Culture de Gatineau le 10 octobre. Puis, dix jours plus tard, les Lefèvre se retrouvent à Metz, où Jacques Houtmann dirige l'Orchestre philharmonique de Lorraine dans le *Concerto no 1* de Rachmaninov. Séjournant à Paris, Alain est invité à jouer pour les Journées-Justice de l'Europe à l'atrium de la Première Présidence, invité par son ami Pierre Truche dont le nom restera à jamais attaché au procès retentissant de Klaus Barbie. Une amitié s'est développée entre le jeune pianiste et le procureur général près la Cour de cassation de Paris où il vient d'être promu. Cet homme nommé à la présidence du groupe de travail de l'ONU sur la création d'un tribunal spécial international palabre à l'infini avec le fou d'histoire pour qui le déclencheur suprême de réflexion demeure l'injustice. Truche transmet à son jeune ami le fruit de décennies de cogitations qui, paradoxalement, accouchent de lois sans pour autant déboucher sur la justice. Scarlatti, Chopin, Moussorgski et Ravel vont apporter un peu de détente à ces législateurs qui définissent le bien et le mal.

Dans le journal *Le Devoir* du 4 décembre 1992, Marie Laurier, à l'occasion de la participation d'Alain au Gala des Prix du Québec, lui consacre un article qui résume le parcours de notre nouveau trentenaire. Dans le texte transparaît pour la première fois ses allégeances politiques :

[…] il a fait ses études de piano ici même, d'abord à l'école Marguerite-Bourgeoys, avec «les bonnes sœurs» de la Congrégation Notre-Dame à qui il voue une reconnaissance éternelle : «Ce sont elles qui furent les premières souverainistes et je regrette qu'on occulte leur contribution au développement culturel du Québec» affirme ce jeune homme au franc-parler qui admet trouver «très difficile de ne pas être reconnu chez soi». «Que voulez-vous, poursuit-il, on me prend toujours pour un maudit Français alors que partout ailleurs en Europe ou au Japon on me présente comme un artiste canadien, ou québécois c'est selon. Je ne suis quand même pas pour changer mon accent !» […] «Je suis en effet fort content de participer à cet événement prestigieux (le Gala des Prix du Québec) et pour mieux signifier mon appartenance au Québec, j'ai choisi d'interpréter une œuvre du compositeur québécois André Mathieu.» Alain Lefèvre rêve du jour où l'on reconnaîtra le musicien comme un être social ayant le devoir moral d'apporter un surcroît d'espérance, voire de spiritualité à son environnement. Ces propos forts graves sinon surprenants, Alain Lefèvre les exprime en toute simplicité, son discours se résumant ainsi : «Nous vivons une époque très difficile à tous égards, dans un monde de plus en plus triste, si bien que l'artiste a le devoir moral de combler ce vide spirituel par son art. Le public qui vient au concert doit s'attendre à vibrer d'émotion et je suis persuadé que c'est ce qu'il recherche avant tout.» […] Dans quelques mois Alain Lefèvre enregistrera lui-même un premier disque, non sans avoir au préalable rodé en donnant de multiples concerts les deux concertos de Chostakovitch. Il dévoilera en temps et lieu le choix de l'orchestre et de la compagnie d'enregistrement étant tenu au plus grand secret pour l'instant […].

Le Gala des Prix du Québec est diffusé sur les ondes de Radio-Québec et, fier comme Artaban, Lefèvre entre sur scène.

Ce Québécois qui aime plus le Québec que les Québécois, selon celui qui deviendra son ami, Guy A. Lepage, joue une œuvre qu'il connaît depuis plus de quinze ans et qui va transformer sa vie pour les quinze prochaines années : le *Prélude Romantique* d'André Mathieu. Il n'a jamais cessé de jouer ce petit chef d'œuvre et, ce soir-là, devant des dizaines de milliers de téléspectateurs, Alain Lefèvre entreprend la longue aventure Mathieu, officiellement, publiquement.

Le lundi 11 janvier 1993, Alain est l'invité de l'Orchestre Métropolitain sous la direction d'Agnès Grossmann. C'est Rachmaninov et son *1er concerto* qui provoque l'étonnement du chroniqueur de *La Presse,* dont l'enthousiasme a quelque chose d'offensant :

LE MÉTROPOLITAIN, GROSSMANN, LEFÈVRE : MÉCONNAISSABLES !
J'appréhendais ce concert. L'Orchestre Métropolitain, forcé d'abandonner un soir son lieu habituel de Maisonneuve, allait sans doute sonner bien mince dans l'immense salle Wilfrid-Pelletier. Quant à Agnès Grossmann, elle se mesurait à Rachmaninov, c'est-à-dire à un univers fort éloigné du chant choral. Et si la musique du compositeur russe fait partie des priorités du soliste, Alain Lefèvre, comment oublier le désastreux *Deuxième* de Brahms que le pianiste montréalais nous infligea il y a quelques années, avec le même tandem Grossmann-Métropolitain ?

L'étonnement est complet
[…] la blonde maestra a dirigé avec un réel sens du développement dramatique et obtenu de son orchestre une exécution virtuose et bien sonore et, surtout, une interprétation très sentie, séduisante même, de la longue et exigeante *deuxième Symphonie* de Rachmaninov […] Pour sa part, Alain Lefèvre a donné du *premier Concerto* une interprétation remarquable à tous égards : extrêmement brillante pianistiquement, très musicale, très sensible et très nuancée.

Ce Rachmaninov était très puissant, comme il doit l'être, mais à aucun moment on n'a eu à regretter cette férocité et ces fautes de goût qui trop souvent entachent les prestations de ce pianiste extrêmement doué.

Parfait dosage de la carotte et du bâton ; nous n'atteignons pas ici la pièce d'anthologie, mais tout de même, celle-ci est à classer parmi les bonnes critiques de Gingras.

Le samedi 23 janvier, c'est Julie Snyder qui présente Alain Lefèvre pour son récital attendu et habituel au Pavillon des arts de Sainte-Adèle. Alain y peaufine son programme Scarlatti, Chopin, *les Ballades*, les *Tableaux d'une Exposition* et, ovation garantie, *La Valse*, de Ravel.

Enfin, c'est la grande aventure et le départ vers la Russie pour une première tournée en territoire ex-soviétique. Les Productions Internationales Albert Sarfati à Paris ont organisé une série de récitals et de concerts avec trois concertos et autant d'orchestres. On retrouve chez Sarfati, Seiji Ozawa, Jean-Claude Casadesus, le Quatuor Borodin, Vadim Repin, Evgueny Kissin, etc. Sarfati n'a pas la réputation de perdre son temps. Alain et Jojo arrivent à Moscou. Le lendemain matin, le chauffeur passe les chercher à l'hôtel pour prendre l'avion qui les amènera à temps, pour la première répétition avec l'Orchestre de Iaroslavl, leur première destination. Pendant que le chauffeur s'arrête récupérer les billets d'avion, Alain, apercevant une espèce de tabagie, sort de la voiture pour s'acheter des cigarettes. En quelques secondes, il est entouré, ou plutôt cerné, par une bande de voyous qui, le voyant sans défense, s'avance, couteau à la main. L'instinct de survie du pianiste prend le dessus. Alain se couche sur ses mains pendant que les malfrats lacèrent son manteau et l'invectivent. Le chauffeur revient enfin. Il lui faut une seconde pour tout comprendre. Il attrape un *bat* de baseball ou son équivalent russe et, frappant à tire-larigot, parvient à disperser les assaillants. La scène a duré moins d'une minute, mais la tournée vient de voler en éclats. Un citoyen canadien, un artiste étranger engagé pour une tournée en Russie et soutenu par une des plus importantes agences internationales, attaqué en pleine rue et en plein jour, attaqué au couteau... L'incident diplomatique se propulse à la vitesse grand V, et l'aventure ne peut pas passer inaperçue.

Le lendemain, à la une d'un grand quotidien moscovite, un titre résume toute l'histoire. Lefèvre, de façon fort poétique, y est baptisé « Le pianiste à la rose », parce qu'il a refusé de porter plainte et renoncé à poursuivre qui que ce soit. Mise à contribution, la célèbre et toute-puissante agence Goss Concert lui organise une série de récitals autour de Moscou. Alain prononcera même une conférence sur son cher André Mathieu. On lui arrange une visite privée du musée du Kremlin et il joue sur le piano de Rachmaninov au musée Pouchkine.

Il est également invité à donner un cours de maître d'une huitaine d'heures à la fameuse Académie russe de musique Gnessine, qui accueille et forme les enfants doués et surdoués. On le prévient de la présence d'un jeune pianiste et on lui fait comprendre qu' « avec celui-ci, il faut faire attention ! » Exactement le genre de recommandation qui a le don de hérisser notre rescapé.

Dans la salle, il y a les producteurs de sa tournée, d'éminents professeurs qui ont deux fois, trois fois son âge et des gens qu'on n'a qu'à voir pour comprendre qu'ils sont importants. Une jeune fille, petite et un peu forte, joue le *Carnaval de Vienne* de Schumann et Alain trouve que c'est très bien. Puis, c'est au tour de ce jeune pianiste qu'il conviendrait de prendre avec des pincettes. Il arrive. Il prend des poses extrêmement dramatiques, il fait des têtes tordues, des grimaces sous une chevelure ébouriffée et le maître se dit « vraiment, mon pauvre Alain, tu n'as rien compris à la carrière ». Alain voit bien que tout ça c'est du cinéma mais malgré tout, un silence plombe l'assistance.

Chaque élève avait droit à trente minutes comprenant commentaires et musique, mais le jeune homme choisit de jouer le *Quatrième* de Beethoven qui, à lui seul, dure plus d'une demi-heure. On fait comprendre à Lefèvre que c'est OK, qu'ici les règles ne s'appliquent plus… Le jeune maître écoute et s'il sait qu'il faut qu'il trouve ce candidat très bon, Jojo, qui connaît son homme, sent une tempête s'annoncer: « Monsieur X joue son concerto et c'était vraiment très bien. Mais qu'il ait joué son Beethoven ou qu'il se soit gratté les oreilles, ça ne changeait rien à notre vie. »

Alain se contrôle et tout le monde applaudit. Au moment où l'élève sort de scène, complètement tordu et perclus de simagrées, Alain lui demande: « Depuis combien de temps travaillez-vous votre concerto? » Et le jeune prodige de répondre qu'il le travaille depuis deux semaines. Et c'est là que la pression monte d'un cran. Musicalement, c'était peut-être insignifiant, mais techniquement, aussi prodigieux que soit le prodige, il était impossible qu'il n'y ait pas consacré huit ou neuf mois.

Ensuite, une petite pianiste pas tellement gâtée physiquement par la vie s'amène. Elle joue l'*Arabeske* de Schumann: « Elle n'a pas une immense technique, mais c'est d'une telle beauté, et la ligne musicale est tellement parfaite! » Pendant qu'elle joue, le génie grimaçant, celui qui a appris en deux semaines le *sol majeur* de Beethoven, parle avec sa mère et ses amis, et ce petit monde rit beaucoup. Le génie est entouré de son petit clan, et pour avoir fait son Conservatoire, Lefèvre sait ce que valent ces clans et ces coteries. La petite est seule et l'indignation de Lefèvre face à l'injustice éclate, même s'il a beaucoup à perdre. Alain interrompt le Masterclass et demande à son interprète, qui lui avait permis de communiquer avec les surdoués de Gnessine, d'être particulièrement précis dans ses traductions:

Je veux prendre un peu de temps pour vous expliquer ma position face à la musique. Je n'ai pas la prétention de tout connaître, mais nous avons entendu deux cas très intéressants. Ce qui serait vraiment extraordinaire, ce serait que ce jeune pianiste qui nous a joué le *quatrième* de Beethoven puisse se marier avec cette jeune fille qui vient de jouer l'*Arabeske* de Schumann, et qu'ensemble, ils aient des enfants. Peut-être qu'à eux deux, ils pourraient engendrer un pianiste qui ait technique et musicalité.

Puis Alain apostrophe le jeune homme qu'il accuse de lui avoir menti : deux semaines pour jouer le Beethoven ? Impossible ! Et il enchaîne :

> Même si vous travaillez pendant dix mois, vous n'aurez pas plus de musicalité et vous ne serez pas plus intéressant. Cette jeune fille peut vous apprendre quelque chose. Elle va vous apprendre ce que c'est que d'avoir de l'âme et du cœur. Chopin écrit dans une lettre : « Quand je finis un récital, il y a des gouttes de sang. » Quand vous, vous avez fini de jouer, il n'y a rien du tout, il n'y a que quelques gouttes de sueur parce que vous bougez tellement de gauche à droite que vous n'entendez même pas que vous mettez de faux accents. Chez cette jeune fille-là, il y avait des gouttes de sang parce qu'elle avait le cœur au bout des doigts.

Évidemment, ce pianiste fait aujourd'hui une grande carrière.

Début mars, les Lefèvre sont de retour à Paris où Alain participe au concert qui souligne le 100ᵉ anniversaire de l'orchestre Pasdeloup. Quelques jours plus tard avec cet ensemble, six ans après leur premier concert, il reprend le *2ᵉ concerto* de Rachmaninov. Le chef au pupitre est un jeune Français que le père Lindsay, fondateur et directeur du Festival international de Lanaudière, avait engagé à la fin des années 80 pour diriger plusieurs concerts : José-André Gendille. Alain doit donner quatre rappels. Ce soir-là, la salle Pleyel refuse de le laisser partir. Le *Journal de Montréal*, dans son édition du 22 mars, relate l'événement, avec photo.

Au Québec, le tandem Lefèvre-Grossmann se retrouve à l'église Saint-Patrice de Magog le 3 juillet 1993, et interprète le *Concerto* de Schumann. Pour l'occasion, Alain est invité par ses amis Pierre Duceppe et Normand Brathwaite à l'émission de variétés *Beau et Chaud,* où une ravissante jeune femme vient faire la *plug* de son *tube* de l'été.

> Je retrouve parmi les invités une jeune chanteuse. Bien sûr, c'est une belle chanteuse et on lui donne une heure de répétition. Elle ressent beaucoup d'angoisse, et elle chante une grosse chanson qui dure très longtemps. La réalité de cette histoire, c'est que cette jeune femme est belle de partout, sa chanson a trois notes et cinq mots, et que moi, à ce moment-là, ça fait 25 ans que je fais du piano. Je joue une valse de Chopin et on me demande de couper les reprises pour que ce soit moins long, et vraiment, ça stresse un peu, même les cameramen, de m'avoir sur le plateau, et je n'ai pas beaucoup de temps pour répéter. Et ça, ça été un choc ! Parce que je me suis dit que si je ne faisais pas cette émission et que j'allais rejoindre mon club, cette espèce d'élite qui pense que tout va bien dans le meilleur des mondes, eh bien à cette émission, il n'y aurait plus jamais de musique classique. Et je me suis dit, il faut quand même dans une démocratie, dans une société normale, qu'on puisse dire aux gens, sans se faire tuer ou lapider, qu'il y a une différence entre le *Requiem* de Mozart et l'œuvre complète de Madonna, qu'il y a une différence entre Balzac, Shakespeare, et l'univers du Harry Potter de J.K. Rowling. Si on ne peut plus le dire, c'est pire que triste, ça devient un meurtre organisé, commis envers nos enfants.

Cinq jours plus tard, la Maison Trestler, toujours fidèle, l'entend dans les *Klavierstücke* de Schubert et, nouveauté à son répertoire, le *Thème et variations* de Fauré, quelques pièces de Rameau et la solaire *Isle Joyeuse* de Debussy. Cet été-là, c'est la célèbre animatrice Aline Desjardins qui le présente au Pavillon des arts de Sainte-Adèle pour des retrouvailles en famille, vingt-deux ans après avoir été la première à l'interviewer, en septembre 1971, dans son émission *Femme d'aujourd'hui* à Radio-Canada.

IX
Mort et naissance

Est-ce la pression du milieu musical montréalais ou l'enthousiasme qu'a manifesté le public parisien qui a traversé l'Atlantique ? Le directeur artistique de l'osm, Charles Dutoit, a confié une paire de concerts et une matinée symphonique à Alain Lefèvre, après six ans d'absence à l'orchestre de sa ville. C'est cependant à nouveau Richard Hoenich qui est au pupitre et les œuvres au programme permettent à Lefèvre de donner sa mesure dans le répertoire romantique : Chopin, *Andante spianato* et *Grande polonaise brillante, opus 22* et la *Totentanz*, la *Danse Macabre* de Liszt, une suite de variations sur le *Dies Iræ*, ce jour de colère, cet archétype musical qui fait partie de l'arsenal funèbre de l'Occident. Dès la spectaculaire introduction, Liszt nous entraîne dans une procession terrifiante vers la mort. Des accords brisés s'envolent comme des oiseaux affolés, puis le piano, seul, scande l'hymne grégorien avant de basculer dans une marche grotesque et claudicante très « apprenti sorcier », débouchant sur des fusées de *glissandi* qui déferlent de haut en bas du clavier. Suit une course haletante entre l'orchestre et le soliste, et le piano, seul encore, entonne un canon liturgique qui s'élève comme une prière suspendue qui se transforme en grappes d'arpèges et transfigure le *Dies Iræ* en passant en majeur. La lumière perce en minuscules cristaux éblouissants et le « jour de colère » visité par la paix est repris à la clarinette. Le chant de la clarinette mélancolique cède à une explosion de notes rebelles du piano. Alain interrompt le chant de l'instrument de son père qui, quelques jours avant la première répétition avec l'osm, s'est éteint à Combres, à quelques kilomètres de Brunelles, dans cette France où il était retourné deux ans auparavant, pour mourir.

En ce début d'année 1994, toute la famille Lefèvre est retournée en France; l'aîné Philippe est rentré dans son pays natal en 1989. Il mène une belle carrière de professeur de piano. Le deuxième fils, Gilles depuis son départ pour le Conservatoire de Paris en 1976 n'est jamais vraiment revenu à Montréal pour y vivre. Il s'est installé en France où, depuis bientôt trente ans, il transmet à ses élèves ce qu'il a reçu de Sieb, Ferras, Francescati et Gingold. Enfin, David, le Canadien, dès l'obtention de tous ses prix et après avoir reçu à trois reprises la grande bourse du Conseil des Arts du Canada, retourne en Europe où il occupera d'abord le poste de violon solo à l'orchestre national du Capitole de Toulouse, ce même orchestre qui avait enregistré le *Concerto de Québec* et les *Scènes de Ballet* d'André Mathieu, lors de sa tournée nord-américaine en 1977. Puis David rejoindra l'Orchestre philharmonique de Monte-Carlo, où il est toujours.

Depuis 1987 qu'Alain et Jojo se sont installés définitivement à Montréal, ils y sont seuls après le retour des parents en France en 1992. Le père, André, au moment de prendre sa retraite, s'est découvert une petite bosse en haut du dos. Ce n'est pas parce que leurs enfants ont quitté le foyer que la discipline de vie des parents a connu du relâchement: l'alcool, la viande, le tabac ont toujours été bannis de cette maison, poisons perçus et dénoncés comme les portiques par où la perdition s'infiltre.

Mes parents perçoivent ce cancer comme un double échec. D'abord, ils ont tout fait pour ne pas être malades. Ils étaient des adeptes de la pensée: mange bien, vis bien et tu ne seras jamais malade. La maladie est l'effondrement de toutes leurs croyances. Pour eux c'était impossible et impensable. Ensuite pour ces purs, on invite la maladie par ses comportements. Ils portent en eux la certitude qu'on ne récolte que ce qu'on sème et que nous sommes tous responsables de tout ce qui nous arrive.

Le couple est ébranlé. La douleur devenant insupportable, ils acceptent un traitement de radiothérapie qui ne fait qu'empirer les choses. On se résout à l'ablation d'une partie de l'omoplate et c'est à ce moment que les parents décident de retourner en France. Il faut dire que, même si la souffrance est terrible, Thérèse est contre les médicaments. Alain fera l'impossible avant leur départ pour déjouer la vigilance de sa mère et procurer des moments d'accalmie à son père, cet homme secret. Lorsqu'Alain lui téléphone le 24 décembre 1993, il sait qu'il lui parle pour la dernière fois, malgré la chimiothérapie que le couple a enfin acceptée devant l'inévitable.

Le 9 janvier, le téléphone sonne en pleine nuit. Alain apprend que son père vient de partir. Il raccroche, annonce la nouvelle à Jojo, « Le mort est mort » ajoute-t-il, et se rendort. Il est des douleurs si grandes que la vie semble juguler pour permettre de contrôler la masse de peine éprouvée sans menacer l'intégrité. Il est aussi des deuils qui ne finissent jamais, et Alain, si expansif mais si secret, dira au piano ses confidences qui deviendront *Un ange passe*, une pièce dans laquelle tout ce qui a été tu et tout ce qui restait à dire se transformera en musique.

Cet insomniaque qui avait les meilleures raisons du monde de rester éveillé est arraché au sommeil par le radioréveil, et ce qu'il entend achève de lui meurtrir le cœur : c'est le mouvement lent du *Concerto pour clarinette* de Mozart. Un ange est vraiment passé sur cet homme d'idéal et ce fils, qui a tout appris de celui qui exigeait le maximum de ses enfants et de lui-même, réalise que son père est vraiment parti.

Des circonstances résument mieux que mille confidences et analyses l'attitude d'André Lefèvre face à la vie. Alain est à peine installé à Paris, il vient tout juste de retrouver un équilibre entre l'affection des Barouch et ses cours avec Sancan, quand une situation prévisible, mais que personne n'avait vue venir, jette une ombre de panique sur notre adolescent. Alain communique avec son père, lui demande conseil, le prie de l'aider. C'est qu'Alain a la double nationalité, française et canadienne, et à cette époque-là, à dix-huit ans, c'est la loi, tout citoyen français doit faire son service militaire. Alain n'est pas venu à Paris pour devenir soldat et ses dix-huit ans approchent. Voici le mot de soutien qu'Alain reçoit de son père, la seule lettre qu'il lui ait jamais fait parvenir et qui nous révèle tout de cet homme idéaliste et confiant et quelque part peut-être, résigné :

> Dors tranquille, mon cher petit, tout va s'arranger pour le mieux… Cette situation à première vue si compliquée va s'éclaircir pour le mieux de chacun. Mais fais confiance, ne t'agite pas, sinon ton être divin ne peut t'aider ! Repose-toi bien et avant de t'endormir, confie tout à Dieu.
>
> Ton papa qui t'aime.

Alain résoudra finalement ce problème grave grâce à un paragraphe d'un article quelconque qui lui permettra de poursuivre ses études sans devoir subir cette corvée patriotique.

Alain qui vient enfin d'être réengagé à l'OSM se demande en ce matin du 9 janvier s'il doit annuler ses concerts pour aller assister aux funérailles de son père. Sa mère tranche : « Joue ! C'est ce que ton père aurait voulu par-dessus tout. » Et c'est avec ce *Dies Iræ* qu'Alain accompagne son père en terre, malgré l'océan qui les sépare. Alain qui, si souvent, s'est senti être l'adulte dans cette relation est soudainement et pour toujours redevenu le fils, orphelin de père, avant et après la mort.

Quelques jours après ces deux concerts avec l'OSM, les Lefèvre s'envolent vers la Californie où Alain a rendez-vous avec le succès.

X
Corigliano – Un grand départ

« Avec le Corigliano, je savais qu'il y avait une transition entre
la carrière de survivance et la grande carrière. » Comme Alain
Lefèvre ne fait jamais les choses à moitié, son premier enregistrement sera non seulement spectaculaire mais hyper médiatisé,
avec une œuvre impossible, un orchestre américain et un chef
dont on aurait pu croire, en décembre 1990, que nous resterions
sans nouvelles.

Faisant confiance à son soliste dont il a su apprécier le *cool* de
sa manière d'être, Carl St.Clair contacte Lefèvre et lui propose de
venir faire de la musique à Los Angeles, avec son Pacific Symphony Orchestra et même, pourquoi pas, de faire un disque. Il
est peut-être question de Chostakovitch, de Rachmaninov… Généralement, un premier disque (car ce sera aussi le premier CD
du Pacific Symphony Orchestra avec Carl St.Clair) est une carte
de visite qui permet d'être comparé et de se positionner face à
ses contemporains et idéalement aux grands ancêtres. Mais avant
de se plonger dans l'aventure Corigliano, on peut se demander
pourquoi Lefèvre, à trente ans révolus, n'a pas encore gravé son
répertoire sur disque. « Au départ, en 1993, j'ai trente-et-un ans
et je n'ai pas fait de disques parce que je suis CONTRE le disque. »

Christian Ferras, son éphémère mais précieux partenaire, lui
avait raconté une anecdote. Alors qu'il tournait avec Karajan avec
le concerto de Sibelius, après un concert particulièrement réussi,

Karajan lui annonce qu'il est enfin prêt à le graver au disque, alors qu'il le dirigeait depuis des années. Cette idée d'attendre d'être prêt, d'avoir quelque chose à dire a évidemment frappé Lefèvre et lui a fait refuser offres et projets qui se sont présentés jusque-là.

L'industrie discographique était en perte de vitesse jusqu'à l'avènement du disque compact. Le 33 tours au début des années 50, la stéréophonie, la quadriphonie et tout le reste avaient multiplié les enregistrements du même répertoire jusqu'à saturation. L'arrivée du CD au début des années 80 redonne un nouveau souffle à l'industrie grâce aux nouvelles techniques d'enregistrement qui passent de l'analogique au numérique en supprimant tout bruit de surface, puisque la musique semble surgir d'un vide sidéral, de nulle part. Cette nouvelle technologie fait en sorte que tous les artistes, toutes générations confondues, entrent ou retournent en studio pour immortaliser leur point de vue sur tout le répertoire. Comme la durée maximale du nouveau support excède largement les limites imposées par le microsillon, on publie les intégrales de tout et de rien et le monde discographique retrouve une santé et une vigueur qu'on ne lui avait plus connues depuis des décennies. Ces années bénies vont permettre à tout le monde d'enregistrer. Le CD devient une carte de visite nécessaire. Il est impensable pour un artiste de faire carrière s'il n'a pas de disques. L'histoire, légende ou réalité, voulant qu'un pianiste à la fin de sa carrière ait voulu enregistrer une intégrale des *Sonates* de Beethoven à raison d'une page par jour a frappé Alain Lefèvre. Le virtuose canadien conçoit le disque comme le reflet le plus précis et le plus honnête d'une exécution donnée en public. Ce qui apparaît banal et allant de soi à la plupart des artistes et chefs d'orchestre, lui est anathème : présenter une œuvre, comme si c'était une peinture à numéros dont on rassemble chaque petit morceau provenant de différentes prises, lui semble une entorse à l'éthique.

Cette façon de faire et cette approche ont développé chez moi un grand malaise par rapport à la malhonnêteté, je pèse mes mots, la malhonnêteté du disque. Poussée à l'extrême limite, cette pratique peut donner à quelqu'un de relativement médiocre, non seulement de la technique, mais même du talent. Une fois rassemblés les petits segments valables des nombreuses prises, on a un produit irréel, qui présente l'artiste sous le meilleur jour possible. Quant à lui demander de donner un récital ou de jouer un concerto sur scène, en public, il faudra bien tout le marketing du monde pour noyer le poisson.

Faut-il rappeler qu'à cette époque envoyer une cassette d'une captation d'un récital avec les accrocs de la spontanéité à une société de concerts ou au directeur artistique d'un orchestre paraissait moins professionnel que de faire parvenir un CD étampé du logo d'une maison de disques établie ? L'absence de CD pouvait être perçue comme un jugement : personne n'avait voulu vous enregistrer parce que vous n'étiez pas à la hauteur. L'honnêteté a un prix.

Pour Alain Lefèvre, l'enregistrement qui symbolise le mieux cette approche axée sur la perfection numérique et un certain idéal sonore est le disque des 24 *Études* de Chopin par Maurizio Pollini. Toute une génération de pianistes et de mélomanes ont fait de cet enregistrement, non seulement leur référence, mais le nec plus ultra de l'approche interprétative de tout le répertoire. Parfait, distant, détaché et étincelant, on pourrait écrire une thèse sur la musique en tant que lame de couteau. Peu importe que Pollini ait rassemblé un *best of* de toutes ses sessions, le résultat était surhumain et c'est dans cette direction qu'on devait aller et à partir de cette esthétique, qu'il fallait étalonner l'avenir.

Pour Lefèvre qui a toujours privilégié le geste naturel et le risque à la sacro-sainte perfection (qui aura finalement tué le métier et dénaturé la musique), cette approche du disque est inacceptable et cette conception de la musique aux antipodes de ce qu'il veut faire. Conséquence logique, les artistes se sont rangés sous cette bannière desséchante, et les critiques, à juger de la qualité et de la valeur d'une interprétation à l'aune de la fausse note et non plus sur la profondeur où la vérité de son jeu.

J'ai fait mon lot de fausses notes que je revendique, parce qu'il était plus naturel pour moi d'avoir de l'élan que de troquer la spontanéité contre un corset de sécurité aseptisée finalement réducteur. Encore là, c'était un choix et un choix qui pouvait me coûter cher et me jouer des tours.

Et ce refus d'utiliser les technologies pour livrer un produit parfait, impeccable, reste après une trentaine d'enregistrements aussi irréductible qu'il y a un quart de siècle. Les producteurs Michael Fine, Daniel Vachon et Carl Talbot, pour ne citer que ceux-là, peuvent en témoigner. Alain Lefèvre préfère reprendre un mouvement entier plutôt que de corriger un passage, une fausse note, une erreur, en faisant des épissures, du montage, des *splices.*

Tous mes disques sans exception ont été faits avec presque aucune épissure ou alors à peine, et les autres sont le résultat d'enregistrement *live*, en direct. Ça, c'est mon approche. Est-ce que c'est payant de procéder comme ça…? Cette pensée est animée par le souci de l'honnêteté et du respect pour le concept d'inspiration. Capter quelques secondes de beauté jaillissant spontanément me paraît préférable à la fausse perfection.

XI
Corigliano, St.Clair, Koch   La saga

Cette invitation de Carl St. Clair, qui mènera Alain à son premier
disque, est une bénédiction. Car, même si ce dernier s'est juré
de ne plus travailler avec ce chef d'orchestre (souvenons-nous
qu'il lui avait supprimé la quasi totalité de son temps de répétition), les deux musiciens se téléphonent et, comme le résultat des
concerts de Toronto avait été, selon les témoins, « miraculeux »,
ils projettent de travailler à nouveau ensemble, le succès restant
la meilleure panacée aux égratignures de parcours et le meilleur
catalyseur pour souder une amitié.

A cette époque, en Californie, il existe un tandem aussi fort que
le duo montréalais Charles Dutoit/Zarin Mehta, c'est celui que
forment Carl St.Clair/Luigi Spisto, un jeune chef, administrateur
brillant et hors du commun. Spisto appelle Alain et lui annonce
que, non seulement les dates du concert sont finalisées, mais que
le concert sera diffusé en direct sur KUSC-FM 91.5. Tout est en
place. Le souhait au cœur du projet de faire un disque est exaucé,
le conseil d'administration du PSO a voté les budgets pour réaliser
un enregistrement. Autre grande nouvelle, la Fondation Mark
Chapin Johnson s'engage à défrayer une grande partie du coût du
disque. Il n'y a qu'un détail qui change, c'est le choix du concerto.
Oups! Alain ne pourra pas choisir une des œuvres qu'il chérit et
où il excelle, mais il devra apprendre un concerto inconnu, im-
possiblement difficile et, en plus, le compositeur veut l'entendre

avant d'autoriser l'enregistrement. Décidément, les projets avec Carl St.Clair sont générateurs de stress. Alain va-t-il accepter?

À ce moment-là, il n'a aucune idée de qui est John Corigliano (1938-), pas plus que de ce qu'est son œuvre. Il reçoit la partition. Il devra y consacrer treize mois de sa vie. Heureusement qu'il a été battu dans les cours d'école parce que ce qu'il doit endurer pour arriver à maîtriser l'œuvre et lui donner vie est monstrueux. Lefèvre apprend aussi que le concerto a déjà été enregistré, et que Corigliano, n'étant pas satisfait du résultat, a publiquement désavoué l'interprétation. C'est ce même homme qui, un quart de siècle plus tard, doit accorder son imprimatur à Alain Lefèvre.

Alain entend aussi raconter qu'Horowitz, peut-être le plus grand virtuose du XXe siècle, avait envisagé au milieu des années 70 de jouer l'œuvre en public, mais qu'il y avait renoncé, se sentant trop vieux pour investir autant de temps dans une œuvre aussi périlleuse.

Comment alors justifier le choix d'un concerto écrit par un compositeur de vingt-neuf ans (1967), créé vingt-cinq ans auparavant (le 7 avril 1968) par la pianiste Hilde Somer et le San Antonio Symphony Orchestra dirigé par Victor Alessandro? Pourquoi reprendre un concerto obscur et oublié? Depuis la création en 1991 de son opéra *The Ghosts of Versailles,* première commande du Metropolitan Opera en un quart de siècle, et l'impact de sa *Symphonie no 1,* dont Corigliano reconnaît qu'elle a été « générée par des sentiments de perte, de colère et de frustration déclenchés par la disparition d'amis et collègues emportés par le sida durant la dernière décennie », ainsi que la trame sonore du film, *Altered States,* le nom de John Corigliano est sur toutes les lèvres.

Toutes ces nouvelles que lui apprend Spisto arrivent au moment où Alain est engagé pour jouer le *Prélude Romantique* d'André Mathieu lors de la cérémonie de remise des Prix du Québec, le 8 décembre 1992, où il retrouve le réalisateur Pierre Duceppe.

Alain, capable de rendre libidineuse une sœur cloîtrée, provoque l'enthousiasme de Duceppe. Dans le but de réaliser un reportage retraçant toute l'aventure, Duceppe convainc la direction de Radio-Québec de suivre Alain Lefèvre dans son apprentissage de l'œuvre à Montréal, pendant sa rencontre à New York avec le compositeur, et enfin à Los Angeles lors des concerts et de l'enregistrement.

Alain effectue des allers-retours à Los Angeles pour travailler avec Carl. La direction de l'orchestre a même la délicatesse de l'inviter à assister aux rencontres avec deux maisons de disques intéressées à enregistrer ce concerto pour la première fois en numérique. Un premier dîner permet de faire connaissance avec le vice-président de Koch International, Michael Fine. La deuxième maison en lice est le célèbre label européen Harmonia Mundi. Les deux huiles ont fait leur devoir et savent tout de Lefèvre. Michael Fine, qui deviendra par la suite directeur artistique chez Deutsche Grammophon, décroche le contrat grâce à un Grammy Award remporté avec son premier enregistrement chez Koch, *Arias and Barcarolles* de Leonard Bernstein, une des idoles d'Alain et le mentor de Carl St.Clair, qui a dirigé l'œuvre, nous l'avons vu, à Tanglewood.

Après avoir consacré treize mois de sa vie et répété pendant quatre mois avec un deuxième pianiste pour maîtriser, non seulement la partie de piano mais aussi pour approfondir la partie d'orchestre, Lefèvre s'envole, seul, afin de rencontrer Corigliano à son appartement de Manhattan. À l'issue de l'audition, Corigliano doit rendre son verdict. Va-t-il autoriser Lefèvre à jouer son concerto ? Va-t-il en approuver son exécution ?

Le matin, tôt, j'arrive chez Corigliano. Dans le salon de musique, en plus d'un grand piano à queue, il y a un gros chien. Corigliano se couche par terre et me dit : « I am listening ». Je veux mourir, j'en parle et j'ai des plaques, je n'ai jamais autant eu le trac de ma vie. Je joue, il ne dit pas un mot. Il n'y a pas de deuxième piano pour tenir la partie d'orchestre et je lui raconte ce que l'orchestre doit faire, les choses comme elles sont. John se lève, il pleure, il me prend dans ses bras : « Je ne suis pas d'accord parfois avec ce que vous faites parce que c'est très romantique, mais mon concerto est si beau sous vos doigts. »

Lefèvre s'ouvre comme une écluse, il lui parle de son père, de Carl. Il est au milieu du salon chez le compositeur dont il va recréer le concerto, celui qui a écrit la *AIDS Symphony*, l'opéra *Ghosts of Versailles,* et auquel François Girard va bientôt demander la musique de son film *Le Violon rouge.* Corigliano, à la fin de la rencontre, prend le téléphone et contacte l'un des grands patrons de la CAMI, la Columbia Artists Management International. Il dit à Doug Sheldon : « I am with a great pianist. If you don't take him, you're crazy. » (Je suis avec un grand pianiste. Si vous ne le prenez pas, vous êtes fou !) En moins de temps qu'il n'en faut pour l'écrire, Alain quitte Melvin Kaplan et entre dans la division de Doug Sheldon avec Sean Bickerton comme *booking agent* dans la plus grande agence de concerts du continent.

Je suis donc à une étape cruciale de ma vie ; mon père est mort, il n'aura jamais entendu mon premier disque, et c'est une peine épouvantable. Et en même temps, c'est comme si mon père en mourant m'avait donné des ailes et la grâce d'aller plus vite. J'ai toujours dit que tout ça a été le cadeau d'adieu de mon papa.

En fait, les choses vont tellement bien, les événements s'enchaînent si naturellement que Lefèvre commence à s'inquiéter. Tout se met en place trop facilement. De la même façon que l'espionnage industriel existe, l'espionnage artistique est aussi une réalité. Qu'un grand orchestre, qu'une grande soprano, que Vienne, que Berlin, que New York décident de promouvoir une œuvre, un compositeur et le reste du monde emboîte le pas. Le bruit s'est peut-être répandu, ou alors c'est une coïncidence cosmique due à la notoriété croissante de Corigliano. Toujours est-il qu'une puissante maison de disques, RCA Victor, annonce son intention d'enregistrer notre concerto avec un soliste à la réputation bien établie, Barry Douglas et le Saint Louis Symphony Orchestra, dirigé par un des chefs américains les plus célèbres, Leonard Slatkin. C'est comme être follement amoureux et apprendre que vous n'êtes pas le seul à brûler de passion pour l'objet de vos désirs. Non seulement Corigliano a accepté cet autre enregistrement, mais il attend d'avoir entendu les résultats pour choisir quelle compagnie de disques pourra utiliser sa photographie sur la page couverture du livret. Inutile de dire que cette nouvelle génère un stress considérable chez tout le monde, l'orchestre, le chef, la maison de disques… et le soliste. Voilà justement le territoire familier où Lefèvre excelle et qui lui permet de se surpasser. En fait, cette pression lui donne des ailes et contribue à mettre en œuvre tous ses instincts de survie :

> J'ai toujours beaucoup travaillé mais là j'étais dans un mode spécifique, un peu le même mode où je me trouve en apprenant le concerto de Boudreau (Le *Concerto de l'Asile* de Walter Boudreau sera créé le 15 janvier 2013 avec l'Orchestre symphonique de Montréal), le mode où je me dis : « Je vais renverser les gens. »

S'ajoute, à tout cet édifice, un élément personnel, et capital, les liens d'amitié qui se tissent tout au long des rencontres et des répétitions avec le jeune chef. Ensemble, ils refont le monde et planifient l'avenir. St.Clair arborant une mèche à la Diaghilev, Alain l'a surnommé son « wild racoon » — son raton laveur en furie :

> Un jour, nous sommes sur l'autoroute qui va de Los Angeles à Santa Monica. Carl me dit : « Tu n'as jamais conduit une voiture de ta vie ? » Et il me donne le volant… Carl, c'est ma première grande amitié musicale. Carl est mon frère musical.

Le concert approche et l'orchestre appuyé par la fondation Mark Chapin Johnson organise des répétitions sectionnelles, avec et sans soliste, percussions et piano, etc., et après onze répétitions, il règne un état d'euphorie à laquelle ne manque qu'un léger scandale. Bien innocemment, Alain va le déclencher en s'attaquant à la grande maison de facteur de pianos Steinway.

Un pianiste a toujours le choix entre au moins deux instruments, deux grands pianos de concert. On présente à Lefèvre le meilleur piano de la salle du Orange County Performing Arts Center, à Costa Mesa :

> Je n'aime pas le piano au niveau mécanique. Le son est fabuleux, je suis un admirateur de la maison Steinway, mais le piano ne convient pas pour le Corigliano. Il faut une action extrêmement rapide et je demande gentiment si on peut apporter telle et telle correction.

La seule réponse qu'on lui fournit, c'est que Martha Argerich adore le piano, et on lui énumère quelques autres noms célèbres qui l'ont aussi apprécié. Et Alain, bien sûr, met les pieds dans le plat et répond que lui, il ne l'aime pas. Pragmatiques comme le sont les Américains, on lui annonce qu'on ne changera rien pour lui. L'administrateur Luigi Spisto est blême, ce jeune et bel Italien en pleine possession de ses moyens les perd un peu et essaie le plus diplomatiquement du monde d'arranger les choses. Alain part comme un coup de fusil. Il entraîne Spisto chez Yamaha, et c'est à partir de ce moment que Lefèvre rejoint, comme Sviatoslav Richter avant lui, la maison Yamaha. Près de vingt ans plus tard, Lefèvre est encore reconnaissant et fidèle à son facteur de pianos. On ne lui propose pas deux ou trois pianos mais six grands pianos à queue et Yamaha met à sa disposition trois techniciens qui lui offrent une dizaine de mécanismes possibles. Spisto est ravi que tout se résolve si bien, parce qu'en plus, Yamaha ne demande pas un sou, le facteur sponsorise le concert.

La fièvre monte à Costa Mesa. L'équipe de Radio-Québec s'installe et tourne le climax de ce documentaire-portrait. Et puisqu'après les concerts et l'enregistrement Alain doit partir en tournée au Japon avec les Virtuoses de Moscou et Vladimir Spivakov, son imprésario, Lily Sarfati est venue entendre son soliste.

Le journal *The Orange County Register*, quelques jours avant le premier concert, désireux de souligner l'événement du PSO avec St.Clair, publie un papier préconcert sur ce concerto qu'on exhume des tiroirs de Corigliano en faisant un « feature » exploitant l'élément exotique, c'est-à-dire le *French Canadian pianist*, Alain Lefèvre. L'article signé Scott Duncan va mettre le feu aux poudres :

> Alain Lefèvre déclare d'emblée : « Il y a trop de facticité et d'artificialité en musique classique. Il se donne tellement d'entrevues prétentieuses. Celle-ci sera honnête, même si elle risque de m'attirer des ennuis. » Là-dessus, le pianiste canadien-français lance sa première salve : il est insatisfait du piano Steinway qu'on lui a prêté pour son interprétation prochaine du *Concerto pour piano* de John Corigliano… « Le jeu [du clavier] n'est pas réglé à mon goût. Ce concerto a besoin d'un réglage très égal, très rigoureux, dit-il. On me dit qu'il convient, qu'on ne peut pas le changer parce que d'autres l'aiment. Mais je ne pense pas… » À un moment donné, il compare le processus artistique à sa collection de parfums, sa passion personnelle. « Oui, j'ai une collection de parfums, dit-il. Bizarre, non ? Quand j'étais gamin, ma mère me croyait cinglé. Elle se demandait si j'étais un vrai homme ou pas. Mais j'adore. »

Alain déplore que les salles de concert soient peuplées de plus en plus de têtes blanches : « Nous ne cultivons pas d'artistes capables de donner la chair de poule aux auditoires, dit-il, comme c'est le cas au cours des concerts populaires. Nous avons là quelque chose à apprendre. »

L'article est à peine sorti ce matin du 28 février que les réactions ne se font pas attendre. Luigi Spisto veut mourir, même le *racoon* est inquiet, le milieu est un peu sous le choc qu'un jeune pianiste ait eu l'audace de remettre en question la suprématie de la vénérable maison Steinway. Encore aujourd'hui, Lefèvre reconnaît que ce qui avait provoqué sa réaction était l'injustice :

> Pourquoi Alain Lefèvre, aussi petit était-il à l'époque n'aurait-il pas eu le droit d'avoir un réglage comme il le voulait ? Et moi, de façon complètement innocente, et je le jure sur ce que j'ai de plus sacré, j'ai ouvert la boîte de Pandore. Aux États-Unis, on ne touche absolument pas à Steinway.

Une douce frénésie s'empare des médias, il y a, comme on dit dans le milieu, un *buzz* qui vrombit sur la côte ouest. À Montréal, la nouvelle s'est répandue qu'Alain Lefèvre va enregistrer un concerto américain, avec une compagnie, un orchestre et un chef américains. On s'étonne, on se pince, on attend le pianiste qui n'est pas engagé et qui va soudainement exploser.

L'article de l'*Orange County Register* intrigue le *L.A. Times*, qui dépêche un journaliste pour interviewer ce jeune David qui a osé s'en prendre au Goliath du piano. Le jour même du premier des deux concerts, dans son édition du matin, le *Los Angeles Times* publie un article conséquent avec une grande photo sur deux colonnes d'Alain, qui a l'air aussi surpris que nous de se voir à côté d'une photo de Corigliano. L'électricité est palpable, Alain semble survolté et prêt à conquérir le monde :

> UN AMOUR INTENSE : TELLE EST L'ÉMOTION PRINCIPALE DU CONCERTO POUR PIANO QU'ALAIN LEFÈVRE VA INTERPRÉTER…
> […] Le pianiste canadien-français de 31 ans est allé voir le compositeur et a passé environ six jours, sur autant de mois, à travailler avec Corigliano à New York. Cette expérience a eu du bon et du mauvais. « Il est très difficile d'exécuter la musique d'un compositeur

vivant, dit Lefèvre. Il sait exactement ce qu'il veut entendre, et le danger, c'est de perdre une sorte d'inspiration en voulant vraiment se plier à ses goûts. C'était plutôt difficile pour moi. Mais au bout du compte, ça a réussi. » En fait, Corigliano a loué l'interprétation du pianiste. « Alain Lefèvre m'a fait redécouvrir mon concerto », aurait-il déclaré à une équipe de tournage de Radio-Québec qui réalise un documentaire d'une heure sur le pianiste… « Le quatrième mouvement est une bombe atomique, dit Lefèvre. John m'a dit qu'il fallait que ce soit barbare… » « La musique est « moderne » et, en même temps, « classique » dans sa forme, dit Lefèvre. En somme, si vous faites une fausse note, les gens vont l'entendre. » « L'émotion principale de l'œuvre, dit-il, c'est la passion. C'est l'amour. John est un homme rempli d'amour, et pour moi, l'amour comprend beaucoup de violence, de dissension et de romantisme. »

Ensuite, Alain parle de la mort de son père et des idéaux qui ont animé ses parents. Puis, il raconte les deux concerts avec l'OSM et parle de ses trois frères musiciens : « C'était le rêve de mon père, dit-il. Pour lui, ce qui comptait le plus, ce n'était pas — je vais dire quelque chose de terrible —, ce n'était même pas sa femme, c'était la musique. »

Le journaliste continue en relatant les principaux faits de l'histoire que vous venez de lire et il conclut son article sur cette profession de foi :

Le concerto de Corigliano sera son premier enregistrement, et Lefèvre y voit une occasion à saisir. « Cette musique est splendide, dit-il. C'est une musique angélique. Si vous arrivez avec le premier concerto de Chopin, certains pianistes l'ont si bien enregistré, qu'est-ce que je pourrais ajouter ? Il ne faut enregistrer que lorsqu'on a l'impression d'avoir quelque chose à dire. »

Les billets se vendent, les salles sont archicombles, la télé américaine arrive, Radio-Québec est là avec Pierre Duceppe, même

Radio-Canada s'est déplacée, et Alain passe sur CNN et OCN. C'est la folie. New York ne sait pas ce qui arrive, Corigliano reçoit des appels. Barry Douglas et Slatkin annoncent leurs dates d'enregistrement, exactement une semaine après le leur, soit les 11 et 13 février.

Lefèvre se retrouve dans une position familière, assis sur un volcan qui le galvanise, le porte et le transporte. L'adversité, l'imminence du danger sont de puissants carburants pour l'homme que grise toute cette tension. Lefèvre et son ami Carl s'amusent comme des fous, ils travaillent de la même façon et les deux concerts le mercredi 2 et le jeudi 3 février passent comme une lettre à la poste.

Dans l'édition du vendredi 4 février, l'*Orange County Register* titre :

LEFÈVRE A SON RENDEZ-VOUS AVEC LA DESTINÉE

[…] Le concerto pour piano de Corigliano, plus profond et beaucoup plus long, semble avoir laissé, lui aussi, des sentiments mitigés. Quelques âmes inspirées ont accordé une ovation à l'œuvre — et à la remarquable interprétation du pianiste Alain Lefèvre. D'autres ont applaudi mollement, ou pas du tout… Le concerto soumet le soliste à une débauche extrêmement pénible de difficultés au clavier : de féroces doubles octaves, des arpèges qui balaient aller-retour tout le clavier, d'épineuses gammes articulées à travers des textures orchestrales, et le dernier mouvement, apocalyptique, une hideuse invention qui impose des accords notés à la suite desquels le pianiste écrase les notes voisines avec ses paumes. Mais il y a aussi de nombreux passages qui réclament la lucide expressivité d'un Chopin. Lefèvre, ce Canadien français, a non seulement conquis les immenses défis de la partition, il l'a fait avec une conviction musicale incandescente. L'expression « tour de force » est sans doute galvaudée, mais elle a été inventée pour décrire une prestation renversante comme celle de Lefèvre…

Le jour où paraît cette critique, entre 14 et 18 heures, le fruit de tous ces efforts sera enregistré pour la postérité. La session se passe comme une épreuve initiatique. Un seul service est prévu pour ce concerto-méduse. Le dernier mouvement est d'un barbarisme dissimulé dans un rondo fugué et, comme l'élan nécessaire au mouvement se déploie plus aisément avec des prises complètes, le producteur reprend et reprend encore jusqu'à ce qu'Alain, les doigts en sang, les plonge dans un seau à glace entre chaque prise.

Le disque terminé, le montage se fait rapidement et le verdict de Corigliano tombe : c'est l'enregistrement St.Clair/Lefèvre qu'il choisit et son sceau d'approbation se concrétise par cette photo de couverture, où le compositeur et ses interprètes nous regardent et semblent nous défier de ne pas être subjugué.

XII
1994 – Suite et fin

Alain a à peine le temps de se mettre le *Concerto en la majeur
Köchel 414* de Mozart dans les doigts, qu'il repart, seul, pour la
première fois sans Jojo, en tournée, sa première au Japon. Malgré
la mort de son mari Albert Sarfati, sa veuve Lily a tenu à honorer
le contrat d'Alain : il jouera le concerto de Mozart plus de vingt
fois avec l'orchestre de chambre Les Virtuoses de Moscou et son
chef fondateur, le violoniste Vladimir Spivakov qui, rappelons-
le, avait remporté le prix d'Interprétation au Concours international de Musique de Montréal en 1968.

La séparation lui sera extrêmement difficile... Afin d'adoucir
sa peine, Jojo lui remettra avant son départ une série de lettres
à ouvrir à raison d'une par jour. Rien de novateur en soi, sauf
qu'elle aura inséré dans chacune d'elles, une photo, depuis sa
petite enfance, en passant par son adolescence jusqu'à leur rencontre, créant ainsi l'anticipation et l'enthousiasme de découvrir
au fil du temps quelle sera la surprise de la « photo du jour ».

Durant toute la tournée, la solitude lui pèse, n'est-ce pas la
première fois en onze ans qu'il est sans Jojo ? De plus, le chef et
son soliste ne voient vraiment pas la vie de la même façon. Des
tensions s'installent entre Spivakov et Lefèvre, mais tout rentrera
dans l'ordre au retour d'Alain à Montréal. Il n'y a pas une interview, un reportage, où les artistes ne se plaignent de la vie itiné
rante du soliste. Il est tout à fait compréhensible qu'après avoir

livré le résultat d'un travail solitaire, l'artiste souhaite entendre de la bouche des gens qu'il a touchés les remarques émues et intelligentes des auditeurs qui l'ont compris. Pour Alain et Johanne Martineau qui ont fait le choix chaque jour renouvelé depuis plus de trente ans de vivre ensemble au sens littéral de partager leur vie et chaque heure de chaque journée, cette séparation est une petite torture et ils jurent qu'on ne les y reprendra plus.

À peine rentré à Montréal, Alain est interviewé par le commentateur musical Robert Markow pour le quotidien *The Gazette*. Dans son édition du 9 avril 1994, Markow lui consacre un article avec photo pour alerter le public anglophone que le documentaire, *Alain Lefèvre, pianiste*, splendide *making of* de l'aventure du *Concerto* de Corigliano sera diffusé sur les ondes de Radio-Québec, le 17 avril, à 21 heures. *The Gazette* qui fait de la publicité pour une émission en français sur les ondes de Radio-Québec!

> « Au départ, j'ai résisté à l'idée d'un film sur une carrière aussi jeune que la mienne, dit-il, mais ensuite, j'ai pensé à toute la facticité et à la tromperie […] dans ce domaine, et je me suis dit que, peut-être, je pouvais fournir un autre point de vue, en épousant les causes auxquelles je crois vraiment. » Parmi les causes que soutient Lefèvre dans le film, il y a la liberté — celle de s'exprimer sans être critiqué ni ostracisé. Cette liberté inclut l'orientation sexuelle. Un grand nombre d'amis de Lefèvre sont gais, et il se dit consterné de voir le sida faire autant de victimes dans son entourage. Lefèvre considère également le film comme un moyen d'amener le public à apprécier la musique classique… Lefèvre poursuit d'autres intérêts avec toute la passion qu'il consacre à la musique. Par exemple, il connaît les parfums, et est fier de sa collection de plus de 800 échantillons. « Pour moi, le parfum, c'est bien plus que d'agréables senteurs, dit-il. C'est tout un art en soi : les odeurs, les couleurs, les bouteilles, les souvenirs qu'il évoque. Le parfum, c'est l'amour. Le parfum, c'est la musique… » Lefèvre est en train de s'habituer à côtoyer les

gens riches et célèbres. Il fait maintenant partie de cette élite que gèrent les Productions Internationales Albert Sarfati, à Paris. Seiji Ozawa, Sir Georg Solti, l'Orchestre philharmonique de Berlin, Ievgueni Kissine et l'Opéra du Bolshoï font partie de cette écurie. «Quand on entre dans ce bureau, dit Lefèvre, on tremble d'exaltation et on ressent l'intense fierté de faire partie de ce cercle.»

Le documentaire *Alain Lefèvre, pianiste* signé Pierre Duceppe offre un portrait saisissant de l'artiste en éternel jeune homme. Encore vulnérable et touchant dans son désir d'éliminer les barrières, déjà, qui tiennent éloigné ce grand public dont il a compris que l'avenir de la musique dépend, le pianiste s'expose comme jamais. Pierre Duceppe et Radio-Québec ont filmé Alain chez lui, à la salle Wilfrid-Pelletier (en plein concert avec l'OSM et Richard Hoenich), à New York chez le facteur de pianos Steinway, à Manhattan (au travail avec le compositeur Corigliano), et enfin à Los Angeles pour le concert et l'enregistrement.

Le témoignage de John Corigliano vaut à lui seul le visionnement:

Tant de notes, et tant de difficultés! Cette pièce est faite pour un jeune homme, et c'est bien ainsi. Elle recèle une vie et une énergie immenses, comme certaines personnes dans la vingtaine […] et j'adore la pièce. […] je ne me donne pas d'étiquette, je n'aime pas me caser dans tel type de compositeur […]. Chaque pièce a son propre monde et dans celle-ci, c'est le monde de ma jeunesse […]. L'idée romantique du concerto pour piano […] est celle du protagoniste, l'idée qu'un être humain doive s'élever, seul, au-dessus de cet orchestre de cent musiciens, par le son, la virtuosité, par tous les moyens […] et devenir un héros […]. L'essence de la musique classique, c'est ce mariage entre la vision d'un compositeur et celle d'un interprète. Alors, j'aime cette union-ci. En fait, pour la pièce, Alain a suggéré plusieurs choses auxquelles je n'avais pas pensé, et j'ai dit: «Allez-y, ça me paraît bien.» J'aime ne pas aller uniquement dans une seule direction […]. Alain m'a dit qu'il avait consacré plus d'un an à la pièce. Ça me paraît raisonnable, car il m'a fallu un an et demi pour l'écrire […]. Si cela fonctionne si bien, c'est, je crois, grâce à son dévouement, à son talent extrême et à sa technique sensationnelle, et tout le reste. Ce ne serait pas possible sans le sérieux et le dévouement qu'il apporte, en plus de sa sincérité. C'est le fait d'approcher cette pièce, de la connaître à fond autant que moi, qui nous a permis de collaborer. […] Si vous avez vécu un an avec une pièce, vous la connaissez, et Alain l'a fait, il la connaît et il en est devenu un expert, il peut en parler d'autorité, et c'est ce que doit faire un interprète musical. Alors, je suis très enthousiaste, car nous, compositeurs, chérissons l'interprète qui a autant d'intégrité et de talent qu'Alain […].

Après la Californie et la tournée au Japon, après ces quelques mois exaltants où son métier le pose là où, modestement, il croit légitime de se retrouver, atterrir à Montréal et affronter ces portes toujours closes a quelque chose d'un peu irréel. Mais parfois, ces silences polis se brisent et une invitation arrive.

Le 6 juillet, Alain fait ses débuts à Saint-Irénée, au Domaine Forget. Surprise, le concert est capté par Radio-Canada Québec et sera diffusé quelques jours plus tard. Puis cinq événements vont marquer l'automne. Il est nommé porte-parole de la Journée internationale de la Musique, célébrée chaque année le 1er octobre. Une semaine plus tard, le samedi 8 octobre à 14 heures, a lieu le lancement officiel de son premier disque au magasin HMV de la rue Sainte-Catherine. Quelques extraits des critiques parues à ce moment-là reflètent assez bien l'impact de cet enregistrement :

Alain Lefèvre ressuscite le *Concerto* de John Corigliano.
Claude Gingras, *La Presse*

Alain Lefèvre est spectaculaire.
Il a des doigts d'acier et une immense sonorité. J'espère seulement qu'il parviendra à enregistrer un certain nombre de grands

concertos romantiques, ces chevaux de bataille, car il ajoute une grande intelligence à sa technique déjà prodigieuse.
Fanfare Magazine

Lefèvre accorde une lecture perspicace à la difficile partition solo, apportant une force brillante à ses moments de virtuosité et une douce tonalité à ses passages les plus tendres.
Detroit Free Press

Lefèvre a attendu d'avoir trente-deux ans pour faire paraître son premier enregistrement et c'est un événement, c'est un coup de maître.

Ensuite, avec l'Orchestre Métropolitain et sa partenaire habituelle, Agnès Grossmann, Alain amorce la saison 94/95 en partant en tournée dans l'île de Montréal du 14 au 26 octobre. Le 17, le tandem s'arrête à la salle Maisonneuve. Pierre Péladeau doit être heureux puisqu'Alain joue pour l'occasion *son* compositeur. Pour Alain, c'est l'occasion de plonger dans une des œuvres concertantes qu'il aime le plus, le *Concerto no 4 en sol majeur* de Beethoven.

Huit jours plus tard, alors qu'ils n'ont pas fait de musique ensemble depuis six ans, Dutoit invite Alain à jouer lors d'une matinée symphonique Métro. Alain doit apprendre un nouveau concerto que le directeur artistique de l'osm lui a demandé, ainsi qu'une courte pièce pour piano et violoncelle solo de Camille Saint-Saëns, le *Concerto no 3* et l'*Allegro appassionato*. Qu'il suffise de dire qu'il faudra attendre encore six ans avant de retrouver Dutoit et Lefèvre sur une même scène.

L'année 1994 tire à sa fin et Lefèvre, débordé, n'est pas encore venu saluer ses amis des Laurentides. C'est Diane Juster que Pierre Péladeau a désignée comme présentatrice du récital d'Alain au Pavillon des arts de Sainte-Adèle le 19 novembre. Le pianiste en profite pour roder le programme qui va couronner cette année faste. Le 3 décembre, Alain est l'invité de la prestigieuse série de

récitals du Kennedy Center à Washington D.C. Fidèle à sa devise
« Toujours être là où on ne t'attend pas », Alain inscrit à son programme, après le modernisme de son premier disque, des *sonates*
et le *Fandango* du Padre Soler, qu'on retrouvera sur son deuxième
enregistrement, et ajoute à l'affiche les quatre *Ballades* de Brahms
et des *Ballades* de Chopin, le contenu de son troisième disque.
On peut dire bien des choses, mais on ne peut pas accuser Alain
Lefèvre de ne pas être organisé et de ne pas préparer l'avenir.

XIII
Les réalités du métier

Rentrant d'une tournée en France et en Allemagne, Alain retrouve son ami Carl St.Clair et son orchestre pour un concert le 2 février — date anniversaire de leur premier concert du Corigliano. Une coïncidence de bon augure. Alain interprète le *Concerto no 2* de Rachmaninov dont il s'est fait le spécialiste. L'étonnant succès, attendu le répertoire choisi de leur premier CD (dans une interview qu'Alain accorde à la télévision américaine et en anglais, la speakerine parle d'un *best selling CD*), a remis à l'agenda l'enregistrement du Rachmaninov. Mais ce projet reste sans suite.

Le pianiste a tout juste retrouvé ses pénates que le téléphone sonne et re-sonne. L'Orchestre symphonique de Montréal vient de lancer sa programmation pour la saison 95/96, et Dutoit a inscrit le Concerto qu'Alain Lefèvre vient de ressusciter, mais, titre Claude Gingras dans *La Presse*, « c'est Barry Douglas qui l'interprètera à Montréal ».

Interrogé à cet égard, le directeur artistique de l'OSM a répondu ne pas savoir que Lefèvre avait enregistré le Concerto. « De toute façon, Lefèvre joue chez nous régulièrement. » L'intéressé ne blâme absolument pas Dutoit d'avoir choisi Douglas. « Barry Douglas est un plus gros nom qu'Alain Lefèvre, observe-t-il... De toute façon, je ne serai pas ici à ce moment-là, mais en Europe. Par ailleurs, je reprendrai le Concerto en tournée des États-Unis en février prochain et au Japon au printemps 97. Les gens font tout un drame, alors qu'il n'y en a pas.» Alain Lefèvre a appris de son producteur que son enregistrement du Concerto de Corigliano s'était vendu à 10 000 exemplaires, rien qu'en Amérique du Nord… «Je l'ai vu dans une boutique des Champs-Élysées.» C'est une sorte de record, dans le monde de la musique classique, et qui a incité Koch à réclamer d'Alain Lefèvre trois autres enregistrements, cette fois de piano seul… Le premier disque groupera les deux *Sonates* de Rachmaninov et du même, les *Variations sur un thème de Corelli*. «Koch est particulièrement intéressé, vu que les Corelli furent créées à Montréal même par Rachmaninov, en 1931…» Le deuxième disque sera consacré à Brahms et comprendra les *Ballades op. 10*, les *Variations* sur un thème de Schumann et les deux *cahiers de Variations Paganini*. Le troisième disque sera de musique française. Lefèvre y jouera notamment la *Sonate en quatre mouvements* que le compositeur français Pierre-Max Dubois écrivit pour lui en 1984.

Même involontaire, le camouflet est retentissant et ne fait que confirmer ce que tout Montréal sait déjà: Alain Lefèvre ne joue pas chez lui et encore moins à l'OSM. Il faut bien comprendre que «jouer au Québec» signifie être invité à l'OSM, dans les grandes séries de concerts, donner un récital au Ladies' Morning, au Festival de Lanaudière ou au Club musical de Québec. L'Orchestre Métropolitain à ce moment-là, ou Pavillon des arts, ne sont pas dans les mêmes ligues. Comme pour répliquer à cet affront, *La Presse* lui offre la une de son édition du 1er mai à travers le billet d'Anne Richer. L'article est accompagné d'une photo sous laquelle s'inscrivent ces quelques mots: «Un artiste ne peut réussir sans mécène».

Deux mois plus tard, le 1er juillet, c'est au tour du *Journal de Montréal* de publier un article de Robert Leblond. On y apprend que les ventes du Corigliano continuent de grimper et que nous atteignons maintenant les quinze mille exemplaires.

Mais le cadeau précieux qu'Alain reçoit quelques jours avant la Saint-Jean-Baptiste, c'est un poème acrostiche. Gustave Labbé, cet ami de toujours, ce fin lettré, docteur de la Sorbonne, professeur de latin, de français, d'anglais et de civilisation, lui rend le plus bel hommage en laissant toutes les lettres de son nom et de son art lui inspirer des vers qui sont, à la veille de son trente-troisième anniversaire, déjà tout un portrait.

Au magique toucher de l'artiste inspiré
Le piano étincelle dans l'harmonie du soir
Arpèges foudroyants et caresses des brises
Illuminant les cœurs que la beauté enivre
Naissance de la joie aux profondeurs de l'âme

La claire mélodie déferle des sommets
En gammes irisées que reflète l'écho
Fougue des marées qui se ruent aux falaises
Envol des goélands sous la lyre des vents
Vers l'espace serein où chantent les étoiles
Rappelant à la terre la naïve jeunesse
Et l'accent nostalgique des musiques humaines

Pianiste d'azur aux longs doigts de lumière
Inventant de nouveau les cadences altières
Avec une âme fraîche amoureuse de vivre
Nous aimons ton génie qui rayonne et délivre
Invitant tous les hommes au beau inaltérable
Sans délaisser jamais pureté ni grandeur
Tu donnes force et soleil aux œuvres immortelles
Et nous emportes émus aux rives éternelles

Gustave Labbé
Le jeudi 22 juin 1995

Non seulement Marie et Gustave Labbé sont pour Alain un havre accueillant et une source inépuisable de soutien et d'affection, mais avec Kito, Ginette, Blanche et Louis, ils constituent ses fondations affectives. Il peut lire dans leur regard l'admiration nécessaire à l'artiste.

Son rendez-vous estival avec l'Orchestre Métropolitain le voit reprendre le *4e concerto* de Beethoven le 5 juillet et inscrire à son répertoire le fameux *Concerto Empereur*, toujours de l'idole de son champion Pierre Péladeau, une semaine plus tard. C'est dans l'enceinte du Centre Pierre-Charbonneau qu'il retrouve Gilles Auger dont la rumeur prétend qu'il succèderait à Agnès Grossmann. D'apposer ces deux noms, Métropolitain et Auger, sur une même affiche, se lit comme le faire-part d'une union qui finalement n'aura pas lieu.

Dans son édition du 6 juillet, le quotidien *La Presse* titre :

> AUGER ET LE MÉTROPOLITAIN : FAITS POUR S'ENTENDRE
> […] Aux têtes grises et sages formant la presque totalité de ce public — rien, ici, pour attirer les jeunes, il faut bien l'admettre — faisait contraste la folle énergie déployée par le chef et le soliste, la jeune trentaine tous les deux, l'un et l'autre brûlant de musique et complètement absorbés par la *performance* à fournir […]. Soliste de l'*Empereur*, Alain Lefèvre a apporté une grande intensité aux deux mouvements rapides et une réelle poésie au mouvement lent. Son enthousiasme lui a fait faire quelques fausses notes et commettre quelques excès dans le « fortissimo » […].

Le récital — son premier à Montréal depuis sept ans, une réalité que sa présence médiatique nous a peut-être fait oublier — est une sorte de cadeau qui accompagne la remise d'une plaque honorifique décernée à son bienfaiteur. Pour la première fois, depuis plus d'une décennie, Alain inscrit des sonates de Beethoven à son programme, qu'il complète avec son répertoire de prédilection, les quatre *Ballades* de Chopin. La soirée est organisée pour rendre hommage à Pierre Péladeau. Faut-il qu'il veuille témoigner son amitié et sa reconnaissance à ce personnage à la fois truculent et raffiné !

La soirée commence par un discours de présentation d'Eric Larivière, directeur général de la Société du centre Pierre-Péladeau de l'époque. Il invite le directeur du service des émissions musicales de la Société Radio-Canada, Denis Regnaud, à annoncer un partenariat entre les deux institutions. Ce dernier repasse ensuite la parole à M. Larivière qui accueille les invités d'honneur de la soirée : Fabienne Larouche et Réjean Tremblay. Eux-mêmes cèdent le micro au président de la Banque Nationale, M. André Bérard, venu remettre une plaque de bronze à M. Péladeau afin de souligner son apport exceptionnel dans la réalisation d'un centre culturel et d'une salle de concert : la salle Pierre-Mercure du Centre Pierre-Péladeau. Le discours de M. Péladeau est une pièce d'anthologie et quand on voudra un jour analyser la société québécoise du milieu des années 90, ce morceau de bravoure constituera un bel outil de prospection. En terminant, Fabienne Larouche et Réjean Tremblay bouclent la période des discours qui, avec l'attente protocolaire, aura duré près d'une demi-heure.

C'est peut-être un peu exaspérées que nos oreilles critiques accueillent l'artiste qui devra recréer une atmosphère propice à l'écoute en quelques secondes. Les accords souverains de la *Sonate Pathétique* plantent la ligne de démarcation entre le sociopolitique et la raison d'être de cette nouvelle salle : l'Art.

Le mercredi 6 septembre est à marquer d'une pierre noire dans la carrière d'Alain Lefèvre. Des trois quotidiens montréalais, il reçoit simultanément les critiques à ce jour les plus acerbes et les plus dures qu'on lui ait consacrées. Dans *La Presse*, Claude Gingras signe un article le 6 septembre 1995.

Péladeau, Beethoven et Chopin

Le premier concert de la nouvelle saison a débuté sur le ton du party de famille, pour ne pas dire de l'épluchette de blé d'Inde. La première demi-heure, soit le quart du concert entier, a pris la forme d'un hommage à n'en plus finir au financier Pierre Péladeau «pour son implication personnelle dans la vie musicale au Québec». Un représentant du centre qui porte son nom a d'abord loué le « méssaine », puis il a invité Réjean Tremblay («journaliste au *Journal de Montréal*» — sic) et sa compagne Fabienne Larouche à dévoiler une plaque au nom du héros de la fête. Parlant à son tour, le président de la Banque Nationale du Canada a lâché un «crisse» retentissant au milieu de son divertissant propos. Pour terminer, M. Péladeau lui-même a demandé au micro si le signataire de ces lignes était d'accord pour dire qu' «en musique, il n'y a rien de plus grand que Beethoven». Le signataire répondra : joué comme hier soir, non. Mais Alain Lefèvre n'est pas entièrement responsable. On lui demandait l'impossible : parvenir à se concentrer et amener à en faire autant quelque 700 personnes qui sortaient d'une demi-heure de rires et d'applaudissements. Au départ, le pianiste n'est pas précisément un grand interprète de la musique allemande et, bien que puissant virtuose, non exempt d'imperfections de jeu. La *Pathétique* se déroula donc machinalement (pourquoi, à la toute fin, jouer deux notes où il n'y en a qu'une ?) et la sonate suivante, sorte de «retour à Haydn», offre peu de substance musicale et ne passe que sous des doigts extrêmement raffinés, ce qui n'est pas le cas ici. Occupant l'après entracte, les *quatre Ballades* de Chopin sont décidément des œuvres impossibles. Turini y laissa sa peau en 1988, Lortie en fit un gâchis l'année suivante. Ce qu'on entendit hier soir n'étonnait donc pas : rubatos excessifs, incohérence de jeu, «piochage» caractéristique de l'école française, absence de lyrisme et de mystère, notes passées, trou de mémoire dans la *troisième Ballade*. Néanmoins, il y eut *standing ovation*. Et, forcément, il y eut rappel : l'une des 555 *petites Sonates* de Scarlatti.

Dans *Le Devoir* du 6 septembre, François Tousignant en rajoute un peu dans ce théâtre de la cruauté nouveau genre :

Cette présentation était en soi un poème. On y a appris entre autres que l'Orchestre métropolitain était « *une* orchestre de réputation *mondiale,* comme l'osm » (sic) […]. Et surtout, que M. Péladeau avait « toujours supporté la création » ; quand on se rappelle que son premier *desiderata* quand il s'est mis à financer l'om fut d'y couper toute création des compositeurs d'ici, il y a de quoi rire […]. Alain Lefèvre ne méritait pas ce préambule […]. La « *Pathétique* » le fut vraiment. Jeu conservateur, un peu sale […]. Beaucoup de maniérismes aussi, ce qui rendra le charmant deuxième mouvement fade et tiède. La *sonate op.14* a reçu une lecture d'étudiant ; seul le menuet, pris très originalement comme un mouvement lent, a sauvé cette première partie de concert. Des étudiants de deuxième cycle de conservatoire s'en seraient sûrement mieux tirés. Les *quatre Ballades* furent un peu plus réussies. On sent chez Lefèvre un talent qui se cherche, mais qui ne s'est pas encore véritablement découvert. Il fait sortir des contre-chants intéressants, commence bien les phrases, mais ne mène jamais rien à terme, ni ne laisse le lyrisme de ces œuvres s'épanouir. La technique laisse même parfois à désirer. Encore une fois, je ne le mets pas entièrement en cause. Il est des circonstances qui font que la concentration est difficile. Comme quand les gens de la première rangée mettent leurs pieds sur l'estrade, ou que les montres font leur « bip-bip » pour nous rappeler qu'il est neuf heures, ou dix heures […]. Une soirée perdue, et c'est dommage. À la prochaine donc, monsieur Lefèvre.

Voulant à tout prix éviter de déclencher une nouvelle rébellion, nous résumerons la critique d'Arthur Kaptainis, du quotidien *The Gazette*, qui se garde bien de mentionner la demi-heure de discours pour ne pas jeter d'huile sur des braises séculaires. Comme ses collègues, il n'a pas apprécié les Beethoven mais reconnaît que « Lefèvre is more of a Chopin man. » Mais cela ne suffit pas comme le révèle le titre de sa chronique : « Recital — and season — start slowly ».

C'est ce qu'on appelle un enterrement de première classe ! Pour une fois, l'auteur de ces lignes ose se présenter à vous à visage découvert. Sans vouloir réécrire l'histoire, c'est hélas inutile, mais surtout impossible, l'auteur demande la permission de se poser pour un paragraphe en redresseur de torts. Lefèvre a toujours *revisité* les partitions qu'il a abordées. Ces lectures ont déstabilisé, irrité, renouvelé l'écoute ou, les grands soirs, créé l'émerveillement. Mais après avoir écouté vingt fois l'enregistrement de ce récital d'un bout à l'autre, nous voulons simplement inscrire notre dissidence près de vingt ans après. On peut se demander si l'atmosphère bon enfant de la demi-heure de discours et de présentations n'aurait pas influencé l'écoute du récital. Car ce soir-là m'apparaît être un des grands soirs de Lefèvre de cette décennie et les critiques exaspérées qui paraissent les jours suivants surprennent par l'unanimité de leur condamnation. Mais à chacun son métier et…

« C'est bien ce que tu fais mais tu peux vraiment faire mieux… » Ce leitmotiv qui a traversé l'enfance et l'adolescence d'Alain Lefèvre ne lui a pas permis de développer cette assurance dont peuvent se targuer ceux qui ont été posés sur un piédestal dès la naissance. Même bardé d'une carapace de rhinocéros, le couple infernal du doute et de la peur alimentés par les critiques acerbes des auditeurs professionnels de sa ville le tenaille jusque dans son insomnie. Ne craignons pas de le répéter, le doute élevé au niveau du dogme devient un credo récité chaque jour et dont seul le travail acharné et assidu parvient à neutraliser les effets délétères. C'est dans cet état d'esprit qu'il se présente à un autre de ces événements provoqués par ce bon génie qui a décidé envers et contre tout de mener Alain Lefèvre là où il doit aller, Pierre Péladeau. Il invite Alain au Pavillon des arts de Sainte-Adèle et, pour ce récital du 28 octobre 1995, charge

Guy A. Lepage de présenter le pianiste. Cinq minutes avant le concert, Alain, en fan inconditionnel de Rock et Belles Oreilles depuis toujours, rencontre Lepage. Coup de foudre d'amitié partagé. Alain découvre que sous l'image publique, il y a un homme articulé, fin connaisseur de littérature, au goût sûr et raffiné, et qui véhicule même des opinions éclairées sur la musique. Bref, l'homme sous le personnage est plus qu'attachant, il fascine. De son côté, Lepage avouera que Lefèvre ne correspond pas du tout aux clichés attachés à la musique classique. Une profonde relation va unir les deux hommes.

Huit jours plus tard, Guy A. l'accueille sur le plateau de son émission *Besoin d'Amour*, où Alain joue Rachmaninov. Ce 5 novembre, lorsqu'il présente Alain, l'animateur dit : « il est en train de devenir mon ami ». Le 17 janvier 1996, Alain est invité à nouveau et Lepage présente son nouvel ami au cinéaste Pierre Falardeau. Alain parle élogieusement du film *Le Party*, de sa tournée imminente sur la côte ouest américaine avec le concerto de Corigliano et de son prochain disque, « baroque ». Lepage mentionne que son premier disque a été sélectionné dans le *Penguin Guide* du CD pour son enregistrement du Concerto.

Et c'est ce succès qui l'amène en tournée pour cinq semaines. Après le matraquage montréalais, on ne peut résister au plaisir de citer le journal *Sacramento Bee* du 11 février 1996 et sa critique de William Glackin :

UNE INTERPRÉTATION ET UN CONCERTO MÉMORABLES
[…] L'interprétation qu'a donnée Alain Lefèvre du *Concerto pour piano nº 1* de John Corigliano, avec Geoffrey Simon et l'Orchestre symphonique de Sacramento, vendredi soir, restera l'une des plus remarquables, non seulement de la saison, peut-être, mais aussi de la décennie… Bien sûr, l'ovation était également destinée à Lefèvre, 30 ans [sic], qui a attaqué l'œuvre comme possédé par sa charge émotive, et captivé son public par la splendeur de son jeu et les

manifestations évidentes de ses propres émotions. Cette pièce présente des difficultés quasi insurmontables, mais aussi de grandes satisfactions; se jetant d'un bout à l'autre du clavier, il a atteint un tel degré d'intensité qui lui a fait arracher les cadences finales, jusqu'à ce qu'aux toutes dernières notes du dernier mouvement, il ait déployé une telle force que, pour quelques secondes, il s'est soulevé de son banc de piano, à quatre-vingt-dix degrés, pour se tourner vers Simon et l'orchestre. Je vous le dis: c'était quelque chose à voir et de la dynamite à entendre… L'ovation s'est faite insistante; après trois retours, Lefèvre a, d'une façon ou d'une autre, trouvé l'énergie nécessaire pour un rappel, une *Sonatine* [sic] de Scarlatti en ré majeur. Elle était étincelante.

Le critique n'est vraiment pas le seul à être transporté devant le succès, avouons-le, inattendu de l'enregistrement Corigliano — inattendu à cause du répertoire. Le vice-président de Koch, Michael Fine, est à ce point emballé qu'il veut produire un autre disque. Entre-temps, Sean Bickerton a quitté CAMI et fondé sa propre agence, *International Artists Group*, où, par amitié et fidélité, Alain l'a suivi. L'agent négocie ferme avec Fine pour parvenir à s'entendre sur un répertoire mais les deux parties n'arrivent à aucun accord. La maison de disques de Koch a cependant des ramifications un peu partout. Il y a Koch-Allemagne, Koch-É.-U., Koch-Canada. Chaque pays ou région dispose d'un pouvoir décisionnel et Dominique Zarka, directeur de la division canadienne, laisse entendre que si Alain lui apporte une bande maîtresse, avec ou sans l'accord de Koch-É.-U., il s'engage à publier et distribuer le nouvel enregistrement.

Qui peut produire une bande maîtresse? L'ami d'enfance, celui à qui Alain reconnaît encore aujourd'hui devoir une grande partie de sa survie et de sa visibilité canadienne. Alain téléphone à Daniel Vachon, lequel, passant outre les différents paliers décisionnels de la chaîne culturelle de Radio-Canada, s'adresse au directeur, Sylvain Lafrance. Daniel le connaît pour l'avoir rencontré à Ottawa. Dès sa prise de fonction, Sylvain Lafrance s'était questionné sur le rôle et le mandat d'une radio publique. Il avait entendu Alain Lefèvre sur les ondes de CBF FM, l'avait vu à la télévision et l'avait trouvé sympathique. La dénonciation du snobisme hautain que faisait Lefèvre de son milieu avait conforté Sylvain Lafrance dans son approche de la culture musicale. Sans hésiter, Lafrance donne le feu vert et Alain Lefèvre entre en studio pour enregistrer son deuxième disque, avec Daniel Vachon comme maître d'œuvre. Lors de récitals antérieurs, Alain avait déjà mis au point le répertoire qu'il voulait enregistrer : « Être toujours là où on ne t'attend pas ! » Après la virtuosité et la violence incandescente du Corigliano, Lefèvre se tourne vers la dentelle, Versailles et l'Escorial.

Michael Fine n'est pas d'accord et ne participera pas à l'aventure. Koch-Canada lance le disque en septembre 1996 et, devant le succès du feu de Dieu qu'il remporte, Koch finit par le distribuer à travers le monde.

Le 24 avril, Marie-France Bazzo, qui avait déjà reçu Alain en août 1995 à l'émission *Indicatif Présent* pour discuter de sa passion des parfums et du flaconnage, l'invite cette fois-ci autour d'une table où elle a rassemblé des collectionneurs : Chantal Jolis, la légendaire animatrice, pour parler de sa collection de bijoux, Jean-Claude Germain pour expliquer sa collection de pipes et Alain sa fascination pour les flacons de parfum miniatures.

Les parfums ont été une rampe de lancement inestimable pour l'image et la présence médiatique d'Alain Lefèvre. Il n'a pas attendu la publication du célébrissime roman de Patrick Süskind *Le Parfum* pour découvrir cet autre moyen de faire son apprentissage de la réalité. Pour lui, tous les parfums inspirent l'amour et, on l'a vu, à dix ans, il s'aspergeait déjà de l'eau de toilette de son père. On peut imaginer qu'à l'école le parfum n'a pas fait partie de l'arsenal recommandé pour se faire des amis. « Le parfum

a été un bon outil pour convaincre les autres qu'il fallait me bru-
taliser. Au lieu de m'arranger pour être moins provocateur, ma
nature, c'est d'en rajouter. »

Il faut dire qu'avec le régime alimentaire imposé par sa mère,
Alain a été sensibilisé aux odeurs par les réactions qu'il suscitait :
l'ail et l'oignon, qui imprégnaient chaque pore de sa peau, mélan-
gés à l'odeur de lavande ne faisaient qu'empirer les choses. « Lefèvre, tu pues. M'a te planter ! »

À partir de ce moment, le parfum devient un univers fascinant et la découverte du flaconnage ajoute un élément d'élégance
et de raffinement à cet impalpable et intangible instrument de
métamorphose. Le parfum, c'est l'essence des choses et la quin-
tessence de la nature qui, extraites et mariées, engendrent rêve,
poésie, beauté, et peuvent inspirer l'amour :

> Homme ou femme, très tôt je me suis rendu compte que nous déve-
> loppions des odeurs qui ne sont pas nécessairement agréables. C'est
> notre incarnation terrestre et, jeune, cela me déçoit un peu. J'ai tou-
> jours pensé qu'il devait y avoir des moyens de rectifier le tir.

À dix ans, Alain lit un ouvrage édifiant sur le Padre Pio. Dans
ce livre, il apprend que quelques semaines après sa mort, le Padre
Pio sentait la rose. Combien étrange devait sembler cet enfant
qui demandait à sœur Guay : « Est-ce que pour vous le Christ
sentait bon ? Est-ce que Moïse pouvait sentir des pieds ? Est-ce
que Mahomet sentait mauvais ? »

Et Lefèvre prend conscience que l'être supérieur, l'être évolué,
se développe non seulement spirituellement mais aussi dans son
incarnation physique, et que sa grandeur va se traduire par cette
odeur qu'il laisse derrière ou autour de lui :

> Le parfum n'a jamais été un artifice pour moi. Ça a toujours fait
> partie de la lutte logique contre cette chose qu'est le corps humain.
> Le parfum a été la manière d'avoir du respect pour les autres et de

leur dire : « Vous ne me verrez jamais sentir ce que l'homme peut sentir, j'essaierai toujours de sentir bon. »

Et ce premier parfum dont l'enfant se couvre et qui lui est comme une armure invisible, c'est *Pour un Homme*, de Caron, l'odeur de son père.

Le parfum, pour moi, ça représente ce à quoi tout homme veut accéder. Nous sommes dans une société qui apprend aux enfants de manière quotidienne à oublier combien l'homme est grand et on cultive les plus bas instincts. Le parfum pour moi, c'était une résistance. Je ne suis ni le Christ, ni Bouddha, ni sainte Thérèse d'Avila, mais je sentirai bon, je vais me moquer de l'incarnation terrestre.

À Paris, à dix-sept ans, sans le sou, il se privait de manger dans cette chambre impossible, à cet étage improbable et dans cet immeuble innommable, mais après sa toilette, il sentait bon. Il trompait le destin, il était plus fort que le destin. Cravate, pantalon, c'est digne qu'il se présentait au Conservatoire.

Et à chaque émission où il est invité, on est ébahi de le voir identifier un parfum et de l'entendre en parler avec la même précision passionnée que s'il s'agissait de musique. Cette identification à Jean-Baptiste Grenouille, le héros du roman de Süskind, le sert encore :

Je ne me parfume pas pour être à la mode, mais parce qu'il y a une eau de toilette qui va me rappeler quelque chose. Faire sa toilette est le moment le plus sacré de la journée. Je mets du parfum parce que je veux combattre la réalité de la vie. Ce parfum me dit tous les matins que la vie est belle.

XIV
Vingt fois sur le métier...

L'Orchestre Métropolitain a invité pour son concert-bénéfice annuel la présentatrice Marie-Claude Lavallée. Le chef d'orchestre Joseph Rescigno, le successeur d'Agnès Grossmann, a choisi trois solistes : le baryton Gino Quilico, la chanteuse populaire Johanne Blouin, et bien sûr Alain Lefèvre. Claude Gingras, dans *La Presse* du 30 mai, titre son article :

UNE SOIRÉE CHEZ LE « VRAI MONDE »
L'Orchestre symphonique de Montréal se présente comme « Mon orchestre » et l'Orchestre Métropolitain, comme « Votre orchestre ». Il faudrait savoir. Le président de l'OM, M. Péladeau, a tranché hier soir au micro : « l'Orchestre Métropolitain, c'est pas l'orchestre du pétage de bretelles, c'est l'orchestre du vrai monde ! » Le « vrai monde » remplissait à sa capacité la salle Maisonneuve pour le concert-bénéfice annuel de l'OM coïncidant avec son 15e anniversaire et dirigé par son nouveau chef, Joseph Rescigno. Le « vrai monde » a applaudi à tout rompre après le premier mouvement du quatrième *Concerto* de Beethoven et le soliste, Alain Lefèvre, a salué deux fois en souriant. [...] M. Rescigno a bien accompagné les trois solistes. Il devrait cependant s'abstenir d'indiquer les entrées au pianiste, tel un maître d'hôtel. Alain Lefèvre connaît probablement le *Quatrième* de Beethoven mieux que lui. Je parle du texte. L'expression n'est pas très profonde et on le regrette car Lefèvre possède les

moyens techniques. Résumons : vraie sonorité de piano, quelques notes manquantes, quelques notes autres que celles qui sont écrites, quelques effets un peu vulgaires au final. On l'a présenté comme « le chouchou de l'Orchestre Métropolitain » - c'est-à-dire du « vrai monde ». En somme, « le Lortie du pauvre ». [...] Gino Quilico, le troisième soliste, me fait un peu penser à Lefèvre : de réels moyens, employés à moitié. La voix est riche mais a détonné dans deux airs sur trois. Et l'acteur ? Quilico fils ne m'a ému qu'une fois : à la toute fin de son Iago.

On pourrait se demander si les trois pires critiques que le chroniqueur musical de *La Presse* ait infligées à Alain Lefèvre n'ont pas inconsciemment été déclenchées par l'association Lefèvre-Métropolitain-Péladeau. Mais pour chaque artiste, et à chaque apparition, une fois le nuage d'adrénaline d'après concert dissipé, il faut tirer son numéro de ce qui lui semble à chaque fois une loterie critique : des fleurs ou le sabre ?

Un matin, on se lève pour aller chercher le journal. De constater que même la caissière est mal à l'aise parce que pour accompagner la critique de votre concert, le journaliste s'est assuré, pour qu'il n'y ait pas erreur, de joindre votre photographie en gros plan à l'article. C'est une chose épouvantable…

Il n'est peut-être pas inutile de faire une pause et de se demander quand est née la critique musicale. Dans quel contexte quelqu'un a-t-il porté un jugement pour la première fois sur une œuvre, une exécution, une interprétation ? Un prophète aurait-il trouvé les trompettes de Jéricho trop stridentes ? Ou un des eunuques de la cour de Cléopâtre, courroucé du tintinnabulement inégal des crotales de sa souveraine ? On peut affirmer sans l'ombre d'un doute que l'homme de Cro-Magnon avait une opinion sur la qualité des berceuses entendues dans sa caverne.

La critique, telle qu'elle s'exerce aujourd'hui, est un phénomène relativement récent. Elle a pris naissance quand les concerts sont devenus publics et payants. De nos jours, le métier de critique musical semble être en voie de disparition. L'espace médiatique réservé au compte rendu dans les stations de radio ou de télévision publiques ou privées est maintenant inexistant. Les quotidiens, les parutions hebdomadaires ou mensuelles limitent de plus en plus l'espace consacré à la musique classique ou de création. Quelques magazines spécialisés en Europe et aux États-Unis survivent tant bien que mal en se consacrant à la critique du CD, du DVD, et réservant parfois quelques pages aux biographies et aux essais. Mais il apparaît clairement que nous vivons la fin d'une époque.

La formule du récital inventé par Liszt il n'y a pas deux siècles jette ses derniers feux. Les maisons d'opéra ne survivent que grâce aux injections massives de fonds privés distribués par des mécènes majoritairement blanchissants sinon grabataires, argentés des tempes et du portefeuille. Les orchestres symphoniques dépendent des caprices de ministres et de mécènes qui ne comprennent pas toujours que les privilèges engendrent des devoirs. Sans vouloir charger le public cacochyme qui aide les institutions symphoniques, quelques grandes corporations, en échange légitime d'une visibilité plus prestigieuse que rentable, soutiennent encore ce qui s'avère être devenu le bouc émissaire, la victime désignée et la vitrine d'une société épuisée, privée de temps, de loisirs, d'éducation, d'argent et de culture.

Non seulement l'économie repose-t-elle sur le crédit, mais la rectitude politique a pris la place de l'intelligence du cœur. Nous assistons, impuissants, au règne absurde d'institutions dont les objectifs et les buts ne sont plus l'excellence du produit culturel ou du soutien à la création, mais de permettre à une tribu de parasites stériles de mener tambour battant des carrières aussi vides qu'inutiles. L'artiste, la création, le musicien deviennent ainsi ce mal nécessaire, ce bruyant revendicateur qui demande à être entendu et aimé. Qu'il ferait bon vivre si les ministères de la Culture, les Conseils des Arts, les chaînes de radio et de télévision et autres médias n'étaient pas obligés de tenir compte des artistes qui, de toute façon, se plaignent et se plaindront toujours !

Le critique ou ce qu'il en reste est donc un élément, non seulement nécessaire mais véritablement essentiel, à une civilisation. Il est le garant d'une démocratie car, à travers sa voix et ses écrits, des courants opposés, des points de vue différents et divergents définissent la conscience.

Un exercice extrêmement éclairant et libérateur est de prendre une biographie d'un de nos grands compositeurs, Mahler par exemple. Non seulement génial compositeur, il l'avait prédit lui-même : « Mon temps viendra. » Aujourd'hui, personne ne remet en question la grandeur et le génie de Mahler. Relisez les critiques parues au lendemain de la création de ses symphonies et vous y trouverez à bon marché un sentiment puissant de supériorité devant ces élucubrations sincères, qu'on peut croire intègres, et qui rassemblées, forment un bêtisier étincelant. Mahler était aussi chef d'orchestre. Il faut lire les comptes-rendus de ses concerts new-yorkais où sept ou huit journalistes couvraient le même concert. La seule chose que ces articles aient en commun, c'est le programme des concerts, sinon, on pourrait jurer sans peur de se parjurer que ces messieurs n'ont pas assisté au même concert, le même soir, à la même heure, tant les opinions s'opposent, se contredisent et, finalement réunies, se complètent. Le grand mot est lâché : OPINION !

Toute critique est un point de vue, la lecture, l'interprétation d'un événement, la mise en mots de la perception et de la réaction d'un individu à un moment précis. Prétendre à l'objectivité, ou plus drôle encore, croire détenir la vérité, relève de la mauvaise foi, de l'imposture.

En survolant les critiques qu'Alain Lefèvre a accumulées en près de trente ans de carrière, une chose frappe : il ne laisse personne indifférent !

Si vous êtes invité à présenter une communication sur la physique quantique dans un colloque international, au bout de cinq minutes, tous vos collègues sauront à qui ils ont affaire. En musique, tout le monde et son frère peuvent s'autoproclamer connaisseurs. Dans un domaine où tout n'est que perception subjective au départ, étayée par une connaissance des époques, des styles, des esthétiques, de l'histoire et de l'évolution de l'interprétation, il est inévitable de trouver à boire et à manger. Car aujourd'hui, être critique musical ce n'est plus porter un jugement sur une œuvre nouvelle, une création (notre société a jugulé et réduit au compte-gouttes le soutien à ses compositeurs, au grand désespoir de ses créateurs), mais évaluer une interprétation d'une œuvre inscrite depuis des siècles ou des décennies au répertoire. On reproche parfois amèrement au critique l'absence de formation sérieuse et l'ignorance de la pratique instrumentale. Est-il vraiment nécessaire d'être Brillat-Savarin pour s'extasier sur un dîner gastronomique ? Si l'ignorance en vient à limiter la compréhension, alors là évidemment, un *modicum* de connaissances est souhaitable. Mais à défaut de connaître ou de pratiquer la musique de l'intérieur, ou d'être lui-même monté sur scène, comment notre critique a-t-il développé son expertise ? Très souvent, la comparaison de quelques enregistrements d'une œuvre fixera les paradigmes du Beau auxquelles les futures auditions en salle ou sur disque devront se mesurer. À tout cela s'ajoute le goût, l'expérience, l'intelligence de la musique, la sensibilité et l'empathie qui devraient servir de garantie à l'intégrité immarcescible de cet auditeur professionnel. Alain Lefèvre précise :

> On a cru longtemps que les curés pouvaient conseiller les couples. Il est aujourd'hui permis de trouver étrange qu'on ait confié à

quelqu'un qui s'est donné comme règle de vie la chasteté, de vous apprendre les rudiments de l'amour. Mais qui sait? L'imagination pallie bien des lacunes.

On a vu parfois des artistes, exaspérés des piques justifiées, ou non, que leur décochaient certains commentateurs, s'attaquer au critique, soit en leur interdisant l'accès de leurs concerts ou en les poursuivant en justice. Alain Lefèvre juge ces réactions aberrantes, car la pratique d'un métier public vous expose d'emblée au jugement de tout un chacun, et surtout, la critique fait partie du système. Parfois un critique peut s'acharner jusqu'à empoisonner la vie et même rendre physiquement malade un musicien. Il est de notoriété publique que la brillante Claudia Cassidy du *Chicago Tribune* avait développé une allergie professionnelle si virulente vis-à-vis du chef tchèque Rafael Kubelik, qu'elle rendit son séjour américain cauchemardesque et l'obligea à abandonner son poste.

Il est déjà extraordinaire qu'un individu puisse exercer un tel pouvoir et influencer l'opinion de tout son lectorat en érigeant ses opinions en référence absolue. Mais là où l'accumulation de commentaires assassins peut se révéler terriblement pernicieuse, c'est si le critique parvient à créer le doute et à ébranler la confiance toujours fragile, quoiqu'il en dise, du musicien en son art, son jeu, sa carrière.

Dans le cas d'Alain Lefèvre, bien que le doute l'habite à demeure, qu'il ait érigé le doute en dogme, paradoxalement, rien ni personne ne peut infléchir ou invalider sa conception d'une œuvre mûrie organiquement. Avec Alain Lefèvre, nous faisons l'expérience de la fragilité du tank.

Avec le caractère que j'ai, si en plus j'étais sûr d'avoir raison… Car le véritable danger, c'est de dévier la vérité ou de déformer la réalité pour poursuivre un agenda ou par intérêt, et là, cela devient très dangereux parce que la critique qui se pose en référence, fausse le jeu et trahit sa mission qui est d'éclairer. Alors si un critique trouve à redire sur mes *tempi*, sincèrement, je m'en tape, parce que j'ai fouillé la partition note par note, croche par croche, mesure par mesure, phrase par phrase et j'ai articulé et distribué les voix. De tout cela, le tempo est surgi de lui-même, de cette lente macération. Ce n'est ni de l'orgueil, ni de l'arrogance que de croire que je ne peux jouer autrement que ce que le texte me dit à moi et me commande de faire. Alors que M. X, M. Y ou même M. Z ne sentent pas la justesse de mon approche, c'est l'infini pour moi !

Alain Lefèvre a recueilli des critiques dithyrambiques et des critiques assassines et il arrive aujourd'hui à la conclusion suivante :

C'est impossible pour moi de dénigrer la critique parce qu'il y a de mauvais critiques. La critique exerce le métier de journaliste et le journalisme est un des fondements de la démocratie. Si on musèle les journalistes, il n'y a plus de démocratie. Et mes pires ennemis, j'ai fini par les aimer. C'est un exercice de pensée, un travail, c'est une discipline car il faut toujours être aussi beau que sa musique. Alors mes relations avec les critiques sont très simples. Je fais mon métier. À partir du moment où j'ai accepté de m'exposer sur scène avec mes idées, je dois par conséquent accepter qu'il y ait des gens qui aiment et d'autres qui n'aiment pas.

Discipline émotive, hygiène de l'âme qui refuse de céder à l'amertume ou à la peine et qui retrouve les racines de notre bonté originelle. Luis Buñuel le génial cinéaste, l'a merveilleusement formulé dans son récit autobiographique *Mon Dernier Soupir* : « Serions-nous capables de remettre notre destin au hasard et d'accepter sans défaillance le mystère de notre vie, un certain bonheur pourrait être proche, assez semblable à l'innocence. »

XV
Un pianiste pas comme les autres

Deux mois avant le concert-bénéfice de l'Orchestre Métropolitain, le 1ᵉʳ avril 1996, les Lefèvre ont tourné une page en quittant le 4217, boulevard de Maisonneuve, où ils étaient installés depuis le 1ᵉʳ août 1988. Ils emménagent au 1350, avenue Greene, au-dessus de la boutique d'antiquités Antique Dealers Greene.

À peine installés, Alain et Jojo partent explorer le quartier et entrent dans la galerie de Bellefeuille située à un jet de pierre de leurs fenêtres et tombent en extase devant les œuvres exposées. Il s'agit des tableaux d'un jeune peintre, Jacques Payette, *artiste énigmatiquement réaliste* selon l'expression du commissaire Andrée Matte. Payette est inclassable. Sa peinture envoûte comme un rêve dont le réveil n'arriverait pas à rompre les sortilèges et l'enchantement. Cet univers hypnagogique fascine Lefèvre. Il demande à rencontrer l'artiste et lui déclare tout le bien qu'il pense de son travail et les transports que son art provoque en lui. Payette et sa femme sympathisent avec les Lefèvre, d'autant plus que les deux femmes ont chacune choisi de se consacrer au succès de la carrière de leur homme. Ne pas avoir à se justifier l'une envers l'autre d'une décision assumée avec alacrité leur est un baume et facilite le rapprochement des deux couples. Le peintre apprend au pianiste qu'il a un frère, Alain, compositeur qui s'inscrit dans le prolongement de la grande tradition. Alain Payette a choisi d'appartenir à cette mouvance des

Mélodistes Indépendants qui revendiquent le droit à la tonalité et à l'harmonie séculaire. Les deux musiciens se rencontrent. Lefèvre se découvre un frère d'armes qui lui apporte *12 Préludes* qui vont devenir la trame de ses deux prochaines années. Dans les mois qui suivent, Alain Payette va même composer pour lui une *Sonate*, une *Sonate Tableaux* dont les quatre mouvements sont inspirés par quatre peintres québécois : Ozias Leduc, Jean Dallaire, son propre frère, Jacques Payette, et Alfred Pellan. Cette rencontre artistiquement et humainement stimulante porte l'effervescence lefèvrienne à l'incandescence et va inspirer un premier feu d'artifice.

Alain, à la fin de mai, pour le concert du « vrai monde », a revu cet artiste célébré internationalement, qu'il avait rencontré à plusieurs reprises pour les concerts gala de l'Opéra de Montréal. Gino Quilico mène une brillante carrière lyrique du Metropolitan de New York à la Scala de Milan, du Covent Garden de Londres au Staatsoper de Vienne ou à l'Opéra de Paris. Quilico a participé à plusieurs enregistrements pour les plus grandes maisons de disques et, l'année précédente, il a fait partie de la distribution que Charles Dutoit a rassemblée pour son intégrale historique de l'opéra *Les Troyens,* de Berlioz. Lefèvre et Quilico projettent immédiatement de collaborer à un disque. Alain, qui a accompagné les classes de chant du Conservatoire de Paris, ressort ses vieilles partitions et les deux artistes bâtissent un programme. Toujours porté par le feu sacré, entremêlant les mondes personnel et professionnel, Alain Lefèvre demande à Alain Payette s'il ne composerait pas un cycle de mélodies sur des poèmes d'un de ses plus ardents supporteurs, le poète Gustave Labbé. Payette choisit cinq poèmes tirés des recueils *Fleurs de Sang* et *Litanie des Sources* et baptise son cycle *L'Ivresse d'Aimer,* qu'il écrit en quelques semaines en juin et juillet. L'enregistrement doit se faire en août au Studio Référence de Guy St-Onge, à Saint-Calixte. Payette compose sur mesure pour la voix de Quilico et les mains de

Lefèvre. Fauré, Duparc et Hahn complètent le programme. Les deux amis répètent sans arrêt et mettent les bouchées doubles, car Alain doit honorer un engagement avant d'entrer en studio.

De retour le 20 juillet sur la côte ouest des États-Unis, les Lefèvre refont leur pèlerinage annuel et retrouvent leurs amis, Carl St.Clair et son orchestre pour un concert estival en plein air. Au programme *L'Empereur* de Beethoven. L'édition du 22 juillet du *Los Angeles Times*, sous la plume de son sévère critique Daniel Cariaga, compense et panse bien des blessures :

> Pour la plus récente sortie du Pacific Symphony, samedi soir, 6679 auditeurs ont goûté une belle soirée musicale dans ce décor bucolique. [...] Le compositeur était Beethoven, le chef d'orchestre Carl St. Clair, et le héros, Lefèvre. De mémoire de critique, ce dernier a livré l'une des lectures les plus marquantes, les plus ambitieuses et les plus pénétrantes du *Concerto Empereur*. Lors de sa troisième prestation avec le Pacific Symphony, ce musicien canadien-français a donné l'interprétation la plus sûre, la plus enflammée, la plus élégante et la plus réfléchie que l'on puisse imaginer. Son élan musical était à couper le souffle, mais le contrôle pianistique régnait à chaque mesure. L'enthousiasme influençait tous les moments névralgiques, mais les passages tendres reçurent un examen minutieux : ce fut un triomphe extraordinaire, bien appuyé par St. Clair et l'orchestre, nouvel étalon par rapport auquel seront évalués les futurs *Empereurs*... Après sa réussite avec l'*Empereur*, Lefèvre a surpris les auditeurs avec un rappel, non pas de Beethoven, mais de Rogers et Hart. *My Funny Valentine* a été superbement interprété, avec une tonalité limpide et une belle et calme intensité.

Le critique Scott Duncan, de l'*Orange County Register,* pousse l'analyse encore plus loin et à travers ses mots, il est presque possible d'entendre le jeu d'Alain Lefèvre :

Alain Lefèvre était de retour [...] c'est un bon partenaire pour St. Clair : les deux ont une vision similaire de la musique. Lefèvre, un Canadien français, confère à son jeu un romantisme audacieux. Son *Empereur* n'y dérogeait pas. Il allait dans toutes les directions, mais c'était merveilleux. J'ai adoré voir à quel point c'était incorrect, si théâtral sur le plan individuel et très loin du jeu sérieux et impeccable de légions d'ennuyeux pianistes imitant avec mélancolie celui de Rudolf Serkin. L'*Empereur*, c'est Beethoven à son plus chaleureux, à son plus attachant ; si ce concerto avait une écharpe, il la jetterait d'une façon dramatique par-dessus son épaule. Et telle était l'approche de Lefèvre : chaque épisode était une occasion de former un nouveau geste musical afin d'emballer et d'électriser l'auditoire.

On ne peut faire autrement que de se demander : « Est-ce qu'on parle bien du même pianiste en Europe, aux États-Unis et à Montréal ? »

D'autant plus que Lefèvre sera honoré comme jamais encore il ne l'a été après ce triomphe où on l'accepte *on his terms*, pour ce qu'il apporte. Que ce soit en Europe, au Canada ou aux États-Unis, Alain, quand les horaires le permettent, demande toujours que les services jeunesse des orchestres symphoniques ou les attachés culturels des ambassades ou des consulats organisent des rencontres avec les jeunes pour entraîner de nouveaux prosélytes. Non pas pour en faire des intégristes sectaires et desséchés, mais pour leur montrer une carte où tous les sentiers mènent à un trésor dont ils ignorent jusqu'à l'existence. Non seulement Alain a rencontré les étudiants et les professeurs du district de Santa Ana, mais il s'est même rendu aux résidences pour personnes âgées. En cette fin juillet 1996, le maire de Santa Ana en est tellement chaviré qu'il va poser un geste qui, aujourd'hui encore, reste un des souvenirs les plus touchants d'Alain Lefèvre. Au registre officiel de sa ville, Miguel A. Pulido déclare le 22 juillet *Alain Lefèvre day*.

Le conseil municipal souhaite reconnaître cet exceptionnel virtuose musical qui, avec autant de désintéressement, partage son temps et son talent avec les résidents de Santa Ana.

PAR CONSÉQUENT, JE, MIGUEL A. PULIDO, MAIRE de la Ville de Santa Ana, par la présente, au nom du conseil municipal, proclame le 22 juillet 1996

Journée d'Alain Lefèvre

De retour au Québec, l'été se poursuit avec concerts et récitals. Le 10 août, réunion de famille rituelle au Pavillon des arts de Sainte-Adèle où cette fois Pierre Péladeau lui offre Benoît Brière comme présentateur. Et puisqu'il a son Beethoven dans les doigts, la télévision de Radio-Canada l'enregistre avec l'Orchestre de chambre McGill et Boris Brott au pupitre pour la série télévisée, *Concerts d'Été*. La réalisatrice de l'émission, Manon Brisebois, deviendra une fidèle complice puisque c'est elle qui réalisera près de quinze ans plus tard le documentaire *Alain Lefèvre signe André Mathieu*, dont la première aura lieu le 3 mai 2010. En visionnant cet enregistrement de 1996, on saisit un peu ce que les critiques de Los Angeles voulaient dire.

Et Alain, avec résolument le vent dans les voiles, entame sa saison 96/97 avec le lancement de *Fandango*, son premier disque solo, le 14 septembre au magasin HMV de la rue Sainte-Catherine à Montréal. Il est l'invité de la violoniste Angèle Dubeau qui anime l'émission dominicale *Faites vos gammes* à la télé de Radio-Canada. Interviewé également à l'émission *Entrée des Artistes*, Marie-Claude Lavallée arrive à lui arracher des confidences qui sortent des sentiers battus.

Ce dernier-né, *Fandango*, est accueilli avec tous les égards dus à un enfant longtemps désiré. Alain est le seul artiste à recevoir le traitement médiatique réservé aux stars, aux comédiens, aux chanteurs pop ou rock. Il a compris que son milieu se meurt et s'étiole, et que les critiques des rubriques Arts et Lettres des journaux ou des magazines spécialisés se réduisent à une peau de chagrin. Dans le passé, un passé pas si lointain, les artistes classiques étaient constamment invités soit sur les plateaux de télévision, soit à donner des récitals à la radio. Ils faisaient partie du tissu social et étaient reconnus et fêtés. Avec l'abolition du Cours classique et l'abandon optionnel des cours de musique à l'école, cette dose de connaissances et de culture imposée, qu'on le veuille ou non, a disparu.

Pour ceux qui croient le connaître, Lefèvre étonne et même surprend. Après avoir étincelé dans une œuvre suprêmement périlleuse d'un compositeur américain contemporain (néanmoins accessible), voilà qu'avec *Fandango* il cultive les langueurs du grand siècle et décline les états d'âme de l'ancienne France. Cette proposition est un pari risqué, parce que le pianiste doit démontrer une finesse d'esprit et une virtuosité dans un répertoire de miniaturiste. Après l'approche *al fresco* du Corigliano, Alain met à profit les leçons et rend hommage à son maître Pierre Sancan, avec lequel il avait beaucoup travaillé ces pièces d'orfèvrerie. Le disque paraît à l'époque où les baroquistes — cet extraordinaire mouvement a rajeuni l'approche et dépouillé cette musique des traditions qui l'avaient sclérosée et qui cachaient ses splendeurs — sont en pleine effervescence. Du baroque au piano ! Le milieu fera la fine bouche, le public appréciera ce disque et la presse se rangera du côté du pianiste : « Bien sûr, il y a des gens qui m'ont parlé de mes trilles et de mes mordants. J'ai toujours répondu la même chose : "Ah oui ? Vous avez eu la chance de parler à Scarlatti ?" »

Les magazines américains spécialisés en musique classique les plus importants ont ceci à dire. Robert Haskins, dans le numéro de mai - juin 1997 de l'*American Record Guide,* écrit : « Son Soler est stupéfiant. Dans les diverses sections de la *Sonate en fa dièse mineur* (R. 90), Lefèvre utilise des tempos, effets et tons différents. […] Bref, ce sont des interprétations profondément émouvantes et réfléchies. »

Bernard Jacobson, du bimensuel *Fanfare,* dans l'édition de mai
- juin 1997, commente l'enregistrement en lui comparant des versions au clavecin ou au piano et, après un détour par Claudio Arrau,
finit par écrire :

> L'exubérant *Fandango* de Soler — la plus longue pièce au programme,
> 12 minutes 30 — est rendu de façon incisive avec une jolie articulation
> sèche et, abordé avec plus de lenteur que la version de Kipnis, devient
> peut-être plus hypnotique sous les doigts de Lefèvre. Dans les deux
> sonates de Soler, Lefèvre se donne beaucoup de mal pour exécuter les
> moindres détails de rythme et de dynamique de la partition [...]. J'ai
> vraiment goûté la plus grande part de ce disque, et je le recommande
> sans hésitation à tout le monde, sauf le puriste le plus inflexible.

Richard Perry du *Citizen's Weekly* est même enthousiasmé et son
premier commentaire résume l'impression générale de sa critique :

> Il n'y a pas un seul moment banal ou insipide dans *Fandango*, un réci-
> tal international Koch [...]. M. Lefèvre fait montre d'une remarquable
> force des doigts [...] son sens inné du rythme et son phrasé vivant et
> dynamique sont exubérants et palpitants. Toutefois, ce qui est encore
> plus impressionnant, c'est sa capacité d'insuffler le chagrin dans les
> mouvements lents, qui fournissent l'essence de ces enjolivures clas-
> siques [...]. Ce disque de Koch est hautement recommandé ; je veux en
> entendre d'autres d'Alain Lefèvre.

Claude Gingras, notre cerbère local, met la table à *La Presse* avec
son titre :

> ### LE FANDANGO AU PIANO
> [...] J'ai quelques réserves : son jeu est dur dans le *Fandango* tant
> attendu — des restes de sa formation française — et simplet dans
> *La Poule* de Rameau, et quelques *grupettos* ne sont pas joués en
> mesure dans la première *Sonate* de Soler. Mais il y a là surtout de
> bonnes choses : du brio, de l'éclat, parfois même de la tendresse et

d'étonnantes nuances, et le piano est reproduit avec un parfait naturel. Bien des disques de grandes marques n'ont pas cette qualité […].

Alain va boucler l'année 1996 avec un événement médiatisé et prestigieux, le gala des Prix du Québec, le 9 décembre, au théâtre Capitole. Jean-Pierre Ferland, l'animateur de la soirée, le présente dans une *Valse posthume* de Chopin, puis Alain reste au piano et se joint à Ferland qui s'offre le luxe d'écouter son chef-d'œuvre *Le Petit Roi* dans une mémorable version pour piano et grand orchestre. Alain, toujours à l'aise, accommodant et chaleureux, lui offre un écrin pianistique somptueux. La salle ne se peut plus. Une nouvelle pierre s'ajoute à l'édifice qu'Alain est à construire.

Les jours suivants, il retourne au studio 12 de Radio-Canada. Sylvain Lafrance, qui est entre-temps devenu directeur général de la radio française de Radio-Canada, accueille le tandem gagnant Lefèvre-Vachon pour le prochain enregistrement d'Alain, les quatre *Ballades* de Brahms et les quatre *Ballades* de Chopin. Devant le succès du premier disque solo de Lefèvre, Michael Fine souhaite être le producteur du prochain enregistrement d'Alain, mais s'explique mal que le musicien ne soit pas plus conciliant. Il est d'accord pour les *Ballades* de Chopin mais, pour compléter le programme, il suggère des œuvres d'Alkan, très à la mode à ce moment-là. Alain, pas très chaud, met néanmoins l'épaule à la roue :

J'ai voulu faire un effort. J'achète la partition des *Esquisses opus 63* je regarde, je travaille, j'essaie. Je mets tout mon cœur, je mets toute mon âme, je mets tout ce que je peux mettre mais ce n'est tellement pas moi, ça ! Et j'ose dire non à Michael Fine qui veut m'imposer Alkan. Non je ne le jouerai pas, parce que non, je n'y crois pas ! On peut se poser des questions sur la vitesse de cheminement de ma carrière mais je n'ai jamais fait les compromis… que souvent on aurait voulu que je fasse. Résultat, ça m'a pris plus de temps ! Je fais une grosse erreur et je téléphone directement à Michael Fine et, pensant arranger les choses, lui propose de compléter le disque avec les quatre *Ballades* de Brahms.

Le vice-président ne se fâche pas, il a même l'air très gentil et ce n'est que le lendemain qu'Alain apprend de la bouche de son agent, Sean Dickerton, que Fine ne veut plus faire affaire avec lui. L'agent est furieux, le contrat brisé, mais Alain enregistrera ses *Ballades*. Et comme toujours, Lefèvre apporte au projet un point de vue original.

Il ne faut pas oublier qu'Alain a assisté aux cours de Sancan de neuf heures à dix-sept heures tous les mercredis pendant quatre ans. Dans cette classe, il a vu défiler toutes les traditions qui tentaient de perpétuer une approche éprouvée, sans toujours avoir bien compris les prémisses de ces monuments du passé (parfois récent). Il a aussi pu répertorier toutes les nouvelles approches qui essayaient de faire dire aux œuvres des choses littéralement inouïes et de poser les assises d'une *nouvelle profondeur* qui bien souvent, parfois, n'était que creuse. Tout ce que Lefèvre a entendu malgré les exhortations de Sancan était la mise en valeur d'une ligne mélodique ou d'une ligne romantique, où 80 % des notes de Chopin n'arrivaient jamais aux oreilles de l'auditeur. Il y avait une espèce de formule gagnante pour les *Ballades*, en fait pour toutes les œuvres du répertoire, et Lefèvre décide comme toujours de prendre le contre-pied de ce qui lui apparaît être une trahison plutôt qu'une tradition. Il s'applique à faire le contraire en reprenant la partition, en étudiant à s'en rendre malade l'écriture de Chopin, si fine, si articulée, si entièrement mise à disposition des doigts qui voudront bien s'y intéresser. Cette position audacieuse n'était pas sans interpeller Sancan : « Je ne suis pas toujours d'accord avec ce que fait Alain Lefèvre, mais au moins, lui, il pense ! » Non seulement pour Lefèvre peut-on et doit-on faire entendre toutes les notes, mais il faut faire ressortir des voix, toutes les harmonies, Lefèvre en fait une obsession. Les épaisseurs de doigtés qu'il accumule au-dessus des portées rendent ses partitions semblables à des arcs-en-ciel :

> Pour moi, la vraie sincérité, la vraie honnêteté était de faire en sorte que si Chopin était vivant aujourd'hui, il entendrait toutes les notes qu'il a écrites et pourrait se dire : « Oui, ma main gauche est là pendant que ma main droite joue ceci et que même dans ce passage si difficile, on entend toutes les notes », quitte parfois à ralentir les tempi. L'essentiel étant le détail de l'écriture et ça, c'était très important pour moi, pas seulement les notes qui rendent le travail beaucoup plus facile, mais toutes les voix, tous les contre-chants.

Déjà, un an auparavant, Lefèvre nous avait prévenus dans une interview qu'il accordait à Dominique Olivier, chroniqueuse musicale à l'hebdomadaire *VOIR* :

> J'ai passé par des périodes très différentes, et comme je suis de nature excessive, quand je fais des expériences, je vais jusqu'au bout, toute expérience comportant bien sûr ses failles et ses réussites. J'ai été longtemps dans une recherche et un apprentissage que je pourrais appeler la technique transcendante, parce que j'étais à l'âge pour faire ça. Avec Corigliano, j'ai atteint le maximum de transcendance. Avec les *Ballades* de Chopin, que je vais jouer lors de mon récital à Montréal, je me rends compte que mes *tempi* sont plus lents qu'avant, que j'ai une approche plus musicale, que chaque note devient importante. Je laisse tomber la vitesse au profit d'une recherche de sonorité et on dirait que l'effet pour l'effet ne m'intéresse plus. Mes *Ballades* de Chopin seront peut-être intérieures, mais enfin, c'est comme ça que je les voudrais […].

C'était aussi, il y a un quart de siècle, la réaction que son ami Bernard Chardon, subjugué par le jeu d'Alain, a cependant la lucidité de prévoir : « Tu sais, ça va être très difficile pour toi, parce que tu fais des choses que les autres ne font pas et on ne va pas comprendre et surtout, on ne va pas te donner de crédit pour ça. »

Alain prend trois jours pour « mettre en canne » son nouveau disque. Comme d'habitude, il privilégie les prises complètes avec un minimum de raccords. Le montage se fait rapidement et Daniel Vachon envoie les *Ballades* à Fine qui a l'honnêteté de marcher sur son orgueil et de reconnaître que Lefèvre avait raison. Le disque paraîtra quelques mois plus tard, comme Alain l'avait voulu dès le début, sous étiquette Koch.

XVI
Alain Payette, Préludes et Mélodies

Dix ans après avoir choisi de faire de Montréal, du Québec, la fondation et le centre de sa carrière, Alain et Jojo font le bilan de cette décennie. Le couple réalise que dans ce métier bâti sur des sables mouvants, les sympathies, les affinités électives, les rumeurs, les médisances et, pourquoi pas, les calomnies sont le fonds de commerce de cette carrière. Si ce premier allié que devrait être votre agent se révèle à l'usage être une source d'inquiétude et de méfiance, peut-être doit-on tirer leçon du vieil adage voulant qu' «on est jamais si bien servi que par soi-même.» Après Great World Artists Management à Toronto, Melvin Kaplan aux É.-U. et l'entrée chez CAMI dans la division de Doug Sheldon avec Sean Bickerton, voilà que Bickerton quitte CAMI pour fonder sa propre agence, International Artists Group. C'est à ce moment qu'Alain et Jojo décident de voler officiellement de leurs propres ailes. Jojo est avocate, elle a acquis une formation de juriste et depuis le temps qu'elle observe et navigue dans le milieu musical, elle peut très bien négocier les contrats, relancer les sociétés de concerts, les orchestres symphoniques et les festivals, bref, assurer le suivi et utiliser son expérience pour soutenir et promouvoir la carrière de l'homme de sa vie. Le 29 janvier 1997, SOLO Artiste est légalement créé et cette agence devient la pierre angulaire de la carrière d'Alain Lefèvre.

Pour cerner encore mieux et de façon plus réaliste, les mœurs de la *business* musicale, voici une anecdote qui vaut bien une thèse.

En arrivant en Iowa avec quelques jours d'avance pour honorer un engagement avec le Sioux City Symphony Orchestra, Alain rend visite à quelques foyers du troisième âge et rencontre la jeunesse dans les écoles. Le manager de l'orchestre, touché par tant de générosité, lui apprend que l'orchestre se félicite d'avoir pu enfin trouver une date qui convienne à tout le monde, après trois années infructueuses pour avoir Alain comme soliste. À chacune de leurs propositions, leur agent leur apprenait que Lefèvre était déjà pris ailleurs ! Ce qui était bien sûr rigoureusement faux.

Une autre anecdote illustrera le paradoxe d'un art voué à propager la joie universelle et à mettre l'absolu à la portée de tous. C'est l'histoire d'un jeune pianiste dont dès le départ, tout laisse croire qu'il est appelé à une grande carrière. Il signe un contrat avec une petite maison de disques et ses enregistrements sont extrêmement remarqués. Une grande maison de disques, en argot du métier, un *major* l'approche. Il est fou de joie. Il croit être arrivé. C'est vrai qu'il est arrivé, mais dans un cul-de-sac. Il n'a pas compris que la prestigieuse maison ne l'a pris sous contrat exclusif que pour le juguler et le retirer du marché. Ainsi, il ne nuira pas aux artistes dont le rayonnement est assuré par les puissances financières de l'ombre qui soutiennent les carrières de quelques élus. La grande maison de disques publie son premier enregistrement qui remporte, malgré l'agenda de l'entreprise, plus de succès que les enregistrements des pianistes maison. À partir de là, ce grand pianiste endurera dix années de calvaire.

> Le public ne sait pas que derrière chaque artiste qui connaît un départ fulgurant, il y a une fortune mise à disposition et des concours de circonstances qui font que les choses vont vite et bien. Pour un manager, c'est la combinaison gagnante, c'est beaucoup plus facile de promouvoir un artiste de cette façon. Moi, je vous le rappelle, je n'avais rien.

Ce début d'année décisif est assombri par le départ de cette plus que mère, sœur Antoinette Massicotte, sœur sainte Berthe. Le grand amour d'Alain, sœur Berthe, est retourné à son Seigneur. Cette femme qui lui avait donné ce qu'il n'avait pu trouver ailleurs, jusqu'à sa rencontre avec Johanne Martineau, un amour inconditionnel, ne sera pas témoin de ses plus grands triomphes. Elle en aura cependant permis l'avènement en combattant le doute note à note et en donnant à Alain les armes pour tout conquérir par l'amour. Celle qui lui avait transmis sa passion pour Chopin ne sera pas là pour entendre ses *Ballades*...

Les liens tissés quelques mois plus tôt avec le peintre Jacques Payette et sa femme Sylvie, qui amènent dans leur trousseau d'amitié un frère compositeur, ont provoqué chez Alain Lefèvre une fièvre de création par procuration. Comme nous l'avons déjà mentionné, un soir, son homonyme compositeur débarque avec un cycle de 12 *Préludes* et ose se mettre au piano pour tenter de les faire entendre au pianiste. Cette audition déclenche chez Alain Lefèvre une émotion, un désir de les jouer, le projet de les présenter au reste du monde et de les enregistrer. En quelques minutes, Lefèvre a compris le potentiel de cette musique. Ensemble, les deux Alain vont travailler de concert comme des frères siamois soudés par la musique, comme ils l'avaient fait quelques mois auparavant pour le cycle de mélodies. Payette va multiplier les difficultés, complexifier les harmonies, rendre plus virtuose une œuvre écrite pour ses moyens limités, et enfin donner à son interprète plus de matière pianistique. Alain est emballé : « J'aime Alain Payette, j'aime sa ligne mélodique, j'aime son romantisme, j'aime tout, je suis heureux ! »

En 1997, la ville de Thessalonique, en Grèce, est décrétée capitale culturelle de l'Europe. Denys Arcand ira présenter une rétrospective de ses films et la délégation canadienne comprendra également la troupe La La La Human Steps, Margie Gillis, Annick

Bissonnette et Louis Robitaille, ainsi que le Royal Winnipeg Ballet pour la danse. L'Ensemble baroque Tafekmusik, le quintette de cuivres Canadian Brass, la guitariste Liona Boyd et Alain Lefèvre seront délégués pour représenter la musique au Canada. Dans un article du 22 février 1997 du quotidien *La Presse*, Alain Lefèvre, interrogé sur le répertoire qu'il compte présenter, a ceci à dire :

> « À l'étranger, d'habitude, on a tendance à éviter le risque : on joue Mozart, Beethoven. On a peur de jouer notre musique, par manque de confiance, probablement. Cette fois, j'ai décidé de plonger : je vais jouer en première mondiale, *12 Préludes pour piano* d'Alain Payette, un brillant jeune compositeur d'Outremont. » Alain Lefèvre souligne aussi qu'il a « imposé » lesdits préludes à Koch, sa compagnie (américaine) de disques, qui les enregistrera en septembre. Entre-temps, il jouera les œuvres de Payette au Liban, en Turquie, en Israël, en Allemagne et à Sarajevo […].

Lefèvre plonge de plain-pied dans l'inconnu, avant même de savoir s'il y a de l'eau pour le recevoir. « Il faudra bien qu'il y en ait puisque je plonge », se dit-il. Il a dû se battre auprès des organisateurs pour imposer une œuvre que personne n'a jamais entendue. Mais avant de s'envoler vers un pays devenu depuis ce premier séjour un havre où, quelques jours par an, il arrive à s'éloigner du piano, le 10 mars, Alain se retrouve en direct sur la chaîne culturelle de Radio-Canada. Non, la radio publique n'a pas fait volte-face, rien n'a encore changé, c'est Chantal Jolis qui l'invite à son émission *Silence on jazz*. Alain y rend hommage à Chet Baker, fait un clin d'œil à Buddy Rich et raconte sa participation au Stage Band de l'école Saint-Luc.

Le 24 mai, lancement officiel de son disque *Ballades* chez le disquaire HMV de la rue Sainte-Catherine. Deux jours plus tard, il est à Istanbul pour donner un récital et le 28, il donne l'*Empereur*, de Beethoven, avec l'Orchestre symphonique d'Ankara, sous la baguette de Charles Olivieri-Munroe. De Turquie, les Lefèvre s'envolent vers le pays qui va devenir pour eux le paradis terrestre : la Grèce, où Alain va inaugurer la participation canadienne avec ses deux récitals à Thessalonique le 1er et le 2 juin. Il a mis au programme les *Ballades* de Chopin, la *Méphisto-Valse* de Liszt et, en création mondiale, les 12 *Préludes* d'Alain Payette. Le compositeur est dans la salle, rocambolesquement.

Quelques mois auparavant, Payette a demandé une bourse de déplacement pour aller entendre la création de son œuvre, bourse qui lui est refusée. Un soir qu'il dîne au restaurant Le Vogue avec Jojo et des amis, Alain s'emballe, vocifère et s'indigne : « Un Canadien qui joue en création un Canadien et ils ne sont même pas... » Au moment de régler l'addition, la serveuse lui remet la carte d'un jeune homme d'affaires qui, à quelques tables de la sienne, a surpris la conversation (il faut dire qu'il n'était pas très difficile d'entendre Alain). Denny Matte, ainsi s'appelle ce mécène improvisé, s'engage à défrayer les coûts de voyage et de séjour d'Alain Payette et de sa femme !

À la soirée d'ouverture pour la délégation canadienne, le futur ambassadeur du Canada en Grèce, Derek Fraser, accueille les dignitaires et les mélomanes de Thessalonique qui jouissent d'une réputation de connaisseurs. Robert Peck, un des organisateurs pour la délégation canadienne, accompagne un des piliers de la communauté hellénique de Montréal, la fille du grand armateur Phrixos Papachristidis, Niky, que Lefèvre, encore aujourd'hui, considère comme sa petite sœur. Les deux récitals affichent complet : « J'y ai tellement cru, je n'avais aucun doute. D'autres ont exprimé des doutes. Même Jojo me demandait : "Es-tu sûr ?" Mais c'était ma décision et c'était mon choix artistique. J'ai voulu défendre Alain Payette. »

Ce soir-là, Alain Lefèvre est en état de grâce, la salle lui fait un triomphe. Alain ne joue pas les *Préludes* d'Alain Payette, il les invente au fur et à mesure, il les improvise, il les crée littéralement. Dans son article du 7 juin dans le quotidien *Athens News*, la journaliste Kathryn Lukey-Coutsocostas relate :

Ceux qui s'attendaient au génie musical n'ont pas été déçus lors du concert du pianiste canadien-français Alain Lefèvre dans la capitale culturelle, les 1ᵉʳ et 2 juin. « Même avec la première ballade [sic] de Chopin, je sentais le public avec moi […]. » « Je n'étais pas très nerveux, car je fais confiance à Alain », a dit Payette, qui avouait avoir pleuré. « Ce soir, j'ai senti passer l'émotion du papier au public, par les mains d'Alain […]. » Lefèvre a reçu une ovation […]. Il devrait se produire à Athènes cet automne […].

La télévision grecque s'est déplacée et a capté le récital. À la demande générale, il a été diffusé si souvent qu'une génération de jeunes Grecs connaissent et ont appris les *Préludes* d'Alain Payette.

Ce qu'Alain ne peut pas savoir, c'est que ce combat qu'il a mené et remporté n'est qu'un coup d'essai pour la lutte à venir : André Mathieu.

De retour à Montréal, Alain et Gino Quilico annoncent le lancement de leur disque conjoint en donnant deux récitals au Pavillon des arts de Sainte-Adèle. C'est donc la chapelle de Pierre Péladeau qui accueillera la création mondiale du cycle *L'Ivresse d'Aimer*, titre retenu par le poète Gustave Labbé pour cette musique qui habille et magnifie ses poèmes. TVA s'est déplacée pour tourner un mini reportage afin de mousser le récital de Sainte-Adèle. Le *Journal de Montréal* confirme la parution imminente du disque et annonce le récital, donné le soir même et en reprise le lendemain, dimanche 31 août. Stéphane Rousseau présente le duo.

C'est vraiment l'année « Alain Payette ». Quelques jours plus tard, Alain Lefèvre entre en studio à Radio-Canada pour enregistrer avec son ami réalisateur Daniel Vachon les *12 Préludes* d'Alain Payette. Quelques jours avant le lancement de leur disque, *Le Secret*, le 18 octobre, chez le disquaire HMV du coin des rues Sainte-Catherine et Peel, Christiane Charette accueille les deux artistes. Au sommet de ses moyens, on peut entendre Gino Quilico donner le meilleur de lui-même dans une mélodie de Payette et Labbé, *Parvis*.

Ce même jour, en soirée, Alain Lefèvre se retrouve au lac Misère où le pianiste offrira en cadeau d'anniversaire un récital de piano. À la demande du jubilaire, il apprend *Take Five* de Dave Brubeck. Ce concert privé est un cadeau d'anniversaire offert à Pierre Elliott Trudeau par un ami commun, Charles Bédard. Le pianiste et l'homme d'État parlent littérature et poésie et, à l'occasion de lunchs dans le quartier chinois, se tissent des liens amicaux. Piquant encore davantage la curiosité du pianiste, Trudeau évoquera le souvenir d'André Mathieu qu'il avait bien connu à la Maison des Étudiants Canadiens à Paris en 1946-47.

Christos D. Lambrakis, le magnat de la presse hellénique, dont le réseau d'informations étend ses antennes bien au-delà de la Grèce a eu vent du triomphe d'Alain Lefèvre lors du récital de Thessalonique en juin. Lambrakis, un des hommes les plus puissants du pays, contrôle la presse hellénique et, bien qu'homme de pouvoir — il a la réputation de faire et de défaire les gouvernements —, c'est un partisan de la gauche. Il sera emprisonné à l'époque des colonels pour sa politique libérale. Pressenti comme candidat à la présidence, le pouvoir officiel ne l'intéresse pas. Il préfère se rendre au travail dans sa vieille Coccinelle Volkswagen car ce qu'il aime par-dessus tout, c'est la musique. Ami intime de Maria Callas, d'Agnes Baltsa et de tant d'autres, il a œuvré pendant des années afin qu'Athènes soit dotée d'une des plus belles salles de concert d'Europe, la Megaron Mousikis, où, ce 9 novembre, Alain Lefèvre a été invité à se produire.

Des articles préconcert sont parus dans les deux quotidiens les plus importants de la capitale grecque et l'ambassade canadienne n'a qu'à se féliciter d'avoir facilité le retour aussi rapide du pianiste. Dans le quotidien *Athens News*, Alain répond aux questions de Manolis Polentas qui lui demande de quelle manière il aborde un récital et quel but il veut atteindre :

> Créer l'émotion pure. Je suis un artiste populaire, en plus d'être un pianiste de formation. Chaque fois que je donne un récital, je me dis à moi-même : je vais créer une émotion pure pour mon public. Si je n'y arrive pas, c'est que j'ai échoué.

Prochaine escale des Lefèvre, Beyrouth, pour leur première incursion au Liban. À l'invitation de la Première dame du pays, Mona Hraoui, Alain va donner un récital pour la réhabilitation du musée de Beyrouth, un autre à l'occasion de la Journée mondiale du Diabète en plus de celui, officiel, à l'Assembly Hall de l'Université américaine de Beyrouth. En cinq jours, trois récitals. Alain continue d'associer musique classique et conscience sociale. Il devient de plus en plus un formidable ambassadeur de bonne volonté. Il a même composé une pièce, *Kanoun*, qui deviendra *Rose des Sables,* et qu'il promène depuis partout dans les écoles. Alain a voulu honorer ce pays qu'il découvre dont la culture et le raffinement l'enchantent.

Si l'automne a été une déferlante, décembre est une tornade. Le 4 décembre, Danielle Ouimet le reçoit dans son émission télévisée *Bla bla bla* pour parler du récital-bénéfice que l'artiste doit donner dix jours plus tard. L'animatrice Marie-Claude Lavallée prêtera son concours à la soirée. Deux jours plus tard, pour la dernière fois en présence de Pierre Péladeau, Alain donne un récital au Pavillon des arts de Sainte-Adèle. Comme dernier cadeau, Péladeau a invité Paul Arcand à présenter le pianiste. Quinze ans plus tard, cette autre amitié initiée par le grand homme dure encore.

Le soir même, à minuit, Alain est à nouveau l'invité de la chaîne culturelle de Radio-Canada par le réalisateur Richard Lavallée, dans le cadre de son émission *Le Club de Minuit*. Il joue *Roses de Picardie, La Vie en rose,* sa transcription de *Quando men'vo* de l'opéra *La Bohème* de Puccini, etc. Il fait aussi cette profession de foi : « Je crois à la guérison par la musique. Je crois à la vie éternelle de la musique. Je crois à la paix par la musique. Quand tu fais de la musique, tu vas à l'essentiel. »

Le 9 décembre 1997, à l'émission de télévision *Flash*, une équipe s'est déplacée pour enregistrer une pièce de Rachmaninov qu'on entendra du début à la fin du reportage, en contrepoint d'une interview où Alain trouve les mots justes pour parler de ce fléau qu'est la pauvreté. Il s'est engagé à donner un récital dont tous les bénéfices seront versés à l'organisme Jeunesse au Soleil, qui sollicite la générosité de tous pour remplir les paniers de Noël :

> Quand je suis allé en Bosnie, dans des villes comme Sarajevo, après une guerre, on peut comprendre la pauvreté. Mais pas chez nous. La pauvreté n'a pas d'odeur, elle n'a pas de politique, elle n'est d'aucun parti, elle est insoutenable, elle n'est pas normale. Et si on ne fait pas disparaître cet élément de pauvreté, les gouvernements, au lieu d'être pris dans une crise économique, vont se retrouver avec une crise sociale.

C'est la première fois depuis sa fondation en 1954 que Jeunesse au Soleil peut compter sur l'appui d'un artiste classique pour sa campagne de financement pour les paniers de Noël. Le 14 décembre, à la basilique Saint-Patrick de Montréal, Alain donne un récital complet animé par Marie-Claude Lavallée. Des personnalités connues comme Guy A. Lepage, Ronald Corey et Guy Bisaillon apportent leur concours au succès de la soirée. Cette année-là, Alain dépose 70 000 $ dans les paniers de Noël.

Ayant participé à l'émission télévisée *Au-delà des apparences*, de Denise Bombardier, à l'automne, Lefèvre y revient le 21 décembre pour une émission spéciale de Noël. Il joue *Petit Papa Noël* et accompagne, sous la direction de Mme B., une chorale de jeunes écolières dans l'*Adeste Fideles*. Mais un événement va assombrir cette période des Fêtes. Le 24 décembre : un peu comme s'il avait souhaité qu'on pense lui à chaque Noël, Pierre Péladeau disparaît. Dans les jours qui suivent, Alain Lefèvre tient à rendre hommage à celui qui lui a offert une rampe de lancement et un appui indéfectible en témoignant sur toutes les tribunes des qualités et de la richesse intérieure du fondateur d'un empire.

XVII
François Mario Labbé et Analekta – Le début d'un temps nouveau

Le 6 février 1998, la fondation des maisons de l'Art Vivant frappe un grand coup. Réunis sur la scène du Monument national, Oliver Jones, l'ambassadeur par excellence du jazz au Canada, Gilles Vigneault, le poète intemporel à la charnière du passé et de l'avenir, et Alain Lefèvre, l'infatigable « décloisonneur » de la musique classique ont accepté de prêter leur concours. Cette fondation s'est donnée pour but de ramener la musique dans les maisons privées, dans l'intimité des salons. Oliver Esmonde-White et sa femme Lorraine Desjardins accueillent depuis trois ans les musiciens de la relève et les stars établies dans leur demeure ancestrale de Sainte-Dorothée. Ils veulent créer un réseau de maisons, prêtes à recevoir toutes les musiques. Vigneault y voit un succédané au monde des boîtes à chanson disparues, Oliver Jones retrouve l'ambiance des clubs de jazz des années 50 et Alain Lefèvre, le climat de ces réunions familiales où tout le monde faisait de la musique. Pour prouver que la musique ignore les frontières, Jones joue Schubert et improvise sur des chansons de Vigneault, qui, lui, va chanter une mélodie de Gabriel Fauré, accompagné par Lefèvre, lequel rejoint ensuite Jones pour quelques pièces de jazz. Lise Thibault, lieutenante-gouverneure de la province de Québec, a accepté la présidence d'honneur de la soirée et le comédien Albert Millaire en est le maître de cérémonie. Un des sommets de l'événement est bien évidemment cette *Chanson d'Amour* de Gabriel Fauré, que chante Vigneault en oblitérant les frontières entre classique et populaire. Non seulement les quotidiens *The Gazette* et le *Journal de Montréal* ont rencontré et interviewé les musiciens, mais Julie Snyder, alors animatrice du *Poing J*, reçoit Vigneault et Lefèvre qui lui offrent en avant-première leur mélodie de Fauré. Un moment de grâce.

Fait à noter, le statut de star d'Alain Lefèvre, que nous tenons maintenant pour acquis, est d'ores et déjà établi à cette époque. Le retrouver avec ces géants sur la scène du Monument national est tout à fait naturel, tant sa médiatisation est devenue partie prenante de sa carrière et de notre perception du pianiste.

Le samedi 30 mai, les deux Alain, Lefèvre et Payette, se retrouvent chez Archambault Musique, au coin des rues Sainte-Catherine et Berri pour le lancement du cinquième album de Lefèvre, les *12 Préludes* d'Alain Payette, cycle de *Confidences Poétiques*. Quelques jours auparavant, Lefèvre a pu jouer à la télévision dans le cadre de l'émission *Christiane Charette en direct* un des *Préludes* en avant-première pour annoncer le lancement du disque. Notons qu'il est le seul artiste pianiste invité aux grandes tribunes soit à l'occasion d'un concert ou d'un lancement de disque.

Autre étape marquante de cette année 1998, un troisième séjour en Grèce en à peine plus d'un an. Les 17 et 18 juillet, au petit théâtre antique d'Épidaure, Alain Lefèvre donne un récital organisé par Christos Lambrakis qui, l'automne précédent à l'occasion du récital au Megaron, a été conquis par l'art et la personnalité de Lefèvre. Dans ce lieu tellurique, Chopin, Haydn et Liszt rejoignent les étoiles et forment l'essentiel des « Pensées Nocturnes », thème de la soirée.

Quelques jours avant le récital, Lefèvre rencontrait la journaliste Diane Shugart de l'édition grecque du *Herald Tribune*. Après avoir rassemblé quelques repères biographiques et professionnels, l'intervieweuse nous apprend :

> Lefèvre a pris le temps, malgré un horaire de concerts chargé, de faire escale sur l'île égéenne de Samos, pour y donner des classes de maître au conservatoire de l'endroit. « Je trouve très important d'amener une nouvelle génération d'auditeurs à la musique classique [...]. Alors, ce que je fais, quand je vais dans une école, c'est de jouer de la musique classique tirée d'une publicité télévisée. [Les jeunes] la reconnaissent. Et cela leur fait comprendre qu'ils ne sont pas trop loin de la musique classique [...]. » La semaine dernière, il a également joué à Samos au festival de musique annuel dédié à la mémoire du compositeur grec Manolis Kalomiris, le fondateur du conservatoire national. [...] Lefèvre a joué des extraits de l'une des 220 œuvres du compositeur. [...] L'interprétation a conquis le public, malgré la critique que Lefèvre a formulée envers lui-même : « L'an prochain, je vais peut-être mieux jouer. »

Sept critiques musicaux d'autant de journaux se sont déplacés pour écouter Lefèvre à Épidaure. Quelques-uns parlent de la qualité du silence des auditeurs, plusieurs soulignent le parfait style classique du Haydn, d'une part, et la virtuosité sidérante du Liszt, d'autre part. Mais tous s'entendent pour parler « d'un des solistes les plus importants de la nouvelle génération. »

Depuis plus d'une décennie, Claude Gingras, du quotidien *La Presse,* sème année après année des articles qui seront comme autant de pierres blanches dans la carrière de Lefèvre ; rassemblées, elles nous présentent l'exacte topographie et l'évolution d'un parcours auquel le critique semble tout de même attaché . Le samedi 15 août, Gingras survole les derniers mois :

ALAIN LEFÈVRE, LE PIANISTE QUI VOYAGE

Alain Lefèvre joue peu dans sa propre ville, mais il se produit continuellement à l'étranger. Il rentre justement d'une tournée de huit semaines en Europe — sa plus longue à ce jour — qui comprenait 20 récitals, des master-classes et le lancement européen de son dernier disque, consacré aux *Préludes* du Montréalais Alain Payette. […] Alain Lefèvre et sa femme Johanne, avocate, « qui coordonne tous mes voyages », ont quitté Montréal le 12 juin pour Londres, premier lieu de l'opération centrée sur la diffusion du disque. « Ensuite, l'avion pour Göteborg. Nous allons à Oslo, mais une grève des contrôleurs aériens qui touchaient la Norvège nous a obligés à passer par la Suède. De Göteborg, ce fut six heures de route vers Oslo. Heureusement, on met partout un chauffeur à ma disposition. À Oslo, j'ai donné trois récitals, fait des master-classes au Conservatoire et accordé des interviews à la télévision — en anglais, et traduites simultanément en norvégien. »

Sur les traces de Pythagore

Après Oslo, l'Allemagne et Francfort, pour une nouvelle séance de promotion. « J'ai alors appris que le disque connaissait un très fort succès de vente : 5000 exemplaires, m'a-t-on dit. Après Francfort : Athènes, pour des master-classes au Conservatoire, puis l'île d'Hydra. De nombreuses célébrités y habitent, entre autres, de chez nous, le poète et chanteur Leonard Cohen et le peintre Marcelle Maltais. Là, j'ai joué dans une ancienne forteresse. Puis nous sommes partis pour la Turquie, qui est tout près : récitals et master-classes à Istanbul et à Ankara, la capitale, une ville plus petite que Montréal, qui compte trois orchestres symphoniques et un théâtre d'opéra. » Retour en Grèce vers une autre île, Samos. « À Samos, j'ai joué au festival Manolis Kalomiris, ainsi nommé en l'honneur du grand compositeur grec qui fonda le Conservatoire hellénique d'Athènes. […] J'y ai joué dans un théâtre antique en plein air où Pythagore enseignait. » Les voyageurs se sont ensuite rendus en voiture à Épidaure [...]. Après la Grèce, la Suisse et finalement la France. «Cette fois pour un seul récital, à Tours, la visite des châteaux de la Loire et deux jours à Paris, toujours pour le lancement. Nous sommes rentrés le 8 août.» [...] Sur son expérience en master-class: «J'ai écouté plus de 100 pianistes dont 15 ont un talent extraordinaire. Mais quels débouchés ont-ils? Au cours de la saison dernière, il s'est décerné 82 prix internationaux de piano. Y a-t-il de l'auditoire pour tant de pianistes? Et dans quel environnement ces jeunes doivent travailler! Ils voient 40 meurtres par jour à la télévision, et moi, je leur parle des infimes nuances à apporter à telle *Ballade* de Chopin. Je leur dis que je passe deux semaines sur l'attaque d'un même accord et ils sont crampés!» Le pianiste — qui a fêté ses 36 ans en tournée, le 23 juillet — prend quelques jours de vacances. Même pas! «J'ai trois concertos à préparer: le Grieg pour le Toronto Symphony, le K. 503 de Mozart pour le Pacific Symphony, avec lequel j'ai enregistré le Corigliano il y a quatre ans, et le Corigliano justement, pour l'Orchestre Métropolitain cinq fois en octobre à Montréal et en périphérie. Corigliano viendra pour l'occasion. J'ai aussi deux concertos à enregistrer pour Koch International. Deux raretés, Franck et Lalo, que je ne connais pas. [...] Je dis à mes élèves: "Lisez, allez au théâtre, allez au musée." Cela donne une ouverture sur d'autres univers essentiels. Ne faire que du piano, c'est rester très petit.»

Et le samedi suivant, le critique musical de *La Presse* rend son verdict sur les *Confidences Poétiques* d'Alain Payette:

[...] réussite absolue: *12 Préludes* d'Alain Payette joués par Alain Lefèvre. Cinq mélodies de ce compositeur montréalais figuraient sur le disque que Lefèvre réalisa il y a deux ans avec Gino Quilico. Il consacre maintenant un disque entier à sa musique pour piano et, par un phrasé généreux et une sonorité riche, rend absolument irrésistibles ces 12 pièces, sous-titrées «Confidences poétiques», qui ne se veulent rien d'autre que ce qu'elles sont: délibérément tonales et romantiques, où une mélodie qui pourrait être de Fauré ou même de Chopin circule à travers un fourmillement d'arpèges sortis des mains de Rachmaninov.

Alain Lefèvre attaque la saison 98/99 au Massey Hall de Toronto avec le Toronto Symphony Orchestra et le nouveau chef Jukka-Pekka Saraste dans le *Concerto* de Grieg. Dans le quotidien *Globe and Mail* du 19 septembre, on peut lire sous la plume de William Littler :

> Il [Lefèvre] a abordé l'œuvre comme un des trésors du temple du répertoire qu'est ce concerto, avec beaucoup de béton dans les fondations, une abondante virtuosité dans la structure, mais ni puits de lumière ni touche frivole. Lefèvre nous a montré qu'il est encore clairement ému par ses mélodies et sa grandeur.

Un mois plus tard s'amorcent les premiers signes de ce retour de balancier qui aujourd'hui encore poursuit sa course.

Bien que trois ans auparavant Lefèvre ait accusé le coup avec élégance, ce n'est certainement pas sans satisfaction et un sourire en coin qu'il a reçu l'invitation de l'Orchestre Métropolitain, non seulement pour reprendre le *Concerto* de Corigliano (que Charles Dutoit avait confié à un autre) mais pour le jouer trois fois à l'occasion d'une tournée dans l'île avant de l'offrir à la salle Maisonneuve le 19 octobre. « Superbe début de saison au Métropolitain » titre Claude Gingras :

> Joseph Rescigno et l'Orchestre Métropolitain ouvraient leur « série montréalaise » hier soir avec un programme d'abord présenté trois fois en périphérie [...] John Corigliano était venu de New York entendre son concerto de 1968 joué par Alain Lefèvre qui l'a « ressuscité » et enregistré il y a quatre ans. [...] On roule ensuite le piano, mais c'est M. Rescigno qui s'y assoit. Heureuse idée que celle d'expliquer la construction du *Concerto* de Corigliano et d'en faire entendre les thèmes. Le chef de l'OM révèle ici une parfaite

connaissance de la partition, un réel talent de pianiste, car l'œuvre est très difficile, et une étonnante aisance à s'exprimer en français. Cet homme ne finira jamais de nous étonner. De très nombreuses exécutions du Corigliano confèrent maintenant à Alain Lefèvre la plus entière liberté de mouvement. Ayant mémorisé les millions de notes de cette partition de plus de 30 minutes où il joue presque sans répit, Lefèvre a donné hier soir une exécution plus poussée encore que celle qu'il a fixée au disque. Son jeu au piano avait hier soir quelque chose de théâtral, de sauvage, d'animal même ; il se déchaînait littéralement sur le clavier, crinière au vent, il semblait partout à la fois. Tout à l'opposé, à cette violence extrême succédaient des épisodes de douce espièglerie, de calme total et même d'intériorité […].

L'année 1999 sera donc mémorable à plus d'un titre, mais particulièrement parce qu'Alain Lefèvre va enregistrer quatre disques entre janvier et décembre. C'est sans compter les récitals, à l'étranger bien sûr, le Corigliano enfin à Montréal, et quelques concerts à Montréal et à Québec.

Les 18 et 19 janvier 1999, Lefèvre entre au studio 12 de Radio-Canada pour y enregistrer son troisième disque solo. Le contrat associant Koch International et la Société Radio-Canada est reconduit et tout semble aller pour le mieux dans le meilleur des mondes. Après le Corigliano, le disque de musique baroque et les *Ballades*, Lefèvre a envie de faire autre chose :

Je me suis dit « je vais offrir quelque chose de plus léger ». Je vais me faire plaisir en rassemblant les pièces les plus connues et les plus célèbres du répertoire et les réunir pour en constituer un florilège. Et c'est là que j'ai rencontré mon Waterloo. Je ne suis pas gêné d'en parler.

Il choisit la musique que les gens adorent, les rappels, les bis, les *hits* du piano : *Clair de lune* de Debussy et de Beethoven, l'*Adagio* de la sonate *Pathétique* du même, Chopin bien sûr, la première *Gymnopédie* de Satie, etc. et tout cela devient le projet *Cadenza*. C'est à cette période que Michael Fine quitte Koch International pour devenir directeur artistique chez Deutsche Grammophon. Au même moment, d'autres compagnies de disques commencent à se manifester car, s'il n'est pas très connu, Alain Lefèvre fait cependant parler de ses disques. Il est omniprésent (radio, télévision) et, il faut le dire, ses CD se vendent. Mais Alain décide comme d'habitude d'être fidèle. Une fois le montage terminé (une étape qui demande peu de temps avec un musicien qui privilégie les prises complètes), Daniel Vachon envoie le master à la nouvelle directrice générale de Koch. Quelques jours plus tard, Alain reçoit un appel de cette dame et, les échanges de civilités terminés, elle lui dit : « Écoutez bien », puis Alain entend un bruit étrange, comme le claquement d'un objet qui se brise. La femme reprend le combiné et explique : « This was me throwing your CD in the garbage ! » « J'ai un chagrin colossal. J'appelle Daniel, et sa femme Martha me console. Dans ces moments-là, Jojo se retire un peu et je me dis : "Ce disque sera un de mes plus gros succès." »

Les deux larrons, Daniel et Alain, vont retrouver leur troisième complice, Sylvain Lafrance, qui décide que « Pas de problème, le disque va sortir sous étiquette Radio-Canada. » Et aujourd'hui, il s'est vendu à plus de 20 000 exemplaires.

Dans le quotidien *The Gazette*, du 18 septembre, Arthur Kaptainis, qu'on ne peut absolument pas soupçonner de partialité, écrira une étonnante critique de *Cadenza* :

> L'anthologie de classiques populaires pour le piano est d'un plus grand intérêt qu'il n'y paraît pour le collectionneur. [...] Il y a un ample rubato là où la tradition l'exige, mais les petites poussées et les petits ralentis sont joués d'une façon si exquise que le disque paraît fortement teinté d'individualité. Dans la prétendue *Valse*

minute de Chopin, les rythmes sont changeants, mais nullement précipités, tandis que les crescendos du *Prélude en si mineur* sont effilés à la perfection. Une autre réussite : le chantant adagio de la *Sonate Pathétique* de Beethoven ; ses interludes en mineur sont traités comme des soliloques pensifs, plutôt que comme des éclats orageux comme on le fait d'habitude. Avec une distinction impeccable des voix et des graves somptueux […].

Dominique Olivier, de l'hebdomadaire *VOIR*, est aussi sous le charme :

Simplicité, c'est le premier mot qui me vient à l'esprit […]. Simplicité de l'interprétation, du choix des œuvres, simplicité de cette invitation à redécouvrir les tubes du répertoire pianistique. […] Un disque que l'on écoute avec un réel plaisir, que l'on soit néophyte ou mélomane averti.

Période de transition, changement de maison de disques, seuls l'Orchestre Métropolitain et le Pavillon des arts de Sainte-Adèle continuent à ouvrir leurs portes à Alain Lefèvre. Mais le « pianiste qui joue partout mais pas chez lui » trouve de plus en plus d'alliés et de partisans, de défenseurs et de champions. Et un de ses plus ardents supporters est l'unique Guy A. Lepage. Les liens d'amitié n'ont cessé de se développer depuis leur rencontre. Avec le temps, et la confiance qui s'installe, Alain a osé jouer quelques-unes de ses compositions et l'idée d'un disque a germé, dans la tête non pas de Lefèvre, mais dans celle de Lepage. Lefèvre sait trop bien le prix que l'*establishment*, ce milieu qui l'ostracise depuis quinze ans, lui ferait payer cher s'il osait manifester ses velléités de compositeur. Déjà que toutes ses apparitions à la télévision et à la radio, ainsi que ses amitiés hors du cénacle, loin de la tour d'ivoire, sont perçues par cette intelligentsia de puristes hautains comme autant de preuves que finalement, il était parfaitement légitime d'écarter celui qui se déclasse chaque jour en pratiquant le populisme en virtuose. Au moins, dans ce domaine, lui reconnaissent-ils un véritable don. Lepage va œuvrer à convaincre Lefèvre d'offrir au public le meilleur de ce qu'il a composé en bientôt deux décennies. Mais Alain se montre réticent pour plusieurs raisons. D'une part, il hésite de s'exprimer à cœur découvert sans passer par les chefs-d'œuvre des autres, et d'autre part, il connaît la musique. « Quand on fréquente quotidiennement des chefs-d'œuvre, on ne peut pas s'empêcher de trouver que la marche est haute. Un jour, comme ça, Guy A. m'entend jouer mes compositions et me dit : "Pourquoi pas un disque ?" »

Pour en faire une histoire courte, Guy A. Lepage et Jacques K. Primeau seront les producteurs de ce premier disque, *LYLATOV*, qui veut dire *Bonne nuit* en hébreu, une pièce composée en reconnaissance de l'amour que Kito et Ginette lui ont donné et lui inspirent. Une anecdote résume le succès du disque. Alain se trouve sur une plage en Grèce. Un homme d'un certain âge, à la fière allure d'athlète, se plante devant lui et lui dit en anglais : « Are you the man who composed Lylatov ? » Et Alain se dit que *Caméra Cachée* a dépêché une équipe en Grèce pour le piéger. Mais en fait, l'homme est le brigadier-général de la police israélienne. Il séjourne en Grèce pour entraîner la police grecque en prévision des Jeux olympiques d'Athènes de 2004. Il est fou de *Lylatov* et il prend Alain Lefèvre dans ses bras en pleurant. *Lylatov* est sa pièce préférée et il a été touché par l'histoire qu'elle raconte.

S'il y a une chose dont on ne peut pas taxer Alain, c'est d'être prétentieux et sa musique reflète cette simplicité d'approche. Ni moderne, ni pastiche, comme compositeur Lefèvre s'inscrit dans la grande mouvance des compositeurs de trames sonores à la Maurice Jarre. Ce pianiste au jeu flamboyant et spectaculaire est tout au fond de lui un être d'une extrême pudeur. Il n'osera même pas murmurer ses confidences, et préférera qu'on les devine pour qu'une fois comprises on les taise et les oublie. Quand l'insomnie le tenaille et l'oblige à la conscience, ces thèmes qui jaillissent, ces images qui se transforment en sons offrent une soupape au surcroît de bonheur ou de désespoir et lui permettent d'atteindre l'aube.

> Mes compositions, je ne sais pas ce qu'elles sont ; on ne peut pas dire que ce soit de la musique populaire, ni que ce soit de la musique classique. Je ne sais pas à quelle catégorie elles appartiennent. Pour moi, elles ont été des exorcismes aux moments de grand bonheur ou de grandes peines. C'était aussi une autre manière de rejoindre le public, différente.

En musique classique, l'enregistrement d'un disque solo prend entre deux et quatre jours maximum. Une fois effectuée la prise de son, les micros installés et le ou les instruments positionnés, deux ou trois sessions par jour doivent suffire à mettre en boîte tout le matériel. Avec Lepage et Primeau, Lefèvre travaille dans des conditions impensables en milieu classique. Chez Audiogramme, il se présente en studio entre février et novembre 1999 et enregistre une grande quantité de pièces de son répertoire. Le disque s'élabore sur plus d'un an. Au départ, il devait y avoir des classiques comme *Roses de Picardie, La Vie en Rose, Les Feuilles Mortes,* qu'Alain joue souvent en rappel, mais peu à peu il va créer un raccourci avec *Lylatov* et un portrait saisissant de sa vie avec *Jojo* et *Mon Absolue*, avec lesquels il réaffirme tout son amour à sa femme. *Un Ange Passe* murmure à son père ce qu'il n'a pas pu lui dire, *Ilios*, c'est le soleil de cette Grèce, deuxième terre adoptive, *La Boîte à Musique,* c'est son maître, Pierre Sancan. La pièce de Claude Champagne est un cadeau et un clin d'œil à sœur Berthe, le Satie un témoignage d'amitié et de reconnaissance à Guy A. Lepage, et le *Prélude Romantique* d'André Mathieu, qu'il porte en lui depuis vingt-deux ans, c'est son amour incommensurable du Québec.

Avec ce disque, Alain Lefèvre avait conscience qu'il jouait son va-tout et exposait sa vulnérabilité. En funambule averti, il sentait que ce numéro de fildefériste l'éloignait encore plus du parcours tracé d'avance par la carrière et risquait de lui attirer les foudres et d'en faire la cible de son nouveau milieu comme de son milieu naturel. Personne à ce jour n'a démoli Lefèvre compositeur. Cette musique à la fois sophistiquée et accessible est aussi un formidable outil de prospection dans toutes les régions qui organisent des tournées. Aussi bien équipés soient-ils, les centres culturels qui ont poussé comme des champignons depuis la Révolution tranquille, ce n'est un secret pour personne, ont de la misère à «vendre» les concerts classiques. Un récital de piano, de violon ou de guitare trouve difficilement preneur. L'abandon de l'apprentissage de la musique dans les programmes scolaires fait des ravages. *Lylatov* permet à Lefèvre de faire salle comble partout où il passe. Angèle Dubeau et son ensemble *La Pietà,* ou Alexandre Éthier avec son groupe de guitares *Forestare* sont tous, pour notre plus grand bonheur, logés à la même enseigne.

La cadence des apparitions médiatiques d'Alain, que ce soit à la radio, à la télévision ou dans la presse écrite augmente et les invitations se veulent des interviews de l'homme autant que de l'artiste. À chaque tribune qui l'accueille, il fait part d'un détail, d'une anecdote ou d'un souvenir qui nous le rendent toujours plus attachant. C'est le cas à la fin juin 1999, sur les ondes de la première chaîne de Radio-Canada, quand Winston McQuade le reçoit au micro de son émission *Juré, craché!*. Lefèvre nous fait rire en évoquant le surnom de «Porte-avions, que ses grandes oreilles lui ont valu quand il était à la petite école. À nouveau invité en tant que personnalité à l'émission radiophonique *l'Échappée Belle* du 25 novembre, animée par Carole Trahan, Alain, devant le public du

Petit Champlain de Québec, se raconte et reprend les thèmes qui lui tiennent à cœur. L'animatrice lui pose une question inattendue «Quelle pièce de musique représenterait le mieux votre famille?» et Alain, spontanément, répond dans un éclat de rire: «Il faudrait que ce soit une œuvre de musique dodécaphonique!».

Le disque *Cadenza* n'est pas encore lancé que Sylvain Lafrance donne le feu vert pour un projet ambitieux, avec orchestre symphonique: un disque Mozart avec le premier concerto qu'Alain a mis à son répertoire près de vingt ans auparavant, le *Concerto en la majeur Köchel 488* de Mozart et la symphonie *Jupiter*. Jean-François Rivest, qui a troqué l'archet pour la baguette, est à la tête de l'Orchestre symphonique de Laval. Il sera le partenaire d'Alain. Pour bien roder le concerto et la symphonie en prévision de l'enregistrement, Rivest, qui connaît Alain depuis l'enfance, puisqu'il était le compagnon d'études de son frère Gilles au Conservatoire de Montréal, le fait inviter pour la première fois au Festival d'Été de Québec. Le concert fait l'objet d'une captation pour le réseau TV5 et Alain donne deux rappels à la clé, la *Révolutionnaire* de Chopin et *Les Feuilles Mortes* de Joseph Kosma. Jean-François dirige l'Orchestre du Nouveau Millénaire et, force est de constater, qu'en 1999, l'Orchestre symphonique de Québec n'a pas invité Alain Lefèvre depuis neuf ans, soit toute la période du règne de Pascal Verrot.

Le 14 juillet, concert Gershwin pour l'Orchestre Métropolitain et Joseph Rescigno à l'amphithéâtre Maurice Richard. Alain Lefèvre a mis à son répertoire le *Concerto en fa* et la *Rhapsody in Blue* et cela lui réussit. Dans *La Presse* du 15 juillet, Claude Gingras commente:

> ALAIN LEFÈVRE, HÉROS DU CONCERT GERSHWIN
> […] Alain Lefèvre a d'abord joué le *Concerto in F*, plus tard la *Rhapsody in Blue*. L'œuvre la plus longue et musicalement la meilleure

des deux (la moins connue aussi, hélas!), le concerto est ce que j'aime par-dessus tout chez Gershwin et Lefèvre ne m'a pas déçu. Malgré une amplification transformant le piano en quelque honkytonk, Lefèvre a su donner à la partition une impressionnante dimension, grâce à son indiscutable facilité technique, grâce aussi à l'expression dont il est souvent capable. Ces cadences ont bénéficié d'un réel apport personnel et son mouvement lent fut de toute beauté [...].

La saison 1999/2000 commence en Islande, où Lefèvre donne un récital le 3 octobre. Il a trouvé le temps de se mettre dans les doigts des œuvres qu'il n'a jamais touchées auparavant. Il a voulu se faire plaisir en nous proposant des pièces de deux compositeurs qui lui sont l'alpha et l'oméga, Bach et Wagner, dans des transcriptions de Liszt, de véritables recréations au piano d'œuvres destinées à l'orgue et à la scène. Un pianiste «normal» va jouer les œuvres qu'il aime, ses goûts et sa curiosité vont exclusivement le porter à fouiller encore plus loin le répertoire de son instrument, mais pas Alain Lefèvre:

Le piano peut être assez réducteur. Le piano est un immense instrument mais quand on est devant les opéras de Wagner on est devant un univers qui nous dépasse. Mon grand maître musical, c'est Wagner. Depuis 25 ans, j'écoute Wagner jour et nuit. Quand on se penche vers Wagner, tranquillement, tous les jours, on découvre la Tétralogie et on comprend de plus en plus et de mieux en mieux... Un jour, en Allemagne, j'entends le Prélude de Parsifal en concert, et Parsifal à ce jour est l'œuvre que... Je ne peux pas parler de Wagner, c'est toute ma vie. C'est plus que génial, c'est titanesque, c'est extraordinaire. Il a rendu l'opéra intelligent. Wagner, c'est la fin du monde.

Quand on lui demande si, à l'instar d'autres musiciens, il pourra un jour renoncer à son instrument et se consacrer à la direction d'orchestre, Lefèvre considère qu'il s'agit d'un métier très spécial et qu'on ne peut pas s'improviser chef d'orchestre.

Ce n'est pas parce qu'on connaît la musique qu'on peut se croire chef :

> Je pourrais un jour accepter de devenir chef d'orchestre, mais seulement pour la Tétralogie de Wagner et ce serait l'exception à la règle. Diriger la neuvième de Bruckner ou les *Métamorphoses* de Strauss, ce sera pour une autre vie. Renoncer au piano pour diriger ? Jamais, j'aime le piano à ce point de ne pouvoir m'en passer.

Lefèvre est bien conscient de tout ce qui a été dit et écrit sur l'homme Wagner mais il considère que face à sa musique, tout devient secondaire. Ce qui le fascine c'est la complémentarité et la complexité des dons de Wagner. Il a écrit ses livrets, il a imaginé et inventé des instruments nouveaux, il a créé une nouvelle approche de la mise en scène… sans parler de la musique. Le premier ouvrage que Lefèvre a lu sur Wagner est la monographie de Guy de Pourtalès, qui évoque le romantisme de Wagner à la perfection.

Le dicton « Dis-moi qui tu aimes, je te dirai qui tu es » s'applique à tout le monde et aux musiciens. Si on questionne Lefèvre plus avant, il avouera trois dieux après Wagner : Bach et la *Messe en si mineur*, Bruckner et Richard Strauss.

> Bruckner aussi est un maître à penser. Je joue toutes les symphonies de Bruckner au piano, je les connais toutes, c'est une musique qui me passionne. Bruckner me fait beaucoup travailler mes crescendos. Les crescendos de Bruckner aboutissent rarement, ce sont de longs orgasmes qui ne finissent jamais. Et enfin, il y a Richard Strauss. Il y a chez Strauss des œuvres qui pour moi sont fondamentales : *Métamorphoses*, les *Quatre derniers Lieder*… Les *Métamorphoses*, ça me détruit à chaque fois.

Après l'Islande, Lefèvre se rend quatre jours plus tard à l'église Saint-Ferdinand de Laval, où il retrouve son vieux complice Jean-François Rivest pour l'enregistrement Mozart. Non seulement

Lefèvre refuse systématiquement depuis toujours d'aller écouter les prises en cabine, mais il s'abandonne complètement aux décisions et à la conception du chef. Sans doute a-t-il eu raison puisque à la parution du disque, tant ici qu'à l'étranger, les critiques se donnent la main pour louanger ce Mozart. Claude Gingras communique son enthousiasme :

> On ne compte plus les enregistrements des Concertos pour piano des Symphonies de Mozart. Le disque [...] risque de passer inaperçu et de se ramener à une autre goutte tombant dans cet océan qu'est la discographie mozartienne, tout au plus à un méritoire et éphémère « produit local ». Pourquoi ? Parce que rien sur le disque n'indique que ces versions du K.488 et de la *Jupiter* diffèrent sensiblement de celles qu'on trouve actuellement à la douzaine. [...] La différence que proposent chef et pianiste est principalement d'ordre textuel et concerne d'abord le K.488. Dans les passages où elles conversent avec le piano, les cordes sont réduites au minimum, soit un instrument par partie. Le procédé confère à ces passages une exquise qualité de musique de chambre. [...] Un autre élément modifie, sinon le texte, tout au moins la physionomie des deux œuvres : c'est l'extrême lenteur avec laquelle sont pris les deux mouvements lents. Le K.488 ne pose pas de réel problème puisque son mouvement lent est indiqué « Andante » dans certaines éditions et « Adagio » dans d'autres. Lefèvre choisit de le faire « Adagio molto » et nous convainc à chaque instant grâce à l'expression immense et plaintive dont il remplit le morceau. Plus discutable à première vue, le tempo tout aussi lent adopté par Rivest pour l'« Andante cantabile » de la *Jupiter* produit le même effet irrésistible. D'autres seraient vite tombés dans le piège du maniérisme. Que le mot ne vienne jamais à l'esprit en écoutant ici Rivest ou Lefèvre, c'est assez dire l'art extrêmement subtil avec lequel ils ont osé aller un peu plus loin que Mozart lui-même.

> On croit rêver...

Dans le magazine américain *Fanfare*, le critique McClain commente :

Lefèvre est un pianiste doué et sensible, Rivest est un chef d'orchestre sensible et équilibré. Leur Mozart est dépourvu de distractions. Il change, danse, scintille entre leurs mains. Le mouvement lent est d'un lyrisme envoûtant. L'un après l'autre, les tempos sont judicieux, le son est limpide et clair [...].

Alors que novembre 1999 tire à sa fin, c'est le départ pour l'Europe, plus précisément l'Allemagne, où Alain tourne avec l'*Empereur* de Beethoven. Puis, en décembre, les Lefèvre sont à nouveau accueillis à Athènes par le puissant Christos Lambrakis. C'est dans la splendide salle Dimitri Mitropoulos du Mega ron qu'Alain va enregistrer ses transcriptions d'opéra de Wagner pour deux mains, avec son ami Daniel Vachon qui l'accompagne dans la ville du Parthénon. Lefèvre aborde ces partitions de Liszt comme un chef d'orchestre, en fait, avec la sensibilité d'un dramaturge qui dirigerait à travers ses doigts les voix des chanteurs et les éclairages prisonniers des harmonies de Wagner/Liszt. Il arrive à établir un climat mystique et quasi sacré qui transforme ces musiques en acte de foi.

Lorsque s'enclenche le nouveau millénaire, Alain Lefèvre a trente-sept ans. Il pratique le piano depuis trente-deux ans et il est toujours amoureux de sa femme depuis bientôt dix-neuf ans. Il a aussi réussi par des concours de circonstances à devenir une personnalité publique qui en fait un incontournable des médias. Ces apparitions ponctuelles et régulières ont accumulé un capital d'amour d'un public qui l'adore avant que de l'avoir entendu et qui vont l'imposer à son milieu naturel qui, dans les années qui viennent, n'aura d'autre choix que d'obéir à ce public qui le porte dans son cœur. Mais, n'anticipons pas trop.

Après son traditionnel récital au Pavillon des arts de Sainte-Adèle, le 12 février 2000, où il présente ses transcriptions de Liszt/Bach/Wagner, Alain est invité à participer à un événement-spectacle où, malgré lui, il se retrouve en position de force. Il lui a fallu remettre en chantier ce petit Everest pianistique qu'est le Corigliano pour un événement qu'on pourrait percevoir comme une manifestation de justice immanente.

La Ville de Québec a depuis plus d'un demi-siècle son Carnaval pour attirer le tourisme d'hiver et arracher à leurs maisons les Québécois ensevelis sous la neige. Montréal qui cherchait depuis longtemps un événement rassembleur prend prétexte du nouveau millénaire qui s'annonce et lance *Montréal en Lumière*. Pour clôturer de façon spectaculaire cette première édition, les organisateurs ont associé l'Orchestre symphonique de Montréal et son chef, Charles Dutoit, à un hommage à François Girard. Moins de deux ans auparavant, il a connu un succès planétaire avec son film *Le Violon rouge*, dont la musique a remporté l'Oscar de la meilleure musique originale en 1999. Or, cette musique est signée John Corigliano qui pour l'occasion accepte de revenir à Montréal. (Il était venu entendre Alain en 1998 quand l'OM avait donné le concerto avec Rescigno.) François Girard a aussi assuré les organisateurs de sa présence. La trame sonore du *Violon rouge* ne peut occuper tout un concert. Corigliano a composé un *concerto pour piano*, et qui le joue partout à travers le monde ? Alain Lefèvre. Voilà une conjoncture incroyable qu'on ne voit que dans les films, et dans le cas qui nous occupe, dans *Le Violon rouge*. Voilà que Dutoit, qui a engagé une seule fois en douze ans le pianiste, se voit suggérer le nom de son soliste par la force des choses. Alain qui interprète le concerto depuis six ans, connaît très bien le compositeur qui s'était déplacé deux ans auparavant pour entendre son œuvre avec « l'autre orchestre ». Alain se retrouve donc au théâtre du Centre Molson. Dutoit, lui, n'a jamais dirigé l'œuvre car six ans plus tôt, il l'avait confiée à un chef invité. Le célèbre Helvète se retrouve dans la position de devoir se fier et peut-être même de se référer à son soliste qui, le plus élégamment du monde, lui détaille la partition et le prévient des pièges qu'il a appris à déjouer, depuis le temps qu'il la joue, ailleurs. La retransmission télévisée de l'événement vaut le détour. Nous avons droit au Dutoit des grands soirs, quand il n'avait d'autre choix que de se dépasser. Et il faut le dire, la prestation nous arrache de nos sièges tant la tension et l'électricité sont palpables. Modestement, nous assistons au triomphe d'Alain Lefèvre dans sa propre ville. Jubilatoire et gratifiant. Cette volte-face, imposée peut-être, mais qui se termine en victoire, en triomphe personnel certainement, n'a pu qu'être vécue secrètement comme une revanche pour toutes ces années de vaches maigres qui viennent de trouver ce soir-là des pâturages verdoyants. Le 4 mars 2000 augure bien de l'avenir et, ni Alain ni personne ne peuvent le prévoir, mais voilà que la vie va se charger de remettre les pendules à l'heure. Deux comptes rendus nous font revivre la soirée. D'abord celui du quotidien *La Presse*, du dimanche 5 mars 2000, avec Claude Gingras :

LE PIANO DE LEFÈVRE ÉCLIPSE LE VIOLON ROUGE

Le « Théâtre » du Centre Molson, cette configuration de 3000 places aménagée au sein du vaste lieu qui en contient 21 000, était presque rempli hier soir pour l'événement multimédia monté autour du film *Le Violon rouge*, du cinéaste québécois François Girard. [...] La musique du film de François Girard est de l'Américain John Corigliano et l'heure qu'elle monopolisait en deuxième partie était assez logiquement précédée d'autre musique du même compositeur. L'osm et son chef Charles Dutoit étant engagés dans l'affaire, le choix s'imposait de lui-même : on entendrait d'abord le brillant et substantiel Concerto pour piano. Le choix du soliste s'imposait aussi : le Montréalais Alain Lefèvre. Plusieurs raisons à cela. C'est

Lefèvre qui a « ressuscité » en 1994 le concerto oublié depuis sa création en 1968. [...] Une autre raison encore, celle-ci la plus évidente. Il est difficile d'imaginer interprète plus convaincu et plus convaincant de cette énorme machine pianistique de 34 minutes qui occupe le soliste presque sans répit. Les immenses images du pianiste — du chef aussi — projetées sur écran géant montraient un Lefèvre absolument déchaîné (il s'est même cassé un ongle dans le feu de l'action) et, tout à coup, calme et pensif. Corigliano était présent, de même que François Girard.

Puis le quotidien *Le Devoir,* dans son édition du 6 mars 2000, publie la critique de François Tousignant :

Pour sa première fin, le festival Montréal en lumière avait convié les mélomanes à un événement de type OSM branché. Dutoit, adorateur de ce genre de manière de tenter de réinventer le concert — et aussi président d'honneur dudit festival — ne pouvait rater de programmer quelque chose de piquant à la curiosité [...] C'est qu'on était déjà habité par la première moitié du concert : le *Concerto pour piano* de Corigliano était à l'honneur. La partition est athlétique et musicalement prenante. Ainsi interprétée, impossible de résister au rythme et à l'énergie débridée qui l'animent. Défendu par un Alain Lefèvre qui s'engage « à fond la caisse » et un OSM qui se défonce, tout l'aspect auditif de la soirée fut un succès dont le frisson intense n'a d'égal qu'un numéro de trapèze de haute voltige exécuté sans filet. Il y a plus ! Sur le fond de la scène, un écran géant sert de support à des gros plans du pianiste ou du chef. Des contre-plongées sur les mains qui transforment accords en *clusters* ; des images de doigts qui virevoltent à qui mieux mieux, déchaînant une puissance inouïe ; des zooms sur des instrumentistes ; des gros plans de Dutoit qui dessine ou bat l'air pour faire avancer la musique. [...] Tout l'auditoire devient complice de l'étonnante et spectaculaire force de la virtuosité. Les interprètes étaient épuisés à la fin. L'amphithéâtre avait le souffle coupé.

Cinq jours plus tard, Lefèvre reprend une fois de plus ce tour de force insensé qu'est le *Concerto* de Corigliano, cette fois avec le sensationnel Detroit Symphony Orchestra et un chef qui met le feu à la partition : Yan-Pascal Tortelier. Lefèvre a parfaitement fait sienne cette partition qu'il rend aussi évidente qu'un concerto de Mozart. L'enregistrement de la retransmission radiophonique qui nous est parvenue est totalement électrisant. Voici ce qu'en dit le critique musical Lawrence B. Johnson.

> Il ne faut pas négliger non plus une collaboration tonifiante avec le pianiste Alain Lefèvre pour le *Concerto pour piano* de John Corigliano, nettement chic et énergique. Avec une franchise saisissante, Lefèvre a canalisé la puissance déchaînée de l'œuvre et la profusion de ses notes, et le sage soutien de Tortelier a saisi les saccades de la musique tout en reflétant le délire de ses couleurs.

Triompher, avoir non seulement l'impression mais la sensation que pendant dix secondes, deux peut-être, l'univers se résume au mètre carré de bois blond sur lequel vos pieds sont posés pour recevoir ce raz-de-marée d'émotions, décuplées par cet état de vulnérabilité extrême qui se glisse entre la dernière note et les premiers applaudissements. Montréal et Détroit ont pris la mesure d'Alain Lefèvre.

Un mois auparavant, Lefèvre a été désigné porte-parole de la Semaine québécoise des arts et de la culture à l'école. Pierre Maisonneuve le reçoit à la télévision de Radio-Canada, l'interroge et l'invite à faire le point sur la musique classique et la jeunesse. Est-ce la tournée dans les écoles qui l'amène à Saint-Hyacinthe, Trois-Rivières, Chicoutimi et Hull qui lui a donné l'énergie de franchir une autre étape et de triompher dans « son » concerto avec l'osm et Dutoit ?

Les visites de Lefèvre dans les écoles n'ont rien à voir avec l'ancienne formule qui voulait qu'un artiste vienne donner un récital entrecoupé de commentaires éducatifs. Tous les professeurs qui ont assisté depuis trente ans à ces rencontres vous le diront : Alain Lefèvre devient magicien et déverrouille, que ce soit au primaire ou au secondaire, les âmes de ces étudiants blasés qui pensent avec cette rencontre échapper à la routine scolaire et pratiquer l'art millénaire du cancre. Tout en exerçant une discipline héritée de sa famille, Lefèvre se présente et les remercie de l'accueillir. Pour briser la glace, il demande aux élèves d'essayer d'identifier les pays d'origine des différentes pièces à saveur plus ou moins folklorique qu'il leur présente. Quelques mains se lèvent et Alain obtient toujours beaucoup de bonnes réponses pour la Chine. Le but de l'opération n'est pas d'avoir raison mais d'amener tout le monde en dix minutes à vouloir parler. Nous passons de la Chine à un reel québécois puis vers un monde arabo-andalou. Évaluant à la vitesse de l'oiseau de proie l'électricité dans la salle, Alain peut aussi bien enchaîner avec la *Révolutionnaire* de Chopin, la *Cinquième symphonie* de Beethoven ou *La Danse des petits lapins*. Puis il glisse vers André Mathieu, raconte l'extraordinaire petit bonhomme qu'il était à leur âge. Il se lance dans le *Concerto de Québec* qui, leur dit-il, leur appartient à tous. Ensuite, il invite les jeunes à lui poser toutes les questions, personnelles, professionnelles : « Quel âge as-tu ? », « Est-ce que tu as des enfants ? » « Non, juste une grosse chatte. » Alain parle de sa famille et il leur offre *Petite mère*. « Comment tu fais pour jouer les yeux fermés ? », « Pourquoi t'as décidé d'être pianiste ? ». Et jamais, jamais Lefèvre ne répond de façon condescendante. Il prend les questions au sérieux, passe de l'un à l'autre. « Combien d'heures par jour tu travailles ? », « Pourquoi tu bouges avec tes cheveux quand tu joues ? » « Parce que quand tu joues deux cent soixante-dix mille notes par cœur, tu réalises que jouer du piano, c'est physique. » Et une fois les barrières tombées, Alain arrive à toucher les enfants. Il n'est pas venu vendre, il n'est pas venu se vendre, il est venu transmettre. « Il y a trois choses qui comptent dans la vie : le travail, la discipline, et il faut s'aimer. » Et au grand étonnement des enfants, il leur dit qu'il est venu les voir parce qu'il les aime. La frénésie qui s'est peu à peu installée déborde et Alain peut aussi bien enchaîner avec un boogie-woogie ou un *Prélude* de Rachmaninov, bref, tout ce qui peut amener ces jeunes à faire connaissance avec un univers qui ne leur avait jamais été proposé. La mission est accomplie. La proposition est faite. Ces jeunes ont connu autre chose et sont allés ailleurs. En étant un « gars ben ordinaire », la musique est passée.

Invité à Canal Vox, Alain y va d'une profession de foi :

> Les arts malheureusement ne sont pas assez présents. Mon travail sera de dire aux enfants que les arts, c'est une forme de résistance. Si on se rappelle d'un pays, d'une ville, d'une province, si on se rappelle d'un groupe d'humains, c'est probablement pas à cause de leurs politiciens ou de leurs sportifs, mais à cause de leurs artistes. La culture aujourd'hui ici reste le parent pauvre.

Aller dans les établissements scolaires, Lefèvre l'a déjà dit, c'est la meilleure école pour sentir un public, pour développer ce rapport qui relève plus de l'instinct de survie et de l'expérience que de la science. Comment intéresser quelqu'un, l'amener à réagir, le faire entrer dans un univers inconnu en créant des ponts et, quand ces derniers sont posés, les franchir avec l'étendard de l'amour ? En une heure, cette jeunesse est passée de l'indifférence à la curiosité, à l'engagement, à la participation et à l'émotion, qui lui a fait abaisser ses défenses. En fait, cet apostolat est une hygiène artistique qui ramène l'artiste au fondement de la communication et l'oblige à marcher sur le fil du rasoir qui pourrait s'émousser sous les succès accumulés. Lefèvre repart comme un voleur avec le souvenir des petites flammes qu'il a vues briller au fond des yeux des enfants.

Le 12 avril, avec l'Orchestre symphonique de la SWR de Stuttgart, il retrouve Carl St.Clair, son ami, une amitié maintenant vieille de dix ans. Les St.Clair viennent de faire l'expérience de la douleur la plus insoutenable : leur fils qui n'avait pas encore deux ans s'est noyé. Alain leur a réservé un hommage surprise : sur la dernière plage de *Lylatov,* dédiée à la mémoire du fils disparu, Alain a enregistré un message pour le couple St.Clair. Pour ce concert de Stuttgart, Alain s'aventure hors de son répertoire habituel avec *Graceful Ghost* de William Bolcom et ce *Cool Cole* qu'il a composé à la mémoire de l'enfant. La *Rhapsody in Blue* de Gershwin finit d'arracher les Stuttgartois à leurs fauteuils.

De retour à Montréal, le 8 mai, on lance *Lylatov* au Whisky Café. Ce disque est aussi le résultat du couple Lefèvre, puisque Jojo, qui a vécu la gestation de chacune des pièces, a trouvé les titres et écrit les textes du livret. Alain ne sait vraiment pas à quoi s'attendre. Marie-France Bazzo l'accueille à son émission *Indicatif Présent* le jour même. Quatre jours plus tard, c'est Paul Arcand qui l'interroge. *Lylatov*, contrairement à ce que le pianiste anticipait, est très bien reçu.

Richard Boisvert du quotidien *Le Soleil* de Québec, dans l'édition du 27 mai 2000, résume bien la réaction générale du milieu et de la critique :

> Avec *Lylatov*, Alain Lefèvre réussit à conjuguer démocratisation et probité, à trouver une sorte d'équilibre entre le populaire et le savant… *Lylatov* est en fait un recueil bien particulier. « C'est une façon de remercier les gens qui m'ont aidé à vivre. »

Guy Marceau du quotidien *La Presse* a rencontré Lefèvre au moment de la parution :

> Composer, c'est se mettre à nu. Ce sont mes émotions qui suscitent l'inspiration créatrice. Quand j'ai appris la mort de mon père, le vertige et le désespoir furent indescriptibles et j'ai senti papa passer

près de moi… Je me suis assis au piano et j'ai composé *Un ange passe*, que je lui ai d'ailleurs dédié.

Après la promotion de *Lylatov*, il part en juillet pour une tournée de récitals en Europe et en septembre, il entame une autre tournée qui l'amènera en Argentine et au Mexique. Dans ce même article, il est aussi question d'enregistrer les premiers volets d'une intégrale des sonates de Schubert étalée sur cinq ans.

Malgré la disparition de Pierre Péladeau, le Pavillon des arts de Sainte-Adèle continue bon an mal an d'accueillir Alain Lefèvre. Le 3 juin, c'est à nouveau Guy A. Lepage qui anime cette soirée où le pianiste présente *Lylatov* en hommage à leur amitié sans laquelle ce disque n'aurait pas vu le jour.

Le 11 août, Jean-Jacques Sheytoyan réalise une captation pour TV5 du récital qu'Alain présente au Domaine Forget de Saint-Irénée, dans le programme de transcriptions de Liszt qu'il continue d'explorer. On le retrouve ensuite au Mexique, invité du 28e Festival international de Cervantino. Il donne un récital le 12 novembre à Guanajuato où, parmi les autres têtes d'affiche, on retrouve les noms d'Hélène Grimaud, de Cyprien Katsaris et de Marc-André Hamelin.

Lefèvre fait ensuite le 14 novembre ses débuts au Studio Glenn-Gould de la maison de Radio-Canada à Toronto. Il offre peut-être un des plus beaux récitals de sa vie, se jetant à corps perdu dans cette musique qu'il adore, avec son cher Wagner et le grand Bach à travers les métamorphoses lisztiennes. Lefèvre, qui déclare depuis toujours que s'il y a une minute d'inspirée dans un récital, c'est une soirée bénie, se maintient ce soir-là en état de grâce du début à la fin.

Pour couronner l'année 2000, une rencontre importante, la première, avec le jeune chef Yannick Nézet-Séguin nommé à la direction artistique de l'Orchestre Métropolitain. Pour cette première collaboration, le jeune maestro a invité Lefèvre à donner le concerto de Tchaïkovsky dans lequel il a triomphé au festival Wolf Trap huit ans auparavant.

Au lendemain de l'événement, l'expression «ils n'ont pas assisté au même concert» est littéralement justifiée. L'impression en lisant les comptes rendus que les critiques auraient assisté à deux concerts, dans deux salles et deux soirs différents pour une fois est tout à fait réelle. Étant donné la popularité des œuvres au programme, le concert a été donné deux fois: d'abord le 30 novembre à la salle Claude-Champagne, et quelques jours plus tard, le 4 décembre, à la salle du Théâtre Maisonneuve de la Place des Arts.

Dans son compte rendu de l'édition du 4 décembre 2000 du quotidien *Le Devoir*, François Tousignant nous offre son point de vue:

> La seconde moitié du programme fut complètement différente. Ici, l'OM connaît presque par cœur ce répertoire et le chef aussi. Dans le *premier concerto* de Tchaïkovsky, cela fit presque des miracles. Au piano, Alain Lefèvre fait sonner son Yamaha comme jamais je n'ai entendu ce genre de piano résonner. Sa sonorité est à la fois généreuse et ample, sans jamais claquer, comme douce et raffinée, en évitant perpétuellement l'écueil si fréquent du détimbrement des notes douces. Bien sûr, il fait un peu de spectacle et d'épate; cela fait partie de la représentation si propice à ce concerto. Il y a aussi quelques accrocs; mineurs, mais assez curieux pour qu'on les note en se demandant si c'est par manque de concentration ou par complaisance (malgré son côté explosif, c'est quand même une pièce que les pianistes se jouent dès un âge tendre)... Rien de cela ne l'a empêché de faire de la vraie musique cependant.

Claude Gingras, lui, assiste au concert du 4 décembre, à Maisonneuve:

> Alain Lefèvre a joué son Tchaïkovsky avec un déploiement de virtuosité que je dirais excessif. Il jouait dur et frappait souvent les

mauvaises notes. Devant les moments d'accalmie, il exagérait dans l'autre sens et tombait dans la caricature. Rien de surprenant qu'au final, à deux endroits, lui et le chef aient pris des chemins différents.

Jusqu'à la spectaculaire rencontre du *Concerto en Fa* de Gershwin au Festival International de Lanaudière en juillet 2009, ce concert Tchaïkovsky sera la seule collaboration entre Yannick Nézet-Séguin et Alain Lefèvre.

Le nouveau millénaire s'ouvre avec la présentation de *Lylatov* dans le cadre intimiste de la Cinquième Salle de la Place des Arts pour le Festival *Montréal en Lumière*. Affichant salle comble le 21 février, on doit ajouter une représentation supplémentaire le 23. Manon Guilbert, dans l'édition du 27 janvier du *Journal de Montréal* annonçant les 2 concerts, raconte sa rencontre avec Alain. Le pianiste-compositeur lui fait une de ses déclarations qui le rendent cher au public :

> « Le classique, et ce n'est pas une critique de la forme, spécifie-t-il, c'est une messe extrêmement sérieuse. On ne se donne pas beaucoup de chances pour les interactions avec le public. C'est comme ça. Chacune des différentes pièces composant le programme sera expliquée, commentée dans des présentations qui évoqueront des histoires qui m'ont impressionné et troublé… J'arrive dans cet univers et je fais des choses que je n'ai jamais faites… Pour moi, c'est le début d'une autre vie. »

Et peu après, Alain Lefèvre, qui a élevé la maîtrise de l'interview et des rencontres au niveau d'un des beaux-arts, conclut audacieusement sa rencontre avec Serge Camirand de l'hebdomadaire *VOIR* :

> À la fameuse question de l'île déserte, Lefèvre répond qu'il mettrait deux monuments dans ses bagages : l'opéra *Parsifal* de Wagner et

l'œuvre complète de Goethe. « Mon rêve, pouvoir lire tout ce que Goethe a écrit ! clame le pianiste. La belle vie, quoi. »

D'ailleurs, dans l'édition du 24 mars 2001 du *Journal de Montréal*, Lefèvre suggère à son ami Guy A. Lepage de lire les *Affinités électives…* de Goethe.

En 2001, il y a dix ans qu'Alain Lefèvre a compris avant tous les artisans de son milieu que le monde de la musique classique allait subir de profondes mutations. Signe et symbole de ce nouvel état de choses, c'est en 1998 que la multinationale Decca interrompt son contrat avec l'Orchestre symphonique de Montréal et son chef, Charles Dutoit. En fait, ce divorce n'est que la pointe de l'iceberg annonçant l'effritement du rapport Arts et Pouvoir, l'abandon de la Culture en général et le signal de larguer tout contenu exigeant une attention soutenue par les réseaux de télévision et de radio publiques. Cette rupture du contrat Decca/OSM scelle la fin du contrat social du dernier demi-siècle. Ce virage qu'on lui impose, Alain le prend d'abord par nécessité, puis, les réseaux l'amenant à développer des complicités et des amitiés extraordinaires, il accélère dans les virages et rejoint la voie royale des célébrités qu'on interviewe et dont on sollicite l'opinion. Cette pléthore d'interventions lui fait rejoindre cette constellation d'étoiles et de vedettes qui constituent la voûte céleste de l'actualité et de la conscience collective. Et Lefèvre, en partageant les étapes de sa vie, s'attache le cœur du public qui se reconnaît dans ce lion à la fois prudent et flamboyant.

Dans son édition du 14 mai, le quotidien *La Presse* lui offre la reconnaissance et la consécration de l'unicité de son statut dans ce milieu dont il est devenu le seul visage identifiable. Si le piano, et plus encore la musique classique, ont maintenant un étendard distinctif, c'est le visage d'Alain Lefèvre. Même si Charles Dutoit reste bien sûr le symbole naturel et la vitrine incontestée de la grande musique. Nathalie Petrowski titre sa rencontre avec Alain Lefèvre : « L'insoumis du piano ».

Le regard de Petrowski est intéressant. Il va aiguiller l'attention et aider à définir plus précisément le profil d'Alain Lefèvre. La journaliste raconte les circonstances de la rencontre où elle voit un homme en jeans, « lunettes jaunes à la Elton John », qui fume comme un pompier. D'entrée de jeu, elle avoue qu'elle ne l'a jamais entendu jouer. Phrase-clé : « J'ai aimé l'Alain Lefèvre avant d'aimer sa musique ou son jeu passionné et fiévreux au piano ». Elle épice son portrait en faisant apparaître différents personnages que Lefèvre imite à la perfection, dont Mamoud, son alter ego beur ou le gérant du Château du sexe. En deux coups de cuillère à pot, Petrowski résume l'attitude « bio » bien avant que ce soit à la mode de sa famille : « "Les bonbons étaient considérés comme une drogue dure et donc interdits aux enfants." Ces détails anecdotiques disent tous la même chose : Alain Lefèvre est un cas. Un vrai. »

Et décidément lucide, Petrowski comprend le mécanisme vital qui le meut et l'anime : « Ce qui distingue certains humains des autres, c'est la capacité à réinventer leur vie en dépit des circonstances atténuantes et parfois même exténuantes […]. » Pour le reste, si vous avez lu le présent ouvrage jusqu'ici, vous ne trouverez pas d'informations qui ne vous soient déjà familières.

Pour son premier grand papier sur Alain Lefèvre, Petrowski conclut : « Je l'aime pour son côté rebelle, insoumis, impulsif et casse-cou. Je l'aime d'autant plus qu'il joue divinement du piano. Je le sais, je l'ai enfin entendu. »

À ce moment de sa vie, force nous est de constater qu'Alain Lefèvre se retrouve dans une position où sa carrière laisse son public en déficit de manifestations. S'il est invité pour la deuxième fois au Festival d'été de Québec pour jouer un concerto qui lui appartient — le deuxième Concerto de Rachmaninov, auquel il apporte une dignité dont les interprétations standard le privent —, et même si Dutoit lui manifeste, en lui offrant un concert dans le cadre du Festival Mozart Plus, sa reconnaissance pour le triomphe qu'Alain lui a permis de remporter l'année précédente, il reste que, même ayant joué dans des centaines de villes et des dizaines de pays, Alain Lefèvre reste peu entendu chez lui. Ou alors pas nécessairement là où ça compte vraiment. Et quand enfin on le retrouve, comme le 11 juillet à la basilique Notre-Dame, dans le troisième Concerto de Prokofiev, et avec un chef qui deviendra un allié et un ami, avec lequel il enregistrera même son premier disque avec l'osm, Matthias Bamert, c'est pour lire le lendemain un autre article qui tue :

> Alain Lefèvre est le soliste du troisième Concerto pour piano de Prokofiev. Sans gravité […] ces quelques légers désaccords avec le chef, d'ailleurs vite réglés. Plus regrettable, à mon sens, est cette approche presque continuellement brutale, voire sauvage : un pianiste déchaîné, s'épongeant le front, un piano-percussion écrasant tout ce qu'il peut y avoir là de musique.

Et c'est signé bien sûr, Claude Gingras, dans l'édition du 12 juillet du quotidien *La Presse.*

Quelques jours plus tard au Domaine Forget de Saint-Irénée, Jean-Jacques Sheytoyan signe la mise en lumière d'une émission télé pour TV5 d'un récital présentant *Lylatov* avec un avant-goût des pièces qu'on retrouvera dans son nouvel album de compositions, *Carnet de Notes.*

Puis, pour la terre entière, il y aura le 11 septembre 2001 et Alain sera invité au rassemblement organisé pour soutenir et canaliser le trop-plein d'émotions contradictoires provoquées par ce premier véritable viol de l'Amérique. Le metteur en scène

Pierre Boileau rappelle dans le programme que « nous avions préparé un spectacle pour LES SAISONS DU QUÉBEC À NEW YORK. Les tours sont tombées et ont laissé la scène de notre spectacle d'ouverture en lambeaux... Ce soir nous réglons notre pas au vôtre pour exprimer notre peine, notre volonté d'habiter un monde où paix, tolérance et... amour ont préséance au reste... » Alain Lefèvre est le seul artiste classique invité à participer à *Québec New York — un show pour la vie —* au centre Molson le 28 septembre 2001.

Mais quelques jours auparavant, le *Journal de Montréal* a publié une nouvelle qui va changer le cours de la vie d'Alain Lefèvre. En page 53 du cahier week-end, appuyé par une photo de son fondateur et directeur, François Mario Labbé, on peut lire en grands caractères :

ALAIN LEFÈVRE CHOISIT L'ÉTIQUETTE ANALEKTA
« Ça fait longtemps que j'en parle avec François Mario, de dire Alain Lefèvre. Analekta et une compagnie extrêmement visible partout sur la planète ; elle est distribuée partout. Pour moi, cette entente est un pas en avant dans ma carrière. [...] Analekta est une maison sérieuse. Ce n'est pas parce que c'est une étiquette québécoise que j'ai signé cette entente. Mais ce fut un incitatif de taille », de conclure Alain Lefèvre.

Au moment où il signe avec Analekta, ses deux derniers disques (*Cadenza* et le *Concerto* de Mozart) ont été enregistrés et distribués par la Société Radio-Canada, soit sous l'étiquette CBC/Radio-Canada ou son volet francophone des productions musicales, l'étiquette Riche Lieu. Lefèvre croise le chemin de Labbé sur le plateau d'une émission de variétés, et Labbé lui suggère de manger ensemble.

Je déjeune avec François Mario Labbé et j'ai un coup de foudre pour l'homme. Nous décidons de travailler ensemble. Je ne savais pas à quel point le coup de foudre allait être important. Labbé est le premier et le seul à m'avoir traité avec autant de respect.

Pour leur premier projet, Lefèvre va puiser dans un répertoire qu'il possède depuis des décennies, les *Tableaux d'une Exposition* de Moussorgski et les *Moments musicaux* de Rachmaninov. C'est Anne-Marie Marquart, une amie de ses parents qui le connaît depuis sa petite enfance, qui lui a parlé de ce troisième *Moment musical*. Elle lui apprend que c'est une des pièces qu'elle aime le plus au monde. Alain se précipite pour lire la pièce et découvre qu'en effet, c'est fantastique.

> Le premier est génial, le deuxième colossal, le quatrième est une pièce de résistance et le cinquième a ses grandes beautés avec ses quintes et le sixième, *well that we wish it wouldn't exist*! Et quand j'ai enregistré le sixième *Moment* où il y a 374 milliards de notes, oui, toutes les notes ont été travaillées et je peux montrer la partition et indiquer les choix que j'ai faits pour faire ressortir tel ou tel passage. Et je me dis qu'un jour, on comprendra ce que j'ai voulu faire. Je ne dis pas que j'ai raison, mais au moins, c'est un choix honnête.

Pour compléter le programme de cette première collaboration avec Analekta, Alain ressort une œuvre qu'il porte en lui, et à laquelle il sait pouvoir apporter un point de vue original, *Tableaux d'une Exposition,* de Moussorgski. Une des réactions possibles à cette visite n'a pas tant à voir avec l'accrochage des toiles elles-mêmes qu'avec le rythme de la visite qui se manifeste à travers les *Promenades*, ce thème qui nous amène d'un tableau à l'autre et emprunte ici une lenteur qui a pu étonner. Lefèvre part du principe que lorsque Moussorgski a visité la rétrospective des œuvres de son ami le peintre Victor Hartmann, décédé un an auparavant, il n'a pas couru d'un tableau à l'autre, mais a profité de ses déplacements pour assimiler et se préparer à la prochaine émotion. « J'imagine que je dois tenir du côté de ma mère, j'ai quelque chose d'un peu lourd et d'un peu plus flamand. Mais je le répète, pour moi, l'important, c'est d'entendre toutes les notes. »

Lefèvre entend encore Sancan, ce maître à jouer et à penser, lui dire : « Essaie de jouer ça plus lentement ! » Et Lefèvre, paradoxalement, se rend compte que jouer vite n'est pas si difficile que ça. Il est plus difficile de jouer plus lentement. Cette réflexion de Sancan, Lefèvre ne l'a pas oubliée.

> Dans la recherche d'une profondeur, il y a une accumulation d'erreurs et l'erreur n'est pas aussi grave que l'on pense parce que s'il y a erreur, au moins il y a une réflexion, une pensée. Je suis quelqu'un qui a pris le temps de vivre les étapes, avec ce que je suis, avec mes erreurs. Je suis humain mais je savais où je voulais aller. Dans sa vie, un artiste passe par différentes périodes. L'artiste qui se respecte fait des expériences, c'est son devoir, il expérimente. On ne peut pas refaire éternellement les mêmes choses, comme on ne pourra pas rejouer éternellement les mêmes œuvres.

Labbé le conduit à Saint Irénée, au Domaine Forget, et en deux jours, les 24 et 25 octobre 2001, Carl Talbot, qui restera le réalisateur exclusif de tous les CD d'Alain Lefèvre, enregistre le programme.

> François Mario Labbé n'a jamais eu peur de me dire « c'est superbe ce que tu fais ». Et ça, c'est extraordinaire. Je pense qu'il ne sait toujours pas ce qu'il a déclenché en moi, que la reconnaissance que j'ai pour lui est éternelle.

Dans le magazine français *Classica*, édition juin 2002, le chroniqueur Maxim Lawrence est lisiblement conquis :

> Il est rare d'entendre dans ce répertoire aujourd'hui si répandu une personnalité nouvelle qui s'affirme en dehors des modes et des artifices de la scène internationale. Le pianiste canadien Alain

Lefèvre révèle une forte personnalité dès les premières mesures des *Moments musicaux*. Il faut avouer que la prise de son à la fois analytique et chaleureuse met parfaitement en valeur la maîtrise de la ligne polyphonique. Il y a également un goût pour un son ample et particulièrement étudié; le *Troisième Moment musical*, par exemple, est révélateur d'une respiration qui laisse le flux mélodique s'épancher sans accélération, et dans l'opus suivant, la main gauche définit parfaitement les courbes de l'accompagnement trop souvent brouillonnes. Alain Lefèvre domine visiblement tous les pièges techniques et il prend plaisir à aller «au fond du clavier» chercher la résonance idéale. Les *Tableaux d'une Exposition* s'inscrivent également dans cette logique. Sans précipitation, respirant chaque phrasé, le pianiste caractérise les divers climats. Sa perception est linéaire, c'est-à-dire qu'il passe d'un tableau à l'autre sans rupture nette avec une sonorité déliée et habitée, questionnant, interrompant, décortiquant... Un récital qui, espérons-le, ne passera pas inaperçu car on y découvre une vraie personnalité musicale.

Une des personnalités les plus marquantes de notre paysage médiatique est sans contredit Denise Bombardier. Madame B, comme on l'appelle affectueusement, est une des plus redoutables intervieweuses de la profession et son scepticisme pourrait décourager bien des novices d'embrasser le sacerdoce. Bombardier accordera à Alain Lefèvre un vote de confiance sans équivoque, lui commandant deux pièces pour piano solo pour accompagner, chacune, un documentaire: *Vivre sans homme: la solitude* et *L'homme en désarroi*. Le résultat, deux des pièces les plus achevées d'Alain Lefèvre, *Songe à Charlevoix* et *La Solitude,* qu'on retrouve sur son deuxième album, *Carnet de notes*. La célèbre animatrice, comme nous l'avons vu, l'invite également sur le plateau de son émission *Parlez-moi des hommes, parlez-moi des femmes* et, pendant toute la durée de l'interview, semble fascinée et quasi incrédule devant la ferveur de l'amour qu'Alain porte à Jojo. C'est que Lefèvre ne s'est jamais confié à fond avec autant de simplicité et d'humour.

Après un deuxième concerto de Rachmaninov avec le Windsor Symphony Orchestra, les Lefèvre partent pour l'Amérique centrale ; Guatemala, San Salvador et Argentine pour enfin boucler leur année le 13 décembre 2001 avec l'Orchestre symphonique de Wuppertal, avec le *Concerto en la majeur* de Mozart. Le critique musical du *Westdeutsche Zeitung,* dans son édition du 13 décembre 2001, termine l'année en beauté :

> Alain Lefèvre […] a été le moment culminant de la soirée et le plus applaudi […]. Il a dessiné les thèmes principaux avec verve et esprit en tirant du piano une sonorité riche […]. Il a joué la délicate et mélancolique sicilienne du deuxième mouvement avec un recueillement intérieur inimitable.

Alain devra même donner deux rappels, l'étude *Révolutionnaire* et une des *valses* de Chopin : « il a exécuté les œuvres nonchalamment comme si elles étaient de faciles exercices qui pétillaient de virtuosité. »

Le regard du père,
idéaliste, pour qui la
musique est un phare,
un havre, une rédemption.
André Lefèvre (1930-1994).

Thérèse Hochart-Lefèvre
(1936 2005), celle par laquelle
tout devient possible pour cette
famille qui fait de la musique
un mode de vie, à tout prix.
Avenue de la Concorde,
à Poitiers.

Alain devant la Buick
Wildcat, rue Jogue
à Ville-Émard.

Le « petit Français », bien
habillé, qui sent l'ail
et la lavande, parle pointu
et joue du piano.

À l'époque de sœur Marie-Thérèse Guay, son premier professeur.

Adolescent, élève de sœur Sainte-Berthe…

... Sœur Berthe (1915-1997), pour les intimes, née Antoinette Massicotte...
« Tu seras le pianiste du Seigneur. »

Prélude à la gloire,
Aline Desjardins le reçoit
à *Femme d'aujourd'hui*,
à neuf ans, pour le prix
Heintzman.

PROGRAMME

1re PARTIE:

David au Violon   - Menuet de J.S. Bach
Alain au Piano   - Bourré de G. Ph. Télémann

                   - Impromptu en La bémol
                     Opus 94 de F. Schubert
Alain au Piano   - Sonate en Do mineur de
                     D. Cimarosa

Gilles au Violon   - Rhapsodie no. 1 de
Laure Lalonde au   Béla Bartok
Piano

                   - Fantaisie, Sarabande et Gigue
                     de la partition no. 3 en La
Philippe au Piano   mineur de J.S. Bach
                   - Etude no. 4 opus 10 en Do
                     dièse mineur de F. Chopin

André à la   - Variations sur un air du pays
Clarinette   d'Ac de L. Cahuzac

I N T E R M I S S I O N

2e PARTIE:

David au Violon   - Concertino Opus 35 de
Alain au Piano   O. Rieding-Létourneau

André à la Clarinette - Variations sur le Carnaval
Philippe au Piano   de Venise de P. Jeanjean

Alain au Piano   - Rondo Capriccioso Opus 14
                         de F. Mendelssohn

Gilles au Violon   - Troisième mouvement, finale
Laure Lalonde au   du Concerto en Ré majeur
Piano   Opus 35 de P. Tchaïkovsky

Philippe au Piano   - Valse de Méphisto de
                         F. Liszt

Bonne soirée à tous !

Récital typique de la
famille Lefèvre : André,
le père clarinettiste, et ses
quatre fils musiciens.

Répétition au 5125, avenue Notre-Dame-de-Grâce.

André et Alain, dans leur loge avant le récital.

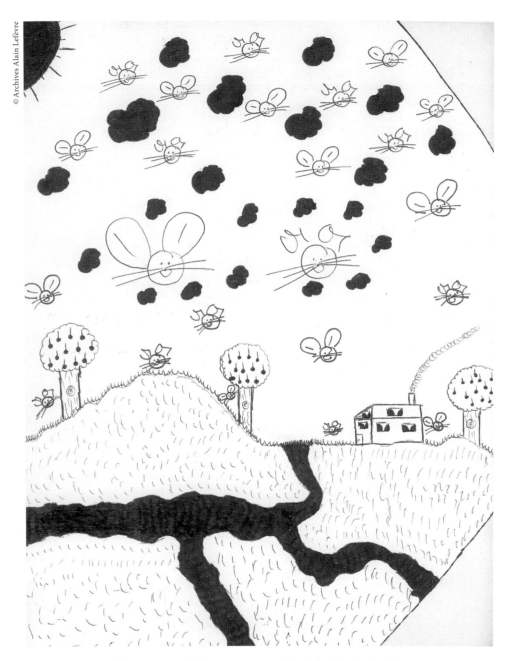

Arrivé à Paris, Alain est un adolescent encore à la frontière de l'enfance
qui apprivoise ses partitions avec ses dessins surprenants… Méthode d'apprentissage
originale et rassurante, pour un tempérament angoissé…

SONATE
Op. 57

Dem Grafen Franz von Brunswick gewidmet

Allegro assai

23.

1) Die Pedalzeichen sind vom Komponisten. 2) Triller von unten, in dessen Nachschlag eine Vorausnahme (r²) eingeschaltet wird:
Kürzeste Ausführung etwa: 3) In der Handschrift und Original-Ausgabe (Bureau des arts, Wien) Triller ohne jeden Zusatz; hier dürfte g² als kurzer Vorschlag hinzutreten. 4) Nur die originale Verteilung der Brechung entspricht dem Sinn.

Copyright 1947 by Universal Edition Wien   UE 13846

À Balazuc en 1981. *Le Grand Meaulnes* et *L'Éducation sentimentale* ne sont pas loin.

Le jeune pianiste en majesté.

Pierre Sancan (1916-2008), le passeur de « trucs », le professeur à idées, le Maître.

Ginette Lévy (1925-) et Kito Barouch (1915-2003). La deuxième mère ou l'intelligence du cœur et la culture en partage et le deuxième père et l'amour inconditionnel du sage.

Parce que c'était elle, parce que c'était lui...

SALLE GAVEAU

45, rue La Boétie 75008 Paris

9 **MARDI MARS**

1982   18 h

1 Heure avec...

J. S. BACH

et

CHRISTIAN

FERRAS

Piano : ALAIN LEFEVRE

Bureau de Concerts
Marcel de Valmalète   11, av. Delcassé
Paris 8 - 563.28.38

Prix des places : 40 F
Etudiants, JMF, Cartes Vermeil : 20 F
Location à la Salle : 563.20.30 tous les jours de 11 à 18 h
le samedi de 11 à 16 h

Le retour de Ferras, l'entrée dans la carrière au sommet pour Alain.

La poursuite d'un idéal, que ce soit en danse classique avec les Grands Ballets canadiens ou au piano : une même discipline.

Alain Lefèvre et Blanche Martineau (1931-   ) ou le cœur au bout des doigts.

Louis Martineau (1929-2010) le père dévoué et bien-aimé, avec son unique fille.

Église Saint-Léon de Westmount le 17 septembre 1983.
Pour le meilleur et pour le pire… jusqu'à ce que la mort nous sépare…

André et Thérèse aux noces de leur fils et de Johanne Martineau.
À remarquer, les mains du couple et la main du père qui redresse la boucle d'Alain.

17 septembre 1984, les grands débuts à Montréal avec le McGill Chamber Orchestra. Le couple célèbre ses noces de papier avec Lotte Brott (1922-1998).

Supporter dès la première heure, pivot essentiel, appui indéfectible : Pierre Péladeau (1925-1997).

Un poète, Gustave Labbé (1918-   ), et sa femme Marie Bernard (1920-2011) ont été la générosité même pour les Lefèvre durant les années charnières.

Peu doué pour le siffler, c'est à l'écrivaine Chrystine Brouillet qu'Alain confiera l'accompagnement de son hommage à la « Fafoune », dont voici une des « prédécesserices ».

« To my favorite artist Alain […]. » Le compositeur John Corigliano (1938 -   )
choisira l'enregistrement Lefèvre/St.Clair en plus de venir deux fois à Montréal
pour entendre Alain défendre son œuvre.

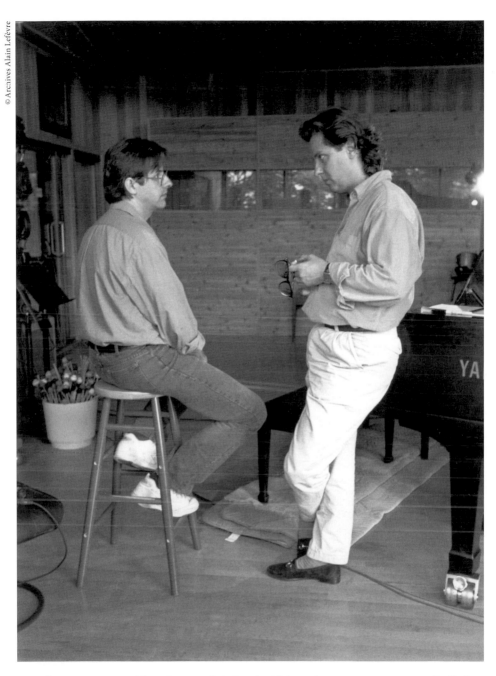

Avec le compositeur Alain Payette (1953-   ), Alain crée et enregistre ses *12 Préludes*, et lui commande un cycle de mélodies sur des poèmes de Gustave Labbé.

Avec le compositeur François Dompierre (1943-   ). Confrère du pianiste sur les ondes d'Espace musique, Alain crée et enregistre ses *24 Préludes* en juillet 2012.

Hôtel Delta de Montréal, le 6 mai 2001, dîner-bénéfice au profit du Fonds pour la recherche sur la moëlle épinière de l'Université de Montréal avec Superman lui-même, Christopher Reeve (1952-2004).

Le magnat de la presse grecque, le fondateur du Megaron d'Athènes, le commanditaire de trois *Préludes* d'Alain Lefèvre, un ami, Christos D. Lambrakis (1934-2009).

Lac Misère, 18 octobre 1997. De g. à d., Niky Papachristidis, Charles Bédard, Alain et le très honorable Pierre Elliott Trudeau (1919-2000), dont c'est l'anniversaire.

Une rencontre improbable, une amitié profonde. Sous les yeux de Théo, son fils, Guy A. Lepage (1960-) produit le compositeur Alain Lefèvre.

Alain Lefèvre offre un écrin au ciseleur de vers intemporel, Gilles Vigneault (1928-), qui prête sa voix à Gabriel Fauré pour un concert-bénéfice au Monument National le 6 février 1998.

S'il a été battu autrefois dans un abribus, il les domine aujourd'hui avec l'aide d'André Mathieu et du *Concerto de Québec*.

Le père Fernand Lindsay (1928-2009) accueille Lefèvre au Festival international de Lanaudière en 2004, le nomme porte-parole de l'événement en 2005 et en fait son ambassadeur artistique en 2008.

Auteurs : Rémi C.
et Alexandre G.-D.
Projets Arts et Culture
Cité des Prairies
Unité Le Relais

Livreur de liberté

Cette track-là c'est pour toi Alain
Toi qui nous as appris les bonnes manières
Tu l'as dit t'es comme un père
Tu dis les vraies affaires
T'as été jugé et dénigré
Mais tu ne t'es pas laissé impressionner
T'as foncé sans t'arrêter
Regardez c'que ça donne
Yé rendu à financer des enfants perdus
En quête de liberté
C'est ça que tu nous as apporté sur un plateau argenté
Et ça on pourra jamais l'oublier
Tout ça pour dire qu'on n'est pas des prisonniers
La preuve, il y a un quai prêt à nous sortir de l'obscurité
Sans rien demander et sans nous rabaisser

La vie est dure, mais on perdure
Sans se décourager, car y en a un qui est là
Pour nous écouter

Faut dire que c'est le premier qui s'est proposé
Avec facilité, sans lâcheté
On avait besoin de lui pour
Nous faire réaliser qu'on est en train
D'évoluer, toi qui es toujours là
Pour nous aimer, pour nous faire
Voir la réalité et nous donner
De la gloire et de l'espoir
Peuple d'aujourd'hui arrête de nous faire revivre nos torts
Parce qu'on n'est pas au bout du couloir

La vie est dure, mais on perdure
Sans se décourager, car y en a un qui est là
Pour nous écouter

Vous allez voir qu'on a une vie
À bâtir et qu'on va s'en sortir
Pis grâce à lui, c'est la bonne cause
De la part de Cité des Prairies
On te remercie, toi Alain Lefèvre
Qui est un vrai père pour nous

La vie est dure, mais on perdure
Sans se décourager, car y en a un qui est là
Pour nous écouter

Chanson rap pour
Alain Lefèvre dans le cadre
du récital-bénéfice de la
Fondation du Centre jeunesse
de Montréal qui a eu lieu
le 14 mars 2007

Depuis plus de trente ans, Alain Lefèvre a apporté la musique comme outil
de rédemption et de démocratie à des dizaines de milliers d'enfants, d'adolescents,
de jeunes gais, de jeunes en difficulté, de prisonniers, etc.

Image surréaliste créée par Marie-Josée Gagné, Place D'Youville devant le Palais Montcalm à Québec pour l'artiste associé de l'Orchestre symphonique de Québec.

Les *Effusions* de Diane Dufresne (1944-) rejaillissent sur Alain Lefèvre sous les yeux de la compositrice Marie Bernard (1951-).

Disciple de Leonard Bernstein, le chef d'orchestre Carl St.Clair (1952-),
le premier ami en musique, le complice des premiers triomphes, le « wild racoon »
(« raton laveur en furie »).

Jean-François Rivest (1958-), une amitié qui remonte à l'enfance.
D'abord violoniste, l'ancien assistant de Kent Nagano a multiplié les invitations
sur toutes les scènes du Québec pour Alain Lefèvre.

C'est à Matthias Bamert (1942-) qu'Alain Lefèvre confiera la création mondiale de la *Rhapsodie romantique* et le premier enregistrement du *Concertino no 2* d'André Mathieu.

Une complicité récente mais fulgurante, le triomphe dans le *Concerto en Fa*
de Gershwin en juillet 2009 à Lanaudière, avec le « wunderkind »
de la direction d'orchestre, Yannick Nézet-Séguin (1975-).

En 2006, première tournée en Chine avec le chef Long Yu (1964-).

En octobre 2009, Alain Lefèvre ouvre la saison symphonique du Komische Oper de Berlin avec le *Concerto no 4* d'André Mathieu. Les Allemands trouvent naturel de mettre côte à côte « Mathieu und Beethoven » à l'affiche.

© Archives Alain Lefèvre

Concert de clôture du premier Festival *Montréal en Lumière*, Charles Dutoit (1936-)
accompagne enfin Alain Lefèvre dans le *Concerto* de Corigliano pour cette soirée
Violon rouge.

George Hanson (1958-), un autre disciple de Leonard Bernstein. Alain va lui confier
les créations américaines du *Concerto de Québec*, de la *Rhapsodie romantique*,
du *Concertino no 2* et, événement historique, la création mondiale
du *Concerto no 4* de Mathieu.

Depuis son arrivée à Montréal, Kent Nagano (1951-), le directeur artistique
de l'Orchestre symphonique de Montréal, s'associe à Alain Lefèvre sur les scènes
et l'Esplanade de la Place des Arts. À son invitation, Alain a été le premier soliste
à enregistrer avec l'OSM dans la nouvelle Maison symphonique.

Le 27 octobre 2008, temps fort d'une vie déjà riche en émotions, le concert pour souligner le 400ᵉ anniversaire de fondation de la ville de Québec au Théâtre des Champs Élysées à Paris avec Marie-Nicole Lemieux, le National de France et le *Concerto no 4*... d'André Mathieu.

Quelques mois plus tard, consécration. Invité le 15 décembre 2008
sur le plateau de Charlie Rose (1942-) à la télé américaine (PBS),
Alain Lefèvre ne parle que d'André Mathieu.

L'aventure André Mathieu continue avec la première mondiale du film
L'enfant prodige de Luc Dionne, produit par Denise Robert,
à Shanghaï le 9 mai 2010.

Alain Lefèvre invité à jouer à Rideau Hall en juillet 2009 par la Gouverneure générale du Canada Michaëlle Jean (1957-) : « Je suis doublement ému ce soir parce que je présente André Mathieu à ses altesses impériales [du Japon] et que je joue pour la première fois dans la capitale de mon pays. » On les retrouve ici à Athènes en octobre de la même année.

Le bonheur est possible partout, mais pour les Lefèvre, surtout en Grèce.

Sur le tapis rouge, le couple Lefèvre pour l'inauguration de la Maison symphonique de l'osm le 7 septembre 2011.

S'abandonner pour mieux servir la musique.

XVIII
Lefèvre compositeur et consécration médiatique

L'année 2002 est une période de consolidation, de planification, de confirmations, de développement. Maintenant qu'il a un allié dans son milieu, la quadrature du cercle commence à arrondir ses angles, le pendule, qui a mis vingt ans à atteindre les limites de sa trajectoire, amorce un retour qui se perpétue encore aujourd'hui.

Deux participations à des émissions de télévision vont finir de s'ancrer dans l'affection du grand public. C'est encore Guy A. Lepage qui va, non seulement l'inviter à jouer son propre rôle de grand pianiste pour le lancement d'un de ses disques dans un épisode de *Un gars, une fille*, mais qui va l'intégrer dans la trame de l'émission. Sylvie Léonard en mélomane néophyte passablement dépassée enchaîne les gaffes alors que Guy A. et Alain, complices, tentent d'éviter les situations embarrassantes. C'est une pierre importante qui s'ajoute à l'édifice de sa carrière médiatique. Edgar Fruitier prête également son concours à cette farce désopilante. Puis, la très populaire émission de Radio-Canada *Les Trois Mousquetaires*, non seulement l'invite comme personnalité, mais lui offre le rôle d'une des icônes québécoises, le bel Alexis Labranche dans une parodie de la série légendaire *Les Belles Histoires des pays d'en haut*. Alain fait alors dérailler le sketch en entraînant Chantal Lamarre, Gaston Lepage et Louis-Georges Girard dans une des débâcles les plus hilarantes de l'histoire de la télévision. Les trois *pros* doivent capituler devant un

Lefèvre en perruque noire, canadienne et bottes au mollet ne cessant de répéter «bouleau noir!».

Cette capacité à être «normal» enchante les téléspectateurs et rend sympathique, non seulement le pianiste Alain Lefèvre, mais sa musique. Parce que musique il y a: dans les deux émissions, Alain joue Rachmaninov et le public en redemande.

Depuis plus d'une décennie que Lefèvre est allé là où on ne l'attendait pas, c'est au tour de ceux qu'on n'attend pas dans les salles de concert de venir l'entendre dans son milieu naturel. Lefèvre a réussi à abattre les frontières. Il est devenu citoyen à part entière de la grande société où il a ses amis et ses entrées. Il va entraîner son public, le grand public, sur les ondes de Radio-Canada, Espace musique, à la salle Wilfrid-Pelletier de la Place des Arts, à la salle Louis-Fréchette du Grand théâtre de Québec et à l'Amphitéâtre Fernand-Lindsay du Festival international de Lanaudière. Il ajoutera la Chine à sa liste de conquêtes, sans oublier André Mathieu dont il fera l'apologie et assurera, enfin, le triomphe.

En avril 2002, deux événements qui n'ont rien de commun vont poser des jalons et, comme par un coup de baguette magique, transformer le paysage artistique de Montréal. Au moment du lancement du premier disque compact d'Alain entièrement consacré à sa musique, *Carnet de notes*, Montréal et le reste du monde musical sont secoués et divisés par une situation aussi délicate qu'inévitable: le départ fracassant de Charles Dutoit qui met fin à près d'un quart de siècle d'association avec Montréal et son orchestre. L'osm/Dutoit, logo officiel du premier âge d'or de notre orchestre, disparaît. L'abandon du «best french orchestra» que le chef a façonné et mené à la reconnaissance internationale et qui lui a offert, en retour, la vitrine rêvée pour asseoir sa carrière, fait les manchettes.

Dans l'édition du 22 avril 2002 du *Journal de Montréal*, la chroniqueuse Michelle Coudé-Lord rencontre Alain Lefèvre à quelques jours du lancement de *Carnet de notes*.

La veille de notre rencontre, des musiciens de l'osm ont refusé de se prononcer sur le départ de leur chef, Charles Dutoit. Alain Lefèvre, qui a été dirigé quelquefois par le Maestro Dutoit en tant que pianiste invité de l'osm comme il devait l'être encore une fois en octobre prochain, parle d'une «triste histoire». «C'est l'humiliation ultime pour Charles Dutoit, mais le monde a changé, les gens ont soif de bonheur et de paix. Il fut un grand chef mais les musiciens de l'osm sont reconnus partout à travers le monde. Il y a encore un bel avenir pour cet orchestre, je le crois fermement. Mais cette association de Charles Dutoit et Montréal ne devait pas se terminer ainsi par un échec. Je trouve cela très triste. Mais le malaise devait être là, présent. »

La rencontre se poursuit et la journaliste annonce les événements à venir :

Cet été, d'ailleurs, après plusieurs concerts donnés en Europe, il participera à un festival d'été de Los Angeles devant 17 000 personnes. Dans les notes envoyées par son agence de presse, on y fait remarquer «qu'Alain Lefèvre jouit d'une timide reconnaissance au Québec, son succès international étant méconnu. » Il dit ne pas avoir de rancœur à ce sujet mais répondra juste ceci : « Je participe à de grands festivals mais je n'ai jamais été invité au grand Festival de Lanaudière… » Pourtant, Alain Lefèvre ne cesse de vendre le Québec à travers le monde… Puis, Alain Lefèvre, qui fêtera ses 40 ans le 23 juillet prochain lancera en septembre la fondation Saint-Pierre-Apôtre, qui viendra en aide aux enfants souffrant de déficience intellectuelle. « Pour moi, c'est essentiel de donner aux autres, les toucher avec ma musique oui, mais aussi leur faciliter la vie… »

Fin avril, l'osm se retrouve donc décapité. Celui qui aura mis l'orchestre « sur la mappe », pour reprendre l'expression du maire Jean Drapeau, est parti en claquant la porte. C'est une coda indigne pour Montréal, pour l'orchestre et pour celui qui a positionné l'osm parmi les meilleures phalanges orchestrales du monde durant ses vingt-cinq ans de règne. Il faut maintenant remplacer le chef qui bien sûr dirigeait les concerts de l'été et occupait le devant de la scène pour ses noces d'argent avec Montréal.

C'est à l'hôtel du xixᵉ siècle qu'Alain Lefèvre et la maison de disques Audiogram ont choisi de lancer leur dernière collaboration : le premier disque *tout* Alain Lefèvre, *Carnet de notes*. Yves Archambault, à qui on doit les affiches du Festival de Jazz a créé la pochette du disque. Parmi les invités présents au lancement nous retrouvons pêle-mêle : Denise Bombardier, Laurence Jalbert, Jean-François Lépine, Suzanne Lévesque, Gilles Vigneault, Véronique Le Flaguais, Alvaro, Monique Giroux, Louise Richer, Simon Durivage, Mireille Deyglun, Guy A. Lepage et son fils Théo, Michel Côté, Mahée Paiement, etc. Le journal *Allô Vedette* de la semaine du 27 avril, sous la plume de son chroniqueur Luc Denoncourt, décline son credo et son calendrier des prochains mois :

> Lorsqu'on fait un métier comme le nôtre, je ne crois pas qu'un artiste, même s'il a du talent, ait des droits. Je crois qu'il a des devoirs, devoir de gentillesse, devoir de rendre sa musique agréable aux autres. De voir que j'ai des amis artistes qui me suivent, c'est peut-être ma plus grande victoire… Je fais l'ouverture du Royal Philharmonic de Londres, je suis à Berlin, Nuremberg, Paris. Je fais 15 pays cette année avec Rachmaninov, Mozart, Beethoven.

Dans son édition du 11 mai 2002, Richard Boisvert, du quotidien *Le Soleil*, de Québec, commente *Carnet de notes* :

Voilà un soliste pur et dur, un redoutable pianiste qui ne craint pas de se frotter au répertoire le plus exigeant [...]. Dévoilant maintenant la nature plus fragile de sa personnalité, il confie par l'entremise discrète du clavier une partie de ses pensées intimes... Tel un missionnaire, l'interprète ne craint pas de franchir certaines frontières, se faisant une fierté de fréquenter les talk-shows, poussant l'audace jusqu'à jouer dans un épisode d'*Un gars, une fille*. « Imposer une minute 30 de musique classique dans une émission comme celle-là, il faut le faire. C'est une victoire. Il faut que la musique s'impose dans ce milieu. [...] » Vous voulez faire plaisir à Alain Lefèvre ? Dites lui que sa musique vous rappelle celle de Francis Lai. « Francis Lai ? Mais c'est un de mes héros avec Maurice Jarre, Michel Legrand... »

Comme elle a commencé pour *Lylatov* et continuera à le faire pour tous les albums où Alain présente ses œuvres, Johanne Martineau (nous lui redonnons pour l'occasion son nom d'auteure) signe les notes de présentation de *Carnet de notes*. Avec « ce mystère de la communion des âmes, où les mots que l'on tait sont ceux qu'elles entendent », (extrait du texte pour la pièce *Blanche et Louis, la belle histoire*), ces brouillards qu'elle a percés depuis vingt ans, Jojo non seulement trouve les mots pour dire la musique mais retrouve à travers la musique les titres qui s'y étaient cachés par pudeur. Pour chacun des albums, Jojo extraie les images de son quotidien porté à toute heure par le piano d'Alain, comme si elles étaient des parfums dont elle aurait à définir le caractère et l'essence. Il y a presque trente ans Alain nous promettait déjà le premier roman de sa femme...

Quelques semaines plus tard, Alain Lefèvre éprouve une satisfaction modeste mais bien sentie, quand il découvre un site Internet affichant une discographie comparée des *Ballades* de Chopin utilisée dans la série : *Chopin, l'œuvre et la vie*. Il y lit l'ordonnancement des *Ballades* qui décline les préférences de ce comité d'internautes aux oreilles critiques. Lefèvre se retrouve en première position pour la première *Ballade*, devant Gavrilov, Biret, Zimerman et Ashkenazy, et en deuxième position pour les trois dernières en compagnie des mêmes pianistes.

Le 10 août 2002, les Lefèvre retournent à Los Angeles pour retrouver le Pacific Symphony Orchestra et l'ami Carl St. Clair. Ayant enfin trouvé une maison de disques et un directeur prêt à se projeter dans l'avenir. Alain a mis au point le contenu de son prochain disque compact, un programme du tonnerre de Dieu qui honore trois villes : Québec, Varsovie et, pour New York, le *Concerto en Fa* de Gershwin qu'il a souvent joué et remet sur le métier. Dix-huit mille auditeurs se sont présentés au Verizon Wireless Amphitheater pour ce concert en plein air. Non seulement Alain va-t-il faire la couverture du cahier « Show » du quotidien *Orange County Register,* il va en plus obtenir un article de présentation sur cinq colonnes, le lundi 12 août, dans le même journal, du critique Peter Lefevre (même s'il n'y a aucun lien de parenté, il faut le faire !). Alain sera le seul à trouver grâce aux oreilles de notre auditeur professionnel de la côte ouest :

> Le concerto, une pièce sombre, dérangeante, parfois tumultueuse, était entre bonnes mains avec Lefèvre, qui a atteint un fin équilibre entre la passion et la liberté de l'esprit du jazz, et les exigences strictes de la partition… Lefèvre a fait paraître naturel l'inattendu, et constamment guidé l'auditeur avec passion, confiance et assurance.

À peine rentré à Montréal, Alain fait un saut de puce à l'émission *L'Été c'est péché*, y annonce sa tournée en Grèce et en Turquie, parle de livres et de parfums et nous annonce la mise sur pied d'une fondation pour les enfants souffrant de déficience intellectuelle. Nous retrouvons sa trace dans le quotidien *Le Devoir* du week-end de la semaine de Noël 2002. On y apprend que :

Le pianiste et compositeur québécois Alain Lefèvre a offert aux quelque 400 spectateurs présents — principalement lyonnais et québécois — le 10 décembre à la salle Molière à Lyon, une interprétation foudroyante de grandes pièces du répertoire classique dont Moussorgski et Scriabine. Avant d'être rappelé à son clavier trois fois par un auditoire enthousiaste, il en a ému plusieurs par un discours improvisé et senti où il révéla que c'était la première fois en neuf ans qu'il jouait en France. Ensuite, il salua sa mère, française d'origine, présente dans la salle, et enchaîna avec une pièce composée par lui en mémoire de son père, mort il y a neuf ans. Pièce qu'il interpréta avec une émotion exceptionnelle.

Tout est maintenant en place pour la décennie fabuleuse.

Au moment où, comme par magie, la vie et la carrière vont opérer une efflorescence prodigieuse, où Lefèvre va devenir ce porte-avions et la piste sur laquelle il est posé le verra prendre son envol vers ses projets, ses rêves, ses idéaux les plus fous, une question, lecteurs, lectrices, peut nous traverser l'esprit : comment Alain Lefèvre peut-il connaître tout le monde et être aimé de tous, ou presque ? Un exemple choisi entre mille pour saisir et démêler les fils qui tissent la trame et les réseaux enchevêtrés qu'on appelle généralement, relations humaines : la rencontre avec Ronald Corey, président du club de hockey Canadiens de Montréal de 1982 à 1999.

Je rencontre Ronald Corey. Nous devenons bons amis. Ronald Corey perd sa mère et il me dit qu'il aimerait que j'accompagne André Ouellet, le chanteur des Canadiens, pour les funérailles de cette dernière. André Ouellet devient un chum, c'est un gars qui est merveilleux, qui est adorable. C'est sûr et certain que nous étions de mondes différents. Mais je me retrouve ainsi avec les Canadiens et un jour, un gars me téléphone et me dit : vous êtes un ami d'André Ouellet ? Je réponds oui. « André Ouellet, sa maison est passée au feu et le jour où il est passé au feu, elle n'était pas assurée. On organise un événement-bénéfice à Laval. » Évidemment, j'ai accepté ! Alys Robi a accepté de chanter et c'est comme ça que je me suis retrouvé à l'accompagner. Pendant cette même soirée, j'ai rencontré Gino Brito et Gino Bravo et c'est de cette façon que des gens de l'univers de la lutte sont devenus des chums. Un jour, un lutteur m'a même lancé à la blague : « En tout cas, si un jour t'as des mauvaises critiques, tu me le diras, nous on va s'occuper de ça. »

On l'a vu fréquemment et on peut le voir dans des milieux qui par définition sont très loin de lui :

J'aime tous les univers. Je trouve qu'il n'y a rien de plus triste qu'un pianiste qui est trop pianiste. Une fois que j'ai fait mon travail, parler de musique, ça ne m'intéresse pas.

La vraie amitié, c'est d'aimer inconditionnellement ses amis jusqu'au bout. J'ai réalisé assez jeune que chez mes proches, mes amis, il y avait des faiblesses, des tendances, des failles dans leur vie de tous les jours, qu'il pouvait manifester des particularités et des goûts, et j'ai toujours jugé que ce n'était pas de mes affaires. La notion de jugement est une notion qui ne m'intéresse pas, parce que nous sommes tous pris dans une incarnation terrestre qui est difficile, et nous avons tous nos fantômes, nos pulsions, nos pulsions et nos faiblesses, et c'est très dangereux de porter des jugements. Où est-ce qu'on s'arrête, où est-ce qu'on commence et qui a raison ? Pour moi, il est essentiel d'avoir une éthique de vie. Ce que les gens ont appelé avec le temps l'abandon de la politesse, l'abandon de la diplomatie, l'abandon du savoir-vivre, en disant que ces choses-là c'était de l'hypocrisie, oublient que ces mécanismes avaient été inventés pour rendre la vie tolérable en société. Il y a une grande différence entre l'hypocrisie et la diplomatie. La diplomatie est un élément essentiel à la vie. Je vais toujours être ce grain de sable qui fait grincer la machine ; c'est peut-être un de mes fantasmes, je l'avoue.

Si on ajoute à ces principes un sens de l'humour tonitruant, une curiosité insatiable pour l'histoire, la politique, le pouvoir et un instinct viscéral pour débusquer les mécanismes qui menacent la démocratie ou la liberté de penser et d'agir, enfin si on ajoute à tous ses champs d'intérêts et atouts un charme considérable, il est possible d'entrevoir les chemins empruntés par Alain Lefèvre pour atteindre le but qu'il s'était fixé : « Toute ma carrière est basée sur l'amitié et l'affection et rien d'autre. »

XIX
L'aventure Mathieu commence

L'année 2003 démarre sur les chapeaux de roue avec les débuts orchestraux d'Alain Lefèvre à Londres, sous la direction de ce chef qui avait dirigé son *troisième Concerto* de Prokofiev à la basilique Notre-Dame en juillet 2001. Le 4 février 2003, au Festival Hall, Lefèvre reprend une œuvre qu'il pourrait jouer une main attachée derrière le dos, le *deuxième concerto* de Rachmaninov avec le Royal Philharmonic Orchestra dirigé par Matthias Bamert. Le quotidien *Evening Standard* a dépêché son critique Barry Millington, et dans son édition du 5 février on peut lire :

> Le *Deuxième concerto pour piano* de Rachmaninoff. C'était un premier concert orchestral à Londres pour le pianiste canadien Alain Lefèvre, dont le style musclé, bien charpenté, était au service d'une tendre sensibilité. Ces deux caractéristiques étaient en évidence dans le premier mouvement, où son maniement robuste des motifs tourbillonnants s'effaçait parfois devant une tournure de phrase inattendue, un délicat pianissimo là où d'autres auraient pu prendre une voie plus littérale, puis revenait à la course jusqu'à la ligne d'arrivée, exubérante et précipitée. Un serein solo du clarinettiste Michael Wright [...] a inspiré Lefèvre à former sa propre méditation, autrement expressive, dans l'adagio, tandis que les passions tumultueuses du finale étaient déchaînées avec la force d'un cyclone à la conclusion [...].

Parle-t-on ici du même pianiste que les critiques de Montréal nous présentent de récitals en concerts ?

À peine rentré à Montréal, le 11 février, c'est Joseph Rescigno qui prend à bras le corps l'osm, en acceptant avec grâce de combler, beau joueur, un des concerts laissés sans chef par Dutoit. Il faut bien occuper les vides occasionnés par son départ. Alain reprend ce même deuxième de Rachmaninov, qu'il rejouera également avec l'osm le 27 mars (le soliste ayant annulé sa venue), et cette deuxième fois, avec Jacques Lacombe au pupitre. Deux fois en deux mois, Dutoit est bel et bien parti.

Tout s'est mis en place pour lancer le projet le plus insensé jamais entrepris par Alain Lefèvre. Il est loin de soupçonner l'impact que son combat pour la réhabilitation d'André Mathieu va avoir sur sa carrière et sur le public. Ce n'est pas un combat, c'est une mission dont il s'investit. « Pour notre deuxième projet, François Mario Labbé me dit : "Je veux que tu fasses quelque chose avec orchestre. Qu'est-ce que tu aimerais enregistrer ?" »

Il y avait longtemps que Lefèvre souhaitait remettre les pendules à l'heure au sujet d'André Mathieu. Spontanément, irrationnellement, Lefèvre lui répond : le *Concerto de Québec*. Labbé lui rappelle qu'Analekta a remis sur le marché l'enregistrement réalisé en 1978 dans la foulée des Jeux olympiques de 1976 avec l'orchestre du Capitole de Toulouse, son chef, Michel Plasson et au piano Philippe Entremont. Lefèvre réplique :

> « Tu ne sais même pas ce que c'est le *Concerto de Québec* ! » Il m'invite chez lui, je lui joue le concerto dans son salon et François Mario pleure, il me prend dans ses bras et me dit : « C'est génial ! » Il ne savait pas qu'il venait d'appuyer sur le bouton qui chez moi s'appelle « Éternité ».

Le projet de Lefèvre vise à mettre en valeur le *Concerto de Québec* en le plaçant dans un contexte qui le magnifie et le rattache à son époque. Comme Mathieu destinait sa nouvelle œuvre à l'Orchestre philharmonique de New York, le *Concerto en Fa* de Gershwin servira d'assise. Pour le plus grand plaisir des cinéphiles d'aujourd'hui, non seulement Hollywood a produit plusieurs films qui racontaient, de façon très romancée, la vie des grands compositeurs mais a également porté à l'écran des scénarios où de jeunes premiers se débattaient avec les affres de la carrière classique. Les studios ont commandé de mini-concertos pour mener au triomphe ces jeunes musiciens incarnés par les stars de l'époque. Une des musiques écrites expressément pour un film britannique de la même veine est devenue un tube des années 40. Enregistré d'innombrables fois, Alain choisit le *Concerto de Varsovie*, de Richard Addinsell composé pour le film *Moonlight Serenade* en complément de programme. Bonbon suprême que tout le monde connaît sans même le savoir, il y a un lien, une atmosphère d'époque qui relie les deux œuvres. Pour roder ce projet des trois concertos-trois villes, le 15 février, Alain Lefèvre est à Hambourg pour jouer le *Concerto en Fa* de Gershwin avec l'Orchestre symphonique dont Talmi, le chef de l'OSQ, est également le directeur artistique. De retour au Québec, le chef et son orchestre, partenaires de Lefèvre dans l'aventure ont programmé le *Concerto en Fa* de Gershwin, qu'ils reprennent deux soirs avec l'OSQ, les 21 et 22 février, en y ajoutant cette fois le *Concerto de Varsovie*, et le *Concerto de Québec* d'André Mathieu.

À la première répétition avec l'orchestre, Lefèvre voit certains musiciens rire et se moquer de la musique. Il interrompt la répétition et s'adresse à l'orchestre : « On a déjà assassiné Mathieu une première fois, auriez-vous l'obligeance de ne pas recommencer devant moi ? Merci. » Le *speech* est entré dans la légende de l'orchestre.

Sur la scène du Grand Théâtre de Québec, je joue avec tout mon corps, toute mon âme. J'ai même éprouvé un sentiment assez extraordinaire en entrant sur la scène de la salle Louis-Fréchette. J'ai l'impression que Mathieu est avec moi, sur scène. Je m'imagine que Mathieu ne veut pas qu'il m'arrive quoi que ce soit et qu'il me protège. C'est complètement fou, mais c'est la vérité.

Dans le quotidien *Le Soleil*, du 22 février 2003, Richard Boisvert rend compte du concert de la veille :

Trois concertos dans une même soirée, cela n'a rien de très habituel, surtout quand on sait qu'ils seront donnés par un seul et même pianiste. «On n'est pas seulement au concert mais dans la cuisine de notre prochain CD», a expliqué Yoav Talmi, hier, au début du concert, histoire de bien faire comprendre au public son caractère spécial. Pour Alain Lefèvre, sans doute, il s'agissait là d'un grand défi. Son interprétation, placée sous le signe de l'élégance, de la générosité et du plaisir, n'a pourtant jamais paru en souffrir… La deuxième partie a débuté par le *Concerto de Québec,* d'André Mathieu, œuvre née en 1943 sous la plume d'un compositeur de seulement 14 ans. Si on peut dire que Mathieu y est allé généreusement sur le crémage, c'est en vain qu'on y cherchera quoi que ce soit de vulgaire, du moins dans la réalisation présentée par Alain Lefèvre et l'osq. Si le premier mouvement manque de subtilité et se perd dans des développements maladroits et parfois inconsistants, le deuxième mouvement, lui, n'a pas que des défauts, loin de là. D'autant plus que Lefèvre met beaucoup d'énergie et de soin à la maintenir sur ses rails. Il y a mis aussi toute sa crédibilité. Cela a dû lui faire chaud au cœur de voir autant de personnes se lever pour applaudir.

Dès le lendemain, en pleine tempête de neige, tout l'orchestre, Talmi, Lefèvre et l'équipe d'Analekta se rendent à la salle Françoys-Bernier, récemment baptisée du nom du génial visionnaire et fondateur du Domaine Forget qui a tant fait pour la musique. «La pire tempête s'annonce et s'abat sur Québec et je pense que Mathieu n'a vraiment jamais eu de chance, qu'il n'en a toujours pas. Je dis aux gens de Québec que même s'il faut l'armée, on ira.»

C'est en effet un camion de l'armée qui leur ouvre la route, de Québec à la Malbaie!

Un mois plus tard, le 22 mars, les Lefèvre retournent en Allemagne, dans la ville des maîtres-chanteurs, avec l'Orchestre symphonique de Nuremberg. Alain y fait la connaissance d'un jeune chef américain, George Hanson, dans le *Concerto* de Grieg. Alain déchaîne le public allemand et dans le quotidien *Nürnberger Zeitung* du 24 mars, le journaliste parle du «pianiste canadien français qui a été l'étoile de la soirée [...]. C'est un pianiste souverain [...].» George Hanson, un autre disciple de Leonard Bernstein, attaché au Tucson Symphony Orchestra en Arizona depuis 1996, va être appelé à tenir un rôle de premier plan dans la résurrection de Mathieu.

Ayant engagé des sommes importantes dans le disque des concertos avec orchestre symphonique, mais voulant néanmoins garder la cadence de parution discographique, Analekta décide de publier l'enregistrement des transcriptions de Liszt réalisé en 1999 au Megaron d'Athènes. Pour ce répertoire si cher à son cœur, Lefèvre récolte des critiques sensationnelles. Dans le quotidien *Toronto Star*, on lit sous la plume de William Littler dans l'édition du 13 mars 2003:

> Alain Lefèvre possède dix des doigts les plus agiles à s'être manifestés au Québec ces dernières années. Ce disque les soumet à une épreuve encore plus rigoureuse [...] témoignage de son extraordinaire habileté [...] et de l'efficacité du piano en tant que machine musicale universelle [...]. Plus de 74 minutes de virtuosité déchaînée.

Dans l'édition d'avril 2003 du magazine *Audiophile Audition*, sous la rubrique *Classical CDs*, le critique Laurence Vittes est carrément dithyrambique:

Ce récital brillamment réparti de transcriptions de Liszt […] éclaire d'une façon révolutionnaire l'art de l'arrangement chez Liszt, tout comme Gould a éclairé Bach il y a près d'un demi-siècle. Dès les premières mesures […] il est clair que ce sera un récital extraordinaire […] et Lefèvre pénètre d'une façon inouïe le monde émotionnel de Bach selon Liszt. Dans les trois transcriptions de Wagner, Lefèvre comprend parfaitement l'intention de Liszt : créer une palette pianistique qui remplacerait […] le son original de l'orchestre […]. Lefèvre joue l'air *Étoile du Soir*, cette ivre méditation de Liszt […] comme s'il s'était enivré du même vin que le compositeur […].

Au moment où paraissent ces critiques, à la fin du printemps 2003, Alain fait une rencontre qui va transformer l'avenir en lui apportant le soutien d'un homme dont la puissance s'affirme de plus en plus, le vice-président de la radio française de Radio-Canada, qui deviendra deux ans plus tard le vice-président de la radio et de la télévision française, une première dans l'histoire de cette société : Sylvain Lafrance.

Les deux hommes se sont brièvement croisés au moment où Alain enregistrait ses disques avec Daniel Vachon, mais c'est la première fois qu'ils se retrouvent dans un dîner où Lafrance peut demander à Lefèvre à brûle-pourpoint ce qu'il pense de la chaîne culturelle de Radio-Canada. Nous sommes à un an et demi de l'avènement d'Espace musique, mais pour l'instant le projet est encore embryonnaire. « C'est difficile pour moi de vous dire ce que j'en pense parce que je n'y suis jamais diffusé, je n'y existe pas. » « C'est vrai, je ne vous y entends jamais. » « Moi non plus ! » lui rétorque Lefèvre. Lafrance lui demande alors ce qu'il ferait pour changer les choses…

Au même moment et sans qu'ils se soient concertés, Andrée Girard, alors directrice du programme à la chaîne culturelle entend Alain donner une interview à la Première Chaîne et trouve sa façon de communiquer chaleureuse et vraie. Elle lui téléphone pour lui proposer une des émissions les plus importantes de la chaîne : elle lui offre l'animation de l'émission du matin, de 6 h à 9 h, cinq jours par semaine. L'offre est à la fois flatteuse et un aveu que la carrière d'Alain Lefèvre n'existe pas à Radio-Canada. Lefèvre lui répond d'une part que bien que touché par son intérêt, l'animation n'est pas son métier et que d'autre part avec ses tournées, ses récitals et ses concerts il lui est impossible d'accepter son invitation de se retrouver en direct, tous les matins avec les auditeurs de la chaîne culturelle, se retrouvant trop souvent à l'extérieur de Montréal et du pays. Pour l'instant, les choses en restent là.

Lefèvre fait la couverture du magazine *La Scena Musicale* de juin 2003 et est interviewé longuement par Réjean Beaucage :

> C'est d'abord ce mois-ci que nous pourrons voir Alain Lefèvre, alors qu'il prendra part trois fois plutôt qu'une au Festival de musique de chambre de Montréal. « Je vais participer à la soirée de gala du 11 juin avec une courte prestation […]. Puis, le 14, je serai du concert de musique d'Amérique du Sud […]. Enfin pour la soirée "Romance russe" du 19 juin, je ferai les *Tableaux d'une exposition* de Moussorgski […]. » Mais d'ici là, avant et entre les différents festivals québécois, Alain Lefèvre part en tournée avec l'orchestre de la radio de Bratislava et le *Cinquième* de Beethoven, revient à Montréal, repart vers Prague pour deux concertos (Rachmaninov et Gershwin), participe un festival à Athènes… Après le Domaine Forget, il prendra deux ou trois semaines pour préparer l'automne, qui débutera par une tournée en Amérique du Sud. Quand je m'étonne un peu de cette apparente frénésie, il touche le bois du fauteuil et dit avec le sourire : « On ne va pas se plaindre ! »

Et on ne se plaindra pas du fait que le Festival d'été de Québec a inclu la soirée « triple concerto » qui servira aussi de vitrine à l'OSQ dans le cadre enchanteur de la cour du Séminaire. Richard

Boisvert signe le compte rendu qui paraît le 11 juillet dans le quotidien *Le Soleil* :

ALAIN LEFÈVRE, L'IRRÉSISTIBLE

Il faisait vraiment plaisir à voir, l'ami Alain Lefèvre, hier soir, défendant le *Concerto de Québec* d'André Mathieu comme s'il s'agissait d'une question de vie ou de mort. Disons les choses comme elles sont : ce pianiste est vraiment un bon vendeur. Ne voyez rien de péjoratif dans cette remarque, au contraire. Il saute aux yeux qu'Alain Lefèvre croit profondément dans sa musique. Et sa foi, semble-t-il, est comme le rire, c'est-à-dire communicative… La cour du Séminaire, remplie à capacité, s'est levée d'un bloc pour applaudir. L'exécution d'hier se distinguait d'ailleurs de celle entendue au Grand Théâtre en février, par sa fermeté et sa cohésion. Particulièrement pénétré de sa musique, le soliste se laisse cette fois aller sans retenue. Il donne tout ce qu'il a. Qui pourrait lui résister ?

Comme Alain ne parle jamais de sa famille, lui si public mais si secret, le Domaine Forget lui fait un cadeau qui lui va droit au cœur en acceptant le récital de sonates pour violon et piano qu'il propose avec son frère David sur la scène de la salle Françoys-Bernier le 9 août 2003. Les deux derniers des trois mousquetaires joignent leurs forces pour reprendre des sonates de Lekeu, Grieg et Schumann qu'Alain a travaillées il y a déjà vingt ans avec son frère, Gilles, et, souvenir inoubliable, le grand Christian Ferras. Après le récital, réception privée chez des amis du coin, Jean-François et Diane Sauvé. Parmi les invités se trouvent le ministre Yves Séguin et sa femme Marie-Josée Nadeau. Le Québec, son avenir, l'éducation, les enfants, tous les sujets tissent une trame dont une amitié voudrait bien resserrer les fils. On promet de se revoir et, au fil des revoirs, le ministre demande à Alain s'il connaît André Desmarais et sa femme France. Une rencontre s'organise et, dès le premier contact, le courant passe. Ses nouveaux amis, auxquels Alain dédiera deux de ses œuvres, lui ouvriront, quelques années plus tard, un passage vers la Chine.

Au cours de l'automne, où les Lefèvre zigzaguent à travers la planète, le samedi 11 octobre, quatre jours après le lancement officiel du disque compact Gershwin-Addinsel-Mathieu, Alain fait la couverture de l'agenda du journal *Le Devoir,* où apparaît pour la première fois la signature de Christophe Huss, dont le quotidien a retenu les services en tant que chroniqueur musical. L'occasion de la rencontre est la sortie du disque qui va fracasser les records de vente et propulser les noms d'André Mathieu et d'Alain Lefèvre sur la scène nationale et, force est de le constater, près de dix ans plus tard, internationale.

Cet article donne le ton et balise la trajectoire des prochaines années. En journaliste affûté, Huss a senti et pressenti l'événement et accule Lefèvre dans ses retranchements. Comme cet article expose les données fondamentales de la légende de Mathieu dont Alain est devenu le dépositaire, et qui vont alimenter son imaginaire, plantons déjà le décor pour les années à venir.

Devant l'œuvre d'André Mathieu

[…] André Mathieu, enfant prodige, joyau du génie québécois, mais aussi destin tragique. «J'aime André Mathieu, tout m'émeut là dedans. L'injustice m'émeut», dit Alain Lefèvre. La partition date de 1943 (*Concerto de Québec*) et se trouve donc à être le fruit d'un compositeur de 12 ou 13 ans. À cette époque, Mathieu avait déjà connu la consécration à New York et Paris : «Lorsqu'il gagne le concours de composition de l'Orchestre philharmonique de New York (où Leonard Bernstein finit 22e), Rachmaninov se lève en disant : "Vous êtes le seul pouvant avoir la prétention d'être mon successeur". André Mathieu a 11 ans. C'est phénoménal.»

Le chroniqueur et le pianiste essaient ensuite de démêler et de dénombrer les partitions concertantes qu'André Mathieu aurait

écrites, Alain expliquant ensuite les fastidieux treize mois nécessaires au long travail de déchiffrage et de correction pour la mise
au point d'une partition cohérente pour l'auditeur.

> « Il fallait être très scrupuleux dans ce travail de fourmi… En fai-
> sant des recherches, on s'est aperçu que son père (le compositeur
> Rodolphe Mathieu) l'a fait boire quand il avait six ans pour qu'il
> travaille plus, compose plus. Rappelons : son premier concert était à
> l'âge de quatre ans. Il a composé le *Concerto de Québec*, déjà alcoo-
> lique. Mathieu était une ruine à 13 ans. »

Huss ranime ensuite le doute quant à la paternité des œuvres
d'André Mathieu, où la main du père aurait tenu et dirigé celle
du fils :

> « Quand on regarde les partitions autographes et les manières
> d'écrire, c'est impossible. De plus, Rodolphe était tenté par une
> certaine modernité, alors que son fils était passéiste. Dans un do-
> cumentaire télévisé de *Zone libre*, qui sera diffusé fin octobre, on
> comprend clairement que le père devait avoir une grande jalou-
> sie à l'égard du fils. La documentariste du film a retrouvé des amis
> d'André Mathieu qui témoignent que Rodolphe versait du cognac
> à l'enfant à l'âge de 6, 7 ou 8 ans. La vie d'André Mathieu a dû être
> un cauchemar. Mais il devait y avoir encore d'autres choses. On ne
> connaît, je pense, que 20 % de la vie de Mathieu. Regardez : on a
> retrouvé un document montrant Mathieu dans sa vingtaine jouant
> un concert de jazz au festival de Montreux ! »

De façon tout aussi inédite que cette incursion dans l'univers
du jazz, Alain Lefèvre nous indique que, dès treize ans, Mathieu
aurait été philosophe et aurait même voulu former un parti politique de gauche. « Il y a peut-être des choses beaucoup plus
complexes qu'on ne le croit. Mais sa destinée a été dramatique
car c'était un génie dans la forme la plus pure. S'il avait pu avoir

un encadrement, il se serait développé sans doute de manière extraordinaire. »

Alain Lefèvre se défend de tomber dans le folklore, mais il est d'évidence bouleversé par cette destinée.

En 2003, où l'on fait revivre de plus en plus de choses plus ou moins pertinentes, ce serait un luxe extraordinaire que de se permettre d'oublier André Mathieu, ce chaînon romantique. Le romantisme québécois a existé. Émile Nelligan l'incarne d'ailleurs en poésie.

Avec un destin pareillement tragique…

Cet article est capital parce qu'on y trouve en germe toutes les dérives et tous les aspects sensationnels qui vont alimenter le mythe et faire resurgir un destin réellement tragique. Lefèvre force l'attention en peignant *al fresco* avec des couleurs crues, qui accentuent la grandeur et la décadence de cette destinée, dans le but d'imposer sa musique au grand public. Tous les éléments qui ont nourri Alain Lefèvre dans sa quête de l'homme à travers sa musique, son émotion devant certains thèmes, l'ont finalement amené à s'identifier, à pouvoir transposer sur un autre, un génie qu'il admire, les effets et les méfaits de l'injustice. Qu'il soit oublié, que le Québec de l'époque ait été incapable de le soutenir, de le reconnaître; cette enfance dérobée qu'on a troquée contre son travail et une gloire dont il n'aura pas profité, tous ces éléments réveillent des échos chez Lefèvre qui exorcise à travers son héros, sans acrimonie mais avec véhémence, les blessures qu'il a toujours tues. Et déjà, mais en fait depuis si longtemps, ces légendes répétées depuis des décennies prennent l'apparence et la patine des faits avérés, tout est là pour galvaniser Lefèvre.

En 2003, il y a trente-cinq ans que Mathieu est mort et plusieurs opérations de renflouage ont été tentées pour ramener l'homme et son œuvre à la surface. Pour bien nous situer, rappelons que c'est André Morin, en 1975, qui avait chargé Vic Vogel d'arranger des thèmes tirés des œuvres d'André Mathieu pour en faire la musique des cérémonies d'ouverture et de fermeture des Jeux olympiques de 1976. La même année, une biographie signée Rudel Tessier, *André Mathieu,* paraît. Dans la foulée des Olympiques, André Morin met ensuite sur pied une Fondation André Mathieu qui s'est battue pour rassembler tous les manuscrits et produire une édition des œuvres. Tous ces efforts avaient culminé par une tournée en Tunisie où Raymond Dessaints et André-Sébastien Savoie avaient présenté le *Concerto de Québec* et les *Scènes de ballet.* Puis, faute d'intérêt et de soutien, la Fondation ralentit ses activités mais pas avant qu'André Morin ait rendu visite à l'été 1981 à Alain Lefèvre, chez lui, au 5125 de l'avenue Notre-Dame-de-Grâce, en lui laissant quelques photocopies d'œuvres d'André Mathieu, dont le *Concerto de Québec.* Une deuxième tentative de réhabilitation nous vaudra le superbe documentaire du cinéaste Jean-Claude Labrecque, qui interroge des témoins aujourd'hui disparus et arrive à évoquer un Mathieu bouleversant, sans nous convaincre de la grandeur de l'œuvre, même si le film redonne à l'homme une stature dont le temps et l'indifférence l'avaient dépouillé. La maison de disques de François Mario Labbé, Analekta, avait déjà mis sur le marché deux disques : *Opus Québec,* sur lequel Angèle Dubeau et Louise-Andrée Baril défendaient la *Sonate pour violon et piano,* et cette même année, Labbé avait publié le *Concerto de Québec* et les *Scènes de ballet* enregistrés en 1978, mais jamais disponibles en disque compact. Voilà le paysage « mathieusard » duquel Lefèvre va surgir pour reprendre le flambeau. L'article du *Devoir* avait pour prétexte la parution du disque et une première à l'osm qui a inscrit le *Concerto de Québec* dans un concert unique du dimanche après-midi. Pour Lefèvre, ce concert est un jalon capital puisque c'est l'occasion, la première occasion pour les Montréalais de manifester leur intérêt pour cette liturgie dont Lefèvre est le célébrant désigné. L'émission *Zone libre* animée par Jean-François Lépine est sur les lieux et documente la prestation qui alimentera un documentaire que prépare Radio-Canada. La jeune chef Keri-Lynn Wilson a accepté de relever le défi.

Le matin même du concert, Nathalie Petrowski monte à bord de l'aventure Mathieu et titre son article dans l'édition du 12 octobre du quotidien *La Presse*: « Ne tirez pas sur le prodige » Dans l'article, Alain remonte les couloirs du souvenir qui le font à 15 ans emprunter les corridors de l'École normale de musique, où il entend pour la première fois le *Prélude Romantique* qu'il a joué sans arrêt depuis. Les éléments de la légende Mathieu se conjuguent et s'amplifient et, la réalité dépassant la fiction, on prête à l'une pour donner à l'autre et l'image navrante et insupportable du destin gaspillé se grave plus profondément.

Cet après-midi du 12 octobre 2003, la salle Wilfrid-Pelletier bourdonne d'anticipation et les critiques des trois quotidiens se sont déplacés pour ce concert du dimanche après-midi qu'ils boudent généralement.

François Tousignant, il est bon de le rappeler, est compositeur, et pour lui, ce qui ne tend pas vers la contemporanéité est anathème. Il déteste Rachmaninov. Comment pourrait-il apprécier André Mathieu? Dans son édition du 14 octobre 2003, le quotidien *Le Devoir* relate le compte rendu de son critique:

> La première constatation est plus que négative: le soliste et l'osm ne sont pas souvent ensemble et l' « interprétation » se montre boiteuse tout au long de l'interminable imbroglio qu'est cette page naïve. On voudrait faire croire au génie alors qu'on entend en fait que les travaux d'un jeune homme qui s'applique gauchement à composer. Ce concerto est en fait une enfilade d'effets de doigts notés par un pianiste en herbe fort doué au clavier mais qui ne sait que faire de ce qu'il note. On trouve quelques effets pianistiques bien tournés, même si pas toujours bien sentis et souvent gauches, des thèmes navrants que le pianiste tente de faire passer pour des éclairs originaux […]. L'attention reste musicologiquement un peu

sympathique sans que rien d'artistique ne suinte. De nos jours, même un ordinateur sait composer de la sorte. Les doigts impressionnent quand à treize ans on peut réaliser cela. L'enveloppe cependant s'avère bien creuse […] on attend impatiemment ce décapage de la légende urbaine qui entoure André Mathieu pour mieux saisir tant ses mérites que ses incapacités.

Au moins, vous ne pourrez pas dire que vous n'aviez pas été prévenus. Dans son édition du même jour, le quotidien *La Presse* nous rapporte le point de vue de Claude Gingras :

> L'attrait du concert, c'était le fameux *Concerto de Québec* d'André Mathieu […] joué en première à l'osm par Alain Lefèvre. Ce fut également le moment le plus mémorable du concert… Lefèvre, on le sait, vient de jouer et d'enregistrer l'œuvre avec l'osq. Dans cette foulée, la rencontre Mathieu-Lefèvre à Montréal, ville où naquit et mourut le compositeur, s'imposait. La réponse du public fut d'ailleurs éloquente. Le *Concerto de Québec*, qui faisait 27 minutes dans l'exécution de dimanche, n'est pas sans naïvetés, gaucheries et longueurs. L'œuvre se tient néanmoins et le plus beau de ces trois mouvements, l'Andante central, avec son irrésistible thème à la Rachmaninov utilisé dans le film Canadien *La Forteresse*, s'écoute encore avec plaisir. Jouant de mémoire, Alain Lefèvre se donna corps et âme à son rôle de soliste et la chef invitée le suivit avec une parfaite attention […].

Le critique du quotidien *The Gazette*, Arthur Kaptainis, n'a pas lui non plus pu échapper à la vague Mathieu et le même jour que ses collègues commentent le concert :

> Lefèvre a bien défendu le *Concerto de Québec* d'André Mathieu, un prodige montréalais du milieu du siècle dernier, qui a été considéré comme le Mozart de son pays avant de décliner. Malgré des irrégularités structurelles, les deux premiers mouvements étaient splendides en tant que rhapsodies. Lefèvre et Wilson ont accéléré et ralenti d'une façon parfaitement synchronisée, ce qui n'a certainement pas

nui. Voilà pour la partie narrative [...]. Tant pis pour le finale, dont le thème principal était, hélas, trop court. Malgré tout, cette partition devrait appartenir au répertoire.

Après le concert, c'est maintenant au tour du disque Analekta d'être scruté par Claude Gingras qui en rend compte dans l'édition du 18 septembre 2003 du quotidien *La Presse*. Après avoir comparé les deux enregistrements parus chez Analekta (on s'étonne qu'il n'ait pas utilisé l'enregistrement d'André Mathieu lui-même comme terme de comparaison), le critique conclut :

> Quoi qu'il en soit, l'œuvre se tient, malgré ses faiblesses, et vaut bien des concertos de prodiges européens dont on ne se demande pas s'ils en sont les véritables auteurs. Ainsi, cet irrésistible thème du mouvement lent, utilisé dans le film *La Forteresse*, tourné à Québec en 1947, est une trouvaille mélodique et vaut tout le concerto. Le disque contient deux autres œuvres appartenant à ce répertoire virtuose et sentimental où Alain Lefèvre excelle... Concernant le *Concerto de Québec*, j'ai déjà dit la nette supériorité de la version Lefèvre sur la version Entremont. Les deux autres interprétations sont du même très haut niveau [...].

Comme cet enregistrement est une des pierres angulaires sur laquelle tout l'édifice Mathieu repose, nous nous permettrons de citer plusieurs autres comptes rendus critiques pour tenter de couvrir l'éventail des réactions qui ont accueilli le premier jalon de cette longue course à obstacles.

Dans son édition de novembre 2003, *La Scena Musicale* va jusqu'à défendre l'œuvre en plus de célébrer son interprète :

> Même s'il a obtenu l'aide de son père pour l'orchestration, la composition est d'une splendide efficacité. Tout écrivaillon académique qui en dénoncerait les défauts techniques devrait de même condamner la *Rhapsody in Blue*... Le programme de l'album est présenté comme un itinéraire géographique : le *Concerto de Québec* voisine d'autres

œuvres pour piano représentant Varsovie et New York. La réalité est plus nuancée. Les autres œuvres peuvent servir de mesure pour apprécier l'écriture de Mathieu. Le *Concerto de Varsovie*, presque un cliché musical de nos jours, évoque une sorte de nostalgie du cinéma d'autrefois. Pourtant il soulevait les foules durant les années de guerre. On en sifflait les thèmes dans la rue au moment où Mathieu composait son concerto et, en dépit de ses faiblesses, son œuvre est la plus cohérente. Le *Concerto en fa* de Gershwin n'est pas surpassé par Mathieu mais il provient de la même inspiration créatrice naturelle, semé [chez Gershwin] d'emprunts également naturalistes au jazz. Les interprétations sur ce disque sont aussi convaincantes que celles qui les ont précédées — et passablement plus enlevantes que beaucoup d'entre elles. L'année 2003 n'est pas encore terminée, mais je suis suffisamment impressionné pour déclarer cet album d'ores et déjà meilleur enregistrement de musique canadienne de l'année. Enfin un peu de justice pour André Mathieu.

Sur le site Classics Today, sous la plume de son critique David Hurwitz, on nous dit exactement ce que nous souhaitions entendre :

> Quelle fascinante singularité que le *Concerto de Québec* d'André Mathieu ! […] Imaginez la sensibilité française de Saint-Saëns, mariée à l'écriture pianistique de Rachmaninov, tout cela au service de mélodies qui prennent leur source de Tchaïkovsky à Mendelssohn, de Poulenc au *Rondo à la turque* de Mozart, et vous avez tout compris. Quant à la forme, bon, disons qu'il n'y en a pas vraiment, mais pourquoi s'en faire ? Les airs sont magnifiques, l'écriture pianistique est d'un insouciant brio, l'orchestration est délicieusement exagérée… et l'ensemble est si agréable que vous serez tout simplement balayé par tout cet enthousiasme juvénile. Lefèvre interprète la pièce comme si c'était la musique la plus magnifique du monde […].

Comme nous nous en voudrions d'interrompre une si belle lancée, enchaînons immédiatement avec l'édition d'avril 2004 du *WholeNote Magazine*, où le critique John S. Gray partage l'enthousiasme de son précédent collègue :

> Si vous vous imaginez encore qu'un énergique concerto pour piano doive absolument provenir de Vienne ou de Berlin, détrompez-vous. Voici une merveille en provenance du Québec ! En voyant sa modeste pochette monochrome, j'ai eu le pressentiment qu'il y avait là de la grande musique. Lefèvre, Talmi et l'osq ne nous déçoivent pas. À commencer par le *Concerto de Québec*, rarement joué, du jeune prodige André Mathieu : voici certainement l'interprétation définitive à ce jour…

Comme disait l'autre, mon cœur n'est pas las de l'entendre.

Dans un des plus respectés magazines consacrés à la critique de disques aux États-Unis, l'*American Record Guide*, dans son édition de mars/avril 2004, Sullivan, s'il loue l'interprète, émet quelques réserves au sujet de ce haut concerto :

> Ce programme inhabituel débute par une rareté, le *Concerto de Québec* qu'André Mathieu a composé à 14 ans [...]. De toute évidence composé sous l'inspiration de Rachmaninoff, ce concerto s'apparente au romantisme tardif et comporte de somptueux moments d'écriture pianistique, mais l'ensemble n'est pas une réussite complète, malgré une interprétation passionnée d'Alain Lefèvre, à la sonorité ample et robuste. Il se donne entièrement, mais le résultat est de second ordre, sans raffinement mélodique et structurel. Lefèvre joue avec lyrisme et puissance [...]. Devant son attaque forte, son phrasé nuancé et sa riche sonorité, vous vous redressez sur votre siège, [...] ce n'est pas un quelconque jeune pianiste à la virtuosité machinale, mais un authentique artiste romantique. [...] En bref, une parution vivifiante.

En résumé, plus de trente mille exemplaires ont été vendus à travers le monde et le disque *New York-Varsovie-Québec* s'est maintenu soixante-sept semaines au palmarès des dix meilleurs vendeurs dans la catégorie Album classique au Canada.

À la fin de novembre 2003, la saga de la nouvelle salle de concert pour l'OSM nous refait une fois de plus le coup du « l'aura/l'aura pas ? », prétextant cette fois le départ de Charles Dutoit pour annuler les engagements pris, abandonnés et repris depuis quinze ans. Claude Gingras, qui reste le chroniqueur musical le plus conscient de l'actualité et le plus convaincu de l'importance historique du rôle de la musique dans notre société, se livre à une petite enquête auprès de personnalités du milieu musical : « Le NON à la salle de l'OSM : réactions ». Parmi les personnalités invitées à exprimer leur opinion, on retrouve Louis Charbonneau, timbalier à l'OSM pendant quarante-huit ans, Franz Paul Decker, ancien directeur artistique de l'orchestre, le compositeur Jacques Hétu, l'organiste Jacques Boucher et, parmi cet auguste aréopage, Alain Lefèvre qui là encore ne se ménage aucune porte de sortie :

> Je suis plus ou moins surpris. Les gouvernements, quels qu'ils soient, ont toujours de la difficulté à comprendre l'importance des arts. Dans le cas qui nous occupe, on ne semble pas se rendre compte que l'OSM est l'un des grands orchestres du monde et qu'il a droit à une salle digne de lui. Il est très difficile de défendre la salle Wilfrid-Pelletier acoustiquement [...]. Actuellement, le classique doit se battre contre des machines qui produisent une musique débile qui ne rend certainement pas notre jeunesse plus intelligente. J'ai constamment des exemples de cela dans mes tournées des écoles, où je joue du Mozart à des jeunes qui ne connaissent que Madonna et qui me disent, comme cette semaine encore : « T'es après nous dire que Madonna est pas si bonne que ça et que Mozart est meilleur qu'elle ? »

Pour terminer l'année 2003 glorieusement, le prestigieux magazine britannique *Piano International* lui consacre un *feature article* couvrant toutes les étapes de sa carrière avec photos et témoignages. C'est une consécration importante dans son milieu — le milieu spécialisé dont Alain a tout fait pour effacer les frontières — mais qui demeure le monde dans lequel il évolue et par lequel il se définit. La journaliste Joanne Talbot commence son article par un commentaire sur le concert du Festival Hall auquel elle a assisté en février :

> Sur scène, Alain Lefèvre est d'une élégance nonchalante, et son interprétation récente du *Deuxième concerto pour piano* de Rachmaninoff était d'emblée saisissante — un début orchestral triomphant à Londres avec le Royal Philharmonic sous la direction de Matthias Bamert. Lefèvre, qui ne donne pas dans la flamboyance gratuite, a donné à la soirée un caractère de magie et de grande occasion en offrant en rappel sa propre composition, *Balalaïka*. Le public a adoré.

Plus loin dans l'article, Alain témoigne à nouveau de sa passion pour Mathieu en révélant d'autres faits qui ont été portés à sa connaissance récemment :

> « J'ai passé douze mois à faire des recherches dans les manuscrits du compositeur québécois André Mathieu, mort à l'âge de 33 ans. À sept ans, ce véritable prodige jouait le *Premier concerto* de Tchaïkovsky avec le New York Philharmonic ! Il a écrit cinq concertos, dont la plupart ont disparu […]. »

Mais la nouvelle pierre à ajouter à sa couronne lui vient du chroniqueur musical de *La Presse*, Claude Gingras, dans un article *Coup de cœur classique*, qui clôt l'année 2003 en proclamant :

Alain Lefèvre
Champion d'André Mathieu

Découverte pour toute une génération, redécouverte pour les gens d'un certain âge, le *Concerto de Québec* et son auteur André Mathieu auront été à l'avant-scène des événements musicaux de notre année 2003. Ce regain d'intérêt pour le phénomène Mathieu est l'initiative d'un homme: le pianiste Alain Lefèvre. [...] Plutôt qu'un pauvre alcoolique qu'on faisait s'exhiber dans les pianothons à la fin de sa courte vie, y aurait-il eu, précédemment, un grand pianiste André Mathieu et un grand compositeur André Mathieu? Alain Lefèvre le croit fermement. «Un génie! Un génie comme compositeur. Un génie comme pianiste», aime-t-il répéter à qui veut l'entendre... Il a récupéré plus de quatre heures d'enregistrements de Mathieu, en solo et avec orchestre. En ce qui concerne le compositeur, il a rassemblé des piles de partitions et de bandes sonores qui l'ont tellement impressionné qu'il projette d'autres enregistrements d'œuvres de Mathieu et même ses propres éditions de ses œuvres... «Pour le reste, on a retrouvé beaucoup de musique dans les tavernes de Montréal. Mathieu payait ses bières avec ça! Mais on est encore à la recherche de cet immense poème symphonique pour piano seul intitulé *Mistassini*... Mathieu était très fier de son Québec. Nationaliste, président de la Section Jeunesse du Bloc Populaire, il a composé l'hymne de ralliement de ce parti qui fut à l'origine du mouvement indépendantiste québécois.» Lefèvre poursuit sa «défense et illustration» d'André Mathieu dans le même souffle passionné: «On ne sait à peu près rien de sa production de compositeur, à peu près rien de sa carrière de pianiste. Il a composé en tout cinq concertos pour piano, un grand nombre de pièces pour piano seul, de la musique de chambre aussi. À la fin de sa vie, il travaillait à un poème symphonique pour chœur et orchestre intitulé *Dans les ténèbres*. Et puis, il y a le pianiste. Mathieu a joué plusieurs fois à Paris et au moins six fois en trois ans à New York, au Carnegie Hall, mais également en Belgique et en Suisse, au Festival de Montreux.» [...] Son prochain disque comprendra le deuxième Concerto de 1938 et le quatrième, de 1958, sous-titré *Rhapsodie Romantique* [...]. La croisade d'Alain Lefèvre s'étendra bientôt à d'autres pays. Prochainement, il jouera le *Concerto de Québec* trois fois aux États-Unis et deux fois en Allemagne.

XX
Lanaudière, Radio-Canada et Mathieu – Les portes s'ouvrent

Le temps des fêtes n'est pas terminé que nous retrouvons Alain Lefèvre les 6 et 7 janvier à la salle Françoys-Bernier du Domaine Forget de Saint-Irénée pour l'enregistrement des pièces pour piano seul d'André Mathieu. L'encre des photocopies qu'il traîne depuis plus de vingt ans finissant par s'estomper, le neveu d'André Mathieu, Éric Le Reste, arrive à point nommé pour prendre la relève d'André Morin et soumettre des partitions originales de son oncle. Alain est plus qu'étonné quand il apprend de la bouche de Le Reste que plusieurs grands noms du piano canadien ont été approchés mais ont préféré décliner l'honneur d'être les premiers à faire revivre Mathieu. Parmi ces partitions éditées à Montréal et à Paris, le pianiste en a assemblé une dizaine. Le programme est complété par une commande que Lefèvre a faite à Boris Petrowski, lui lançant le défi d'imaginer une pièce que Mathieu lui-même aurait pu écrire s'il vivait encore. L'œuvre qui met le point final au disque, la *Valse de l'Asile,* composée pour la pièce de théâtre de Claude Gauvreau, *l'Asile de la Pureté,* montée au théâtre du Nouveau Monde l'année précédente, ajoute à l'enregistrement un grain de sel ou un grain de sable, c'est selon. Mais cette polarité qu'on retrouve dans cet hommage à Mathieu, du modernisme de Boudreau à l'ultra romantisme de Mathieu, est du pur Lefèvre.

À peine rentrés de Charlevoix, les Lefèvre s'envolent vers le Moyen-Orient. Alain a décroché des engagements à Amman, en Jordanie. Le 22 janvier, le récital comprend Chopin Rachmaninov et… Alain Lefèvre. La veille, Alain, à son habitude, a demandé à rencontrer des élèves de l'Académie de musique de Jordanie et du Conservatoire national de musique Noor Al Hussein. Trois jours plus tard, on le retrouve à l'auditorium de la Fondation culturelle d'Abu Dhabi pour un récital. L'ambassadeur John T. Holmes aura ces mots dans une lettre de remerciements personnelle : « Vous êtes un vrai ambassadeur pour le Canada. » Et nous aurions envie d'ajouter, « et vous n'avez encore rien vu ! »

Dans l'Agenda culturel du quotidien *Le Devoir* de la semaine du 21 au 27 février, Christophe Huss rencontre Alain Lefèvre à l'occasion du récital de ses œuvres qu'il donnera dans le cadre du Festival *Montréal en Lumière*. Cette manifestation accueille Alain chaque année depuis sa fondation. La salle choisie cette fois est l'historique Théâtre Outremont de la rue Bernard. Huss pose la grande question, celle à laquelle pensent aussi bien les fans que les boudeurs :

> Il est toujours une question épineuse qui se pose à l'artiste « classique ». Comment peut-il élargir son public sans se compromettre artistiquement ? Ce n'est pas là qu'un enjeu de marketing, dans le but ultime de vendre toujours plus. Cela peut aussi être une mission d'éducation. […] Les passerelles sont plus ou moins évidentes selon les cas. Le critère qui guidera l'apprenti amateur de classique sera finalement toujours la part de sincérité ou d'expertise qu'il saura attribuer à tel ou tel projet. […] Qui a vu Lefèvre soulever les foules à la Fête de la musique l'automne dernier au mont Tremblant sait à quel point le pianiste peut capter son auditoire, le rallier à sa cause. […] « J'ai composé un peu malgré moi. Ces pièces, je les jouais dans l'intimité […]. Pour ma part, je n'aurais pas eu la prétention de dire "je suis un compositeur", même si j'ai étudié la

composition au Conservatoire de Paris. Ce que je fais s'inscrit dans la longue tradition du pianiste compositeur. Je ne cherche pas forcément à écrire des œuvres "classiques"; j'aime beaucoup la musique de Michel Legrand, Francis Lai, Maurice Jarre... Car je cherche avant tout l'émotion. Tout cela est également lié au désir de mener un public à autre chose. Si le public apprécie mes compositions, on peut espérer qu'il aille un jour d'un concert *Carnet de notes* à un concert classique au Festival de Lanaudière. »

Justement, un de ses récitals où il abat le quatrième mur en s'adressant au public, en se racontant à travers son *Lylatov* ou son *Carnet de notes,* doit avoir lieu à Sherbrooke le 24 avril 2004. Joint au téléphone à Victoria, C.-B., Alain a ce cri du cœur qui résume mille interviews :

Je crois tellement au Québec, je crois tellement qu'on a une place dans la mer d'Anglo-Saxons qui nous entourent ! Les Québécois sont des héros. Je le pense et je le dis haut et fort quand je suis à l'étranger : ils sont des héros parce que chaque jour, ils décident de vivre en français. Je suis dans l'Ouest présentement, et la télé américaine est partout. Ça m'inquiète, cet envahissement dans lequel on pourrait s'engluer...

Ce passage à Sherbrooke est aussi l'occasion pour Alain de soutenir sur scène la jeunesse représentée ici par Léane Labrèche-Dor — la fille de Marc Labrèche — et comme deuxième invité-surprise Hugo Lapointe — « c'est une voix incroyable » de dire Alain — qui se joindra à Lefèvre au Théâtre Granada de Sherbrooke.

Au passage, Lefèvre a mentionné dans l'article de Christophe Huss le Festival de Lanaudière. Coup de tonnerre dans un ciel devenu serein ! Après vingt ans d'efforts à soumettre programmes de récitals et choix de concertos, est-ce son omniprésence médiatique ou sa popularité irréfragable qui en font un artiste incontournable qu'on ne peut plus ne pas inviter ? Questionnés à ce sujet, les principaux décideurs avouent ne pas se souvenir d'une époque où Alain Lefèvre n'aurait pas été un artiste digne de toutes les attentions. Le père Lindsay étant hélas ! disparu, les méandres de la mémoire resteront nébuleux. C'est de toute façon le choix qu'Alain Lefèvre a fait depuis longtemps. Pour ses débuts au Festival de Lanaudière, la direction lui a demandé une œuvre qu'il chérit et dont il est un des suprêmes interprètes, le *Concerto no 1* de Rachmaninov, qu'il donnera avec l'OSM et Jacques Lacombe. La porte est enfin grande ouverte. Et le 2 juillet, invité à jouer pour le concert d'ouverture du Festival, Alain Lefèvre s'avance sur la scène de l'amphithéâtre qui porte maintenant le nom de son fondateur, Fernand Lindsay. Ce revirement, loin d'être inespéré ou inattendu, était au contraire souhaité avec ardeur depuis, répétons-le, deux décennies. Vingt ans, quand on en a quarante-et-un, c'est long.

Quelques semaines à peine avant ce concert, Lefèvre reçoit un coup de téléphone qui pourrait l'inciter à croire que le monde des conte de fées cherche à infiltrer sa réalité ou que quelqu'un « d'un peu cruel » veut s'amuser à ses dépens. Quand il reçoit l'appel, Lefèvre croit d'abord à une plaisanterie. Christine LeBlanc, coordonnatrice de la planification de la diffusion des concerts à la chaîne culturelle pendant des années, devenue directrice de la production musicale en 2002, met la dernière main à un projet qui annonce la fin d'une époque et le début d'autre chose : Espace musique. Elle est depuis tout juste quelques jours directrice principale de la nouvelle chaîne qui doit prendre l'antenne début septembre. *Passion, séduction*, seront les mots d'ordre de cette nouvelle identité radiophonique, et qui mieux qu'Alain Lefèvre peut prêter un visage à cette nouvelle approche de la radio ? LeBlanc rencontre Lefèvre le jour même et lui propose l'animation d'une émission dominicale. Pour vaincre ses résistances, elle lui adjoint son champion de toujours, Daniel Vachon à la réalisation, consciente de sa carrière et de ses exigences, elle lui donne carte blanche pour l'organisation des horaires. Et voilà, en quelques minutes, Alain Lefèvre devenu animateur d'une émission à Radio-Canada, dans la case horaire la plus achalandée de l'antenne, le dimanche matin. Huit ans plus tard, il y est toujours :

> C'est sûr qu'il y avait quelque chose d'irréel dans le fait de recevoir une offre de travail de la maison où j'étais interdit depuis si longtemps. Bien des choses me sont passées par la tête. Devais-je oublier tant d'années… ou ne pas oublier ? Je me suis dit que je préférais ne pas savoir. J'étais très au fait que Sylvain Lafrance voulait un changement radical. Je n'ai jamais su qui réellement a décidé quoi et je n'ai pas nécessairement voulu savoir. Moi, à la barre d'une émission à Radio-Canada ! C'était incroyable. Il ne faut pas oublier que j'ai failli crever de faim, il faut se remettre dans ce contexte qui a vraiment existé.

La même année, en l'espace de quelques mois, deux forteresses qui n'avaient jamais cédé aux avances de sa muse lui font un pont d'or, Radio-Canada ET le Festival international de Lanaudière. « Je ne peux pas l'expliquer. Même aujourd'hui. Mais je l'ai vécu avec beaucoup de reconnaissance et quand on me pose des questions, je ne peux pas répondre, ce n'est pas moi qui ai pris les décisions. »

Et comme deux bonheurs n'arrivent jamais seuls, un des magazines les plus lus du Québec, *L'actualité*, lui consacre un article de fond dans son édition de juillet 2004. Véronique Robert résume en quelques pages une carrière qui atteint de nouvelles cimes.

> Ces dernières années, les téléspectateurs ont vu le pianiste Alain Lefèvre, interprète respecté du répertoire classique, rigoler avec

Normand Brathwaite *à Belle et Bum*, jouer du Chopin dans la série *Un gars, une fille* [c'était du Rachmaninov] de Guy A. Lepage, faire des confidences à Francine Ruel et à Christiane Charette… Depuis longtemps, le « chevalier » Lefèvre est en croisade. Il bataille pour maintenir le classique en vie, ce qui suppose assurer la relève chez les auditeurs, donc sortir la musique — et le musicien — de sa tour d'ivoire. […] Ramener le public au concert, tel est son objectif. Rien d'étonnant à ce que l'une de ses idoles soit le chef d'orchestre américain Leonard Bernstein. « Un antiélitiste, qui a fait aimer la musique aux gens. On retient sa comédie musicale, *West Side Story*, mais son Wagner et son Mahler étaient fabuleux. »

Véronique Robert est une des premières à écrire tout haut ce qui se dit tout bas :

Dans le milieu de la musique « sérieuse », on entend parfois des commentaires désobligeants à l'endroit d'Alain Lefèvre, qu'on trouve un peu trop « marketing », un peu trop acoquiné avec le monde du showbiz. Cela ne le dérange pas beaucoup. « Je trouve les musiciens classiques souvent "plates", prétentieux. Ils s'écoutent parler », laisse-t-il tomber de son côté.

[…] À son récital, en février, au moment d'attaquer un morceau, Alain Lefèvre s'est tourné vers la salle : « Vous savez, vous pouvez tousser… » Les gens ont ri, mais il était sérieux… Lorsqu'il lance : « La première fois que j'ai été crucifié… », le public est conquis. Il reviendra. « Il est un des rares musiciens classiques à avoir son propre public », note le chef d'orchestre Jacques Lacombe […]. « Alain est plus attaché au Québec que la moitié des Québécois », affirme Guy A. Lepage […].

Le pianiste rattrape aussi le temps perdu sur le plan de l'amitié. Au mur s'alignent des photos de lui avec ses innombrables amis : les comédiens Michel Côté, Guy A. Lepage, Marc Labrèche, le chanteur Claude Dubois… Rencontrés sur les plateaux de télévision ou, dans le cas de Lepage et de Labrèche, recrutés par Péladeau père pour présenter le pianiste à son Pavillon des arts de Sainte-Adèle. «Jojo me le présente quinze minutes avant le concert se souvient Marc Labrèche. Il a le trac, il est vert, alors ce fut bref! J'arrive sur scène et je dis aux gens que je viens de voir une incarnation du XVIIIe siècle, chemise à jabot et tout, d'une pâleur romantique à souhait, au point qu'il va perdre connaissance pendant le concert et qu'il faudra le ramasser... Le concert derrière lui, Alain riait à gorge déployée et j'ai découvert un gars drôle comme un singe, un type à personnalités multiples, qui peut passer du plus raffiné au plus vulgaire, le tout avec classe! Je l'ai ramené à Montréal avec Jojo et ce fut un coup de foudre amical.» Car Alain Lefèvre ne conduit pas, et sa femme non plus. [...] Le musicien n'a pas de télévision chez lui, mais une collection d'échantillons de parfums qu'il croit être la plus complète au monde. «[...] Un mot résume sa personnalité: "générosité"», dit François Mario Labbé, PDG d'Analekta.

Véronique Robert parle aussi bien sûr d'André Mathieu, «la croisade la plus récente d'Alain Lefèvre»... Puis elle mène l'article à sa conclusion en évoquant la plus belle victoire pour Alain Lefèvre: éveiller un jeune à la musique.

Au Québec, «faire» *L'actualité*, c'est un peu être «arrivé» et, arrivé, Alain Lefèvre, en cette année 2004, commence à l'être, mais comme il l'a voulu, comme la vie l'a conduit à l'être; non pas en soliste qui, bon an mal an, revient au pays donner un récital ou jouer son concerto, mais en pénétrant de façon unique le tissu social et la conscience collective. Quand Lefèvre se positionne comme Québécois, mais avec cette perspective unique, cette distance de culture et de naissance qui lui permet d'autant mieux d'embrasser cette québécitude qu'il a choisie, la fierté qu'il réveille dans chacun de ses auditeurs est un liant indestructible qui l'unit à son peuple d'élection. Pouvons-nous avoir la naïveté ou l'arrogance de croire qu'un Québécois de naissance aurait pu reconnaître la valeur d'abord, et défendre ensuite la cause d'André

Mathieu? Ne fallait-il pas cette appartenance revendiquée pour déclencher une telle campagne de réhabilitation rendue possible par cette distance qu'Alain Lefèvre s'emploie à faire disparaître à chaque interview. Ces québécismes dont il émaille ses réponses et ses répliques ne sont que le reflet de sa volonté d'être d'ici.

En novembre 2004, le pianiste part d'abord en tournée sur la côte ouest américaine devenue une des bases de sa carrière. Après avoir promené l'*Empereur* de Beethoven avec différents chefs et orchestres, il va ensuite rejoindre George Hanson, dont il a fait la connaissance un an auparavant à Nuremberg. Celui-ci l'a invité à venir jouer le *Concerto en Fa* de Gershwin. Mais Alain sait que la seule façon d'imposer Mathieu au Québec est de le faire reconnaître à travers le monde. Il a donc proposé à Hanson et à son orchestre d'Arizona d'ajouter le *Concerto de Québec* de Mathieu. Sérieusement, n'eut-il pas été plus simple et moins exigeant, plutôt que de convaincre Hanson d'abord et le conseil d'administration de l'orchestre américain ensuite, de jouer le *Concerto* de Gershwin, et de tourner au Québec, et peut-être dans le reste du Canada, si une vague d'affection vers le Québec avait besoin d'un véhicule pour se manifester, avec le *Concerto de Québec*? Oui, mille fois oui. Lefèvre rencontre Cathanela E. Burch du quotidien *Arizona Daily Star* le jour même du premier des trois concerts prévus (18, 19 et 21 en matinée) et, après avoir passé en revue les étapes de son parcours, le pianiste termine l'entretien avec ce cri du cœur :

> « Je suis heureux, pas tant pour moi que pour Mathieu, dit-il. Selon moi, le fait que, presque quarante ans après sa mort, on prononce son nom dans le monde entier, le fait que tant de gens me disent enfin : "Alain, c'est fantastique", c'est quelque chose que je redonne à ce génie. »

Le matin du dernier concert, Cathanela E. Burch, envoyée par son journal vérifier si Alain Lefèvre était « full of words », ou s'il avait livré la marchandise si brillamment proposée, publie son compte rendu du premier concert :

L'OST ET LEFÈVRE DONNENT DE L'ÉCLAT
À UNE RARE MERVEILLE DU CANADA

Vendredi soir, au sommet du deuxième mouvement du *Concerto de Québec* d'André Mathieu, Alain Lefèvre s'est tendu sur le banc du piano et a fermé les yeux en serrant fort. Le public n'a probablement pas remarqué les larmes qui coulaient dans les yeux du pianiste canadien français... L'auditoire de Lefèvre, vendredi soir, n'a peut-être pas partagé ses émotions, mais a certainement ressenti son enthousiasme pour cette pièce quasi oubliée. Il a ovationné le pianiste et l'orchestre avant même que les doigts de Lefèvre aient quitté le clavier à la fin du troisième mouvement. C'était une triple ovation : pour l'impeccable interprétation de virtuose qu'a donnée Lefèvre de cette pièce exigeante ; pour le génie du compositeur ; et pour le directeur de l'Orchestre symphonique de Toronto, George Hanson. [...] Le *Concerto de Québec* ne donne pas l'impression d'avoir été composé par un enfant. Il est beaucoup trop riche, complexe, émotionnel et profond pour être sorti de l'esprit d'un garçon.

Et pourtant...

Trois jours plus tard, Alain Lefèvre est de retour au Québec, à Québec en fait, avec l'OSQ et Yoav Talmi dans le *troisième* de Rachmaninov, celui dont le film *Shine* a assuré la notoriété.

Le chroniqueur musical Richard Boisvert, présent au concert du 24, dans son compte-rendu du lendemain va beaucoup plus loin qu'une simple critique ; il interprète le concert comme Lefèvre son concerto. Il le présente non plus comme la simple exécution d'une œuvre, mais comme le moment privilégié, l'événement de partage que devrait toujours être cette rencontre entre une œuvre, ses serviteurs et le public. Boisvert titre:

LE TRIOMPHE EN PARTAGE

On pouvait lire toutes sortes d'émotions dans l'acclamation aussi vive qu'unanime qui a salué hier soir au Grand Théâtre l'interprétation d'Alain Lefèvre du *3ᵉ Concerto* de Rachmaninov. De l'enthousiasme et de l'admiration, certes, mais avant tout une sorte de joie exubérante, comme si chacun des spectateurs partageait avec lui sa fierté d'avoir accompli un tel exploit. Si j'ai bien compris, tout part de l'attitude du pianiste. Alain Lefèvre cultive l'accessibilité comme une sorte de vertu. Ce garçon ouvert et sensible n'a que faire d'un piédestal. Et s'il s'élève, il nous élève avec lui. Sur scène, sa première préoccupation consiste d'ailleurs à réduire la distance qui sépare, qu'on le veuille ou non, le soliste de l'orchestre, notamment en cherchant à s'intégrer le plus possible au travail de l'ensemble. Dans Rachmaninov, voilà qui n'est pas une mince affaire. Or, certains passages entendus hier ce n'est tout à fait comme de la musique de chambre… On joue autant avec ses oreilles qu'avec son cœur. On recherche d'abord l'exactitude, ensuite seulement [,] la grande sonorité. C'est riche, c'est plein, mais jamais ça n'écœure. Tout à fait à l'opposé de l'artiste distant et méprisant, Alain Lefèvre se présente finalement comme un artisan loyal entièrement au service d'un compositeur et de son œuvre.

L'osm, décidément, ne peut plus se passer de lui. À partir de 2005, l'orchestre va lui proposer chaque année un concerto, au mois de février, au moment où le froid, la glace, l'absence de lumière, retiennent les mélomanes chez eux, parfaitement conscient que le nom *Lefèvre* assurera à l'orchestre deux salles affichant, à chaque concert, *Complet*.

Voilà donc que l'osm le réinvite les 8 et 10 février dans le concerto de Grieg, avec l'ancien directeur artistique de l'osm (1967-1975), Franz-Paul Decker au pupitre, qu'Alain rencontre pour la première fois. Lefèvre connaît bien son Grieg, il l'a souvent joué, et cette œuvre l'a mené au triomphe à Toronto et plus récemment lui a même permis d'amorcer une amitié à Nuremberg. L'inflexibilité du vieux chef se marie plus difficilement avec un interprète porté par le moment et, comme disent les Français, il n'y aura pas photo.

Le lancement du nouvel enregistrement d'Alain Lefèvre, *Hommage à André Mathieu*, a lieu le 7 mars 2005. En stratège avisé, François Mario Labbé a laissé déferler la vague du *Concerto de Québec* et, profitant de cet élan, lance ces onze pièces originales qu'on n'a pas entendues depuis des décennies. Alain, à l'instar de Mathieu lui-même, a réduit pour piano solo le concerto auquel il a redonné vie. Ce prolongement intimiste de l'aventure Mathieu, dont le succès semble dépasser toutes les prévisions de ses initiateurs, fracasse des records de vente. Ces pièces qui dormaient aux Archives nationales ou dans des tiroirs, voilà qu'elles vont devenir la trame sonore de la vie d'innombrables mélomanes qui se découvrent une fierté grâce à ce paria qu'on réhabilite.

Restant sur son quant-à-soi, et refusant de se laisser emporter par ce mouvement qu'il ne contrôle plus, le critique du quotidien *La Presse*, dans son édition du 12 mars, rend compte de ses impressions, prudentes. Et pour une fois, semble-t-il, Claude Gingras est interloqué :

GÉNIE DE JEUNESSE

[...] Voici 12 plages et autant d'œuvres de jeunesse (composées entre 4 et 17 ans) dont la parenté musicale et stylistique avec Rachmaninov est notable. Lefèvre ne ménage pas son ardeur à défendre le talent de Mathieu et son engagement est total. À noter : *Tristesse*, étonnamment aboutie, le charmant *Prélude Romantique no 5* et cette transcription pour piano seul, un condensé de son *Premier concerto* pour piano et orchestre, que Lefèvre a révisé. [...] La *Valse de l'Asile* de Walter Boudreau composé pour *L'Asile de la pureté* de Claude Gauvreau, sans réinventer le genre, est empreinte d'une douleur surréaliste de circonstance… Habile.

Dans son édition du 24 mars 2005, le quotidien *The Gazette* nous livre les impressions de son critique musical Arthur Kaptainis :

> Étonnant prodige, virtuose romantique et, hélas, alcoolique invétéré, André Mathieu, né en 1929 et mort en 1968, faisait partie des talents les plus authentiques des annales de la musique au Québec. Cet enregistrement, un hommage de son disciple actuel, le pianiste Alain Lefèvre, on peut le recommander pour des raisons patriotiques, historiques et esthétiques […] un ensemble de pièces d'un caractère sensuel, notamment le sombre et brahmsien *Prélude no 5*. D'autres compositeurs font de brèves apparitions, sans jamais éclipser, toutefois, la voix passionnée de Mathieu. […] On retrouve également, et avec plaisir, une valse mordante de Walter Boudreau, un compositeur montréalais qui, d'ordinaire, écrit dans un style avant-gardiste impossible. […] Tout cela donne un jeu flamboyant et coloré pour tout le récital.

Dans le Guide Culturel de Radio-Canada du 15 avril 2005, l'animateur Michel Ferland ajoute son commentaire qui met en lumière le travail de Lefèvre et de Labbé, autour d'André Mathieu :

> On peut juger de la notoriété d'un musicien notamment par le battage médiatique mis en œuvre autour de ses projets artistiques. Ces jours-ci, des autobus sillonnant Montréal affichent sur leur imposante carrosserie la publicité du plus récent disque du pianiste Alain Lefèvre, consacré à des œuvres du compositeur québécois André Mathieu, « le Mozart canadien ». […] on ne peut que rester béat d'admiration devant un tel lyrisme, ainsi que devant la qualité de l'inspiration mise en valeur par la virtuosité et la sensibilité de Lefèvre, si engagé à nous faire découvrir ce patrimoine musical. […]

Charismatique, Alain Lefèvre sait comment soulever l'enthousiasme de son public en concert. Avec la même ardeur, il ravive sur disques ces pièces de jeunesse. [...] une histoire à suivre.

Christophe Huss, dans l'édition française de *Classics Today* du 31 mai 2005, se laisse lui aussi gagner par l'enthousiasme :

> Son sens mélodique, pour qui aime le grand piano romantique, façon Rachmaninov ou Bortkiewicz, est extraordinaire, et son écriture qui brasse le clavier est parfaitement mise en valeur [par] le son nourri d'Alain Lefèvre, un pianiste qui jamais ne pioche ou ne cogne, un pianiste qui n'a jamais été aussi bien enregistré qu'ici. Dans ces pièces, [...] il y a de vraies petites merveilles, comme le Prélude Romantique, la 2ᵉ Laurentienne ou cette incroyable 4ᵉ bagatelle [...] En deux ans, Alain Lefèvre a fait retrouver à André Mathieu au Québec le statut du génie national dont il n'aurait jamais dû être privé.

Pendant la tournée de promotion pour l'*Hommage Mathieu*, Alain a été invité à l'émission de Paul Arcand, qui jouit d'une des plus fortes cotes d'écoute et rejoint un public sensiblement différent des stations équivalentes en puissance d'antenne et d'audimat. Alain Lefèvre est ce matin-là particulièrement rassembleur. Les faits qu'il aligne, mâtinés de légendes dont il devient le nouveau dépositaire, enflamment l'imagination d'un jeune cinéaste qui voit dans cette saga, avec ses triomphes, ses amours déçues et cette déchéance, une trajectoire digne d'une tragédie grecque. Luc Dionne appelle Alain Lefèvre, mais l'histoire est si belle qu'en réalité plusieurs producteurs et réalisateurs se montrent intéressés et soumettent synopsis et projets. C'est le tandem Luc Dionne - Denise Robert qui remportera la mise.

Détail essentiel de l'aventure Mathieu, Lefèvre, dans les notes de programme du nouvel enregistrement, s'adresse directement à l'auditeur et demande à toute personne ayant connu André

Mathieu, étant en possession de manuscrits, susceptible de fournir quelque information sur le compositeur, de communiquer directement avec lui, Alain Lefèvre à une adresse Internet indiquée dans le livret. C'est dans cette banque de données, où le meilleur se cache parfois sous le pire, que Lefèvre recueille les délits d'imagination enfiévrée comme les témoignages les plus bouleversants.

Non seulement Lefèvre se retrouve là où on ne l'attend pas, mais durant cette période il semble avoir développé un don d'ubiquité, puisque le Royal Philharmonic Orchestra l'a réinvité pour deux concerts, les 22 et 23 mars 2005, à Londres, au célèbre Royal Albert Hall. Sans même attendre que paraissent les critiques, il s'envole vers l'Algérie pour une première tournée qui va l'amener à jouer son rôle d'ambassadeur dans les écoles et les conservatoires auprès des jeunes auxquels il prodigue encouragements et conseils. La tournée commence par le Théâtre Régional d'Oran Abdelkader Alloula, puis c'est à Alger qu'Alain ménage un coup de théâtre à la fin de son récital au public venu l'entendre à la salle Ibn Zeydoun. Alain joue Chopin, Rachmaninov, ses trois pièces grecques et, bien sûr, André Mathieu. Mais ce qui va donner une dimension supplémentaire à cette tournée, c'est la surprise qu'il veut présenter au public algérois. Un jeune pianiste, Mehdi Ghazi, qu'il a entendu à Oran l'a emballé au point qu'Alain l'invite sur scène où ses compatriotes sont galvanisés de voir un frère jouer Chopin. Alain le recommandera vivement au Conservatoire de musique de Montréal, où ce jeune Oranais étudiera quelques années dans la classe d'André Laplante. On peut lire le compte rendu de Mustapha Mazari, du journal *Le Quotidien,* dans son édition du 28 mai 2005 :

> Et le voyage commença. La première étape fut le Canada et André Mathieu, un jeune génie de la musique classique, qui à six ans avait déjà dix œuvres à son actif. Un génie qui mourut, pourtant dans la

misère. Et Alain Lefèvre joua la musique géniale d'un enfant. Des œuvres, dont « L'Été canadien », qui fait apparaître toute la poésie du Canada, « Prélude Romantique » et le célèbre « Concerto de Québec ». [...] Alain Lefèvre est un grand sentimental et ses œuvres transpirent la passion. Mais il est difficile de transmettre une impression avec des mots. Alain Lefèvre a peut-être trouvé le moyen de dire ses sentiments avec un piano. [...] Oui, la communion y était, et lorsque les sentiments sont ainsi saisis, il n'y a plus de différence entre un connaisseur et un profane. [...] Il « carbure » à l'amour et le fait sentir à ceux qui l'écoutent jouer, et ne manque pas l'occasion de le dire aussi avec sa propre voix.

Un deuil vient assombrir cette lancée qui ne semble pas vouloir s'essouffler. Depuis plusieurs mois, Alain sait que sa mère Thérèse est atteinte d'un cancer, qui non seulement la ravage, mais donne tort à tous ses principes et contredit ce qu'elle a tenu de plus sacré : la rigueur, la discipline, le courage et la nature. À peine rentré à Montréal, Alain apprend qu'il n'y a pas d'âge pour être orphelin, et que celle qui avait pavé la voie lui permettant d'être là où il est, s'est éteinte le 15 juin 2005. Là aussi, la musique sera un exutoire et la confidente de la douleur que nous n'arriverons jamais à cerner. Alain écrira *Petite mère* qui révèle tout à qui sait écouter.

Alain se livre ensuite à une ronde d'interviews radiophoniques, télévisées et imprimées. C'est que vraiment, lui semble-t-il, il souffle sur le monde un vent nouveau : le Festival international de Lanaudière lui a demandé d'être son porte-parole officiel pour la saison 2004. Et Alain parle de ses collègues, attire l'attention sur des concerts, vante l'originalité du répertoire et le charme des vieilles églises. Propagandiste zélé, il prête sa popularité à un événement qui n'a jamais contribué à la sienne. On peut accuser Alain Lefèvre de bien des choses, mais certainement pas d'être vindicatif. Le *Concerto de Québec* étant le sujet le plus brûlant de l'actualité musicale québécoise, Lefèvre accepte de le jouer à l'Amphithéâtre avec l'Orchestre du Festival et un chef inconnu, Gregory Vajda, pour le concert d'ouverture de la 28ᵉ saison. Élément extra musical mais combien lourd de sens, Mᵐᵉ André Mathieu, la femme du compositeur, a accepté l'invitation d'Alain et assistera à l'exécution du concerto de son mari. L'émotion toujours palpable quand Lefèvre touche à Mathieu atteint ce soir-là de nouveaux sommets.

Quelques jours plus tard, s'il faut en croire le chroniqueur musical, collaborateur au quotidien *Le Devoir*, Christophe Huss, dans son édition du 25 juillet 2005, Lefèvre livre ce vendredi 22 juillet à la salle Gilles-Lefebvre du Centre d'arts Orford, un récital exemplaire. Le critique titre :

LA GÉNÉROSITÉ D'ALAIN LEFÈVRE

[...] Il y a évidemment cette générosité sonore, qui fait sonner, je dirais même retentir, le piano d'une manière tout à fait impressionnante, sans lourdeur ou effet bruyant, mais avec largeur et force, comme une houle. [...] La fin du programme d'Alain Lefèvre fut vertigineuse, extatique, démoniaque ; un très grand moment de musique et de vie, au-delà du piano. [...] *L'Isle joyeuse* est miraculeuse d'inventivité, de liberté dans la pulsation et de lisibilité, avec un petit bijou sur la grande péroraison finale, dans laquelle on entend — chose rare ! — un superbe contre-chant de la main gauche. Lorsque la respiration est profonde et que la musique demande du souffle, Alain Lefèvre est un pianiste transcendant.

Le dimanche 7 août 2005, en après-midi, Lefèvre revient à la salle Gilles-Lefebvre où il reprend son récital. Parmi la foule qui se presse, après le concert, en coulisse, Alain remarque un couple d'un certain âge. L'homme et la femme se présentent, portant une boîte. La femme de ce couple racé lui remet son fardeau et le pianiste sent que l'homme veut couper court. Leur but atteint, les

LeBel prennent congé. La lame de fond Mathieu vient de poser sur sa rive des documents uniques qui vont orienter l'avenir de Lefèvre. Ce qu'il découvre dans cette boîte, ce sont les témoignages des derniers mois de la vie de Mathieu. Il y a toute la recherche et la documentation pour un premier projet de biographie que Cécile LeBel, le dernier havre amoureux de Mathieu, a rassemblées. Découverte étonnante, une mèche de cheveux ainsi que le dernier testament d'André Mathieu. Et, trésor suprême, parmi des partitions originales, celle de la *Rhapsodie romantique* de 1958 qu'André avait apportée chez Cécile LeBel. Madame LeBel étant disparue en 2002, ses héritiers se sont dit que logiquement le dépositaire le plus à même de reprendre le flambeau là où leur mère l'avait laissé, était Alain Lefèvre. Ce dimanche après-midi, la vie elle-même pousse Lefèvre à poursuivre l'entreprise de réhabilitation dont il s'est trouvé chargé presque malgré lui. Car au moment où il suggère à François Mario Labbé d'enregistrer le *Concerto de Québec*, Lefèvre ne pouvait pas prévoir que le succès et la fierté du public de trouver, et pour plusieurs de retrouver, une cause de fierté nationale, pour ne pas dire nationaliste, allaient devenir ce phénomène dont Morin, Savoie, Dessaints et Labrecque n'avaient cessé de tisonner les braises. Lefèvre, surpris et étonné du succès que remporte l'album des pièces pour piano seul, y voit un signe, un appel. Il fonce chez Gilles Bellemare, le chef d'orchestre-compositeur-éditeur-professeur, à qui il avait confié l'édition des pièces pour piano, et lui apporte le manuscrit de la *Rhapsodie romantique*. Il faut corriger et mettre au point une partition qui lui permettra d'en faire la création et de l'enregistrer. Labbé et l'osм sont déjà en pourparlers pour que le double événement ait lieu à la Salle Wilfrid-Pelletier de la Place des Arts avec l'Orchestre symphonique de Montréal et son ami, le chef Matthias Bamert.

Mais en attendant, pour lancer sa saison 2005/2006, Lefèvre a accepté l'invitation de l'Orchestre symphonique de Laval d'être le soliste pour leur concert d'ouverture, le 21 septembre 2005. Au programme, le *Concerto de Québec* dans la salle qui porte le nom de son auteur, la salle André-Mathieu. Le concert affiche complet et, à la fin, un Alain épuisé essaie d'écourter tout en restant affable, la période de rencontres avec le public. Il y a une femme d'un certain âge qui demande à le rencontrer, seul, dans sa loge. Elle a quelque chose à lui remettre, c'est très important. Alain cède à ses demandes, et une fois à l'abri des oreilles indiscrètes, elle lui apprend qu'elle a connu André Mathieu, qu'elle a même été un de ses derniers amours, et qu'il lui a confié un trésor qu'elle veut lui transmettre, à lui, Alain Lefèvre, le plus digne dépositaire de la mémoire… Elle refuse de donner son nom, son numéro de téléphone, et son compagnon qui semble un peu embarrassé par la situation, l'entraîne et la rencontre prend fin. Elle a remis à Lefèvre un sac, un sac qui contient, protégés par du carton brun, cinq disques, des enregistrements privés. Sur le label, de la main inimitable d'André Mathieu, défilent les titres d'œuvres connues, mais sur quatre des dix pastilles, apparaît laconiquement: *Concerto no 4*. Emporté par le tourbillon des tournées de sa carrière internationale entre l'Europe, les Amériques, l'Afrique du Nord et le Moyen-Orient, Lefèvre dépose en lieu sûr ces matrices uniques, précieuses, historiques, qui vont donner des ailes à l'aventure Mathieu et littéralement prendre possession de la vie d'Alain Lefèvre.

Après plusieurs rencontres avec Luc Dionne et la célèbre productrice de films Denise Robert, qui a mené *Les invasions barbares* de Denys Arcand à la victoire avec entre autres, l'Oscar du meilleur film étranger en 2003, c'est finalement avec cette équipe que Labbé et Lefèvre choisissent de s'associer. Luc Dionne, qui a connu un parcours aussi atypique que celui d'Alain Lefèvre, a d'abord étudié la musique, avant de devenir attaché politique sous le gouvernement Bourrassa et de se réinventer comme scénariste. Il a fait un malheur avec ses séries télévisées *Omertà, Bunker, Le Dernier chapitre*, et en mai 2005, *Aurore*, son premier film en tant que réalisateur a pris l'affiche dans tout le Québec.

À la fin de l'année 2005, les tractations contractuelles étant enfin terminées, Dionne se rend chez Lefèvre et, ensemble, ils passent à travers le matériel que le pianiste a accumulé tout au long des années. Le créateur d'images assimile tout ce contenu disparate, rencontre les témoins et les passeurs de la flamme et accumule une importante collection de faits et de légendes. Le pianiste lui confie ses archives et le cinéaste repart avec les précieux disques qu'il veut faire transcrire pour pouvoir découvrir leur contenu.

Dans le *Journal de Montréal* du 13 février 2006, on annonce officiellement l'association Dionne/Labbé/Lefèvre pour un film qui, selon le titre de l'article, devra :

Réparer l'erreur

[…] « Ce sera un grand film qui consacrera enfin ce génie. On ne pouvait pas permettre à des Américains ou à des Européens de s'emparer de cette histoire. Elle nous appartient et c'est à nous de la mener à bon port. » Denise Robert, de Cinémaginaire, estime que ce sera un travail de deux ans. […] « À sept ans, André Mathieu jouait à Paris et, à dix ans, il donnait son premier concert au Carnegie Hall de New York », rappelle Mario Labbé. […] L'auteur Luc Dionne est emballé de refaire la route de ce « petit génie qui a eu une vie tragique. […] Pour un scénariste, la vie d'André Mathieu est un cadeau ». […] Cela fait plusieurs années qu'Alain Lefèvre veut redonner à André Mathieu la place qu'il mérite. « Les producteurs américains ont montré un intérêt pour son histoire mais comme ça devait se faire chez nous, j'ai contacté Denise Robert qui à mon avis, est la seule à pouvoir donner une dimension internationale à ce film. Il le faut car je suis tanné de voir qu'on retienne de Mathieu qu'il était un pauvre alcoolique mort très jeune » lance Alain Lefèvre, qui avoue traîner ce poids depuis 25 ans. « Je me sens enfin appuyé dans ma démarche et surtout, Denise, Luc et Mario comprennent parfaitement l'importance de l'œuvre d'André Mathieu », ajoute le concertiste. […] « Il faut réparer cette erreur », conclut Denise Robert, appuyée par ses collaborateurs dans ce projet.

Huit jours plus tard, retour à l'OSM, évidemment en février, où Alain retrouve son partenaire de l'année précédente, Jacques Lacombe, dans la *Rhapsody in Blue,* qu'il doit enregistrer deux mois plus tard dans la même salle avec le même orchestre. François Mario Labbé, maître stratège, s'assure de maintenir la cadence et lance le 14 mars 2006 le dernier enregistrement consacré exclusivement aux œuvres d'Alain Lefèvre : *Fidèles insomnies.* Les titres et les textes ont été trouvés et rédigés par Johanne Martineau et les dédicaces se lisent comme autant de témoignages de reconnaissance. On découvre *Trois préludes* commandés par le magnat de la presse hellénique, fondateur du Megaron d'Athènes, Christos D. Lambrakis, à l'occasion des Jeux olympiques d'Athènes, et créés dans la salle du Megaron en novembre 2005. Autres pôles d'affection soulignés par les dédicaces, Jojo bien sûr, son père André, sa mère Thérèse, qui vient de disparaître, et le si fidèle Daniel Vachon et sa famille. Et en hommage à ses deux pères, Alain reprend *Lylatov* pour dire adieu à Kito disparu le 18 juin 2003 et *Un ange passe* à la mémoire de son père, avec piano et quatuor à cordes. La dernière pièce est dédiée à Fabienne Dor, disparue en juin 2005, la femme de Marc Labrèche devenu un ami. Un disque qui se lit comme une carte du cœur.

Christophe Huss, dans l'édition du 21 mars 2006 du quotidien *Le Devoir*, ne cache pas son émotion sous un cynisme facile et laisse parler sa plume :

REFUGES D'UNE INEXTINGUIBLE DOULEUR

Il y a les paravents, les apparences. Et il y a la vérité, crue. Avec le troisième disque de ses compositions, *Fidèles insomnies*, paru le 14 mars chez Analekta, le pianiste classique Alain Lefèvre se dévoile, sans paroles. Et surprise, derrière la façade, le romantisme, les (belles) mélodies — qui tiennent davantage de Michel Legrand et Francis Lai que de Ligeti et Boulez — il y a une lancinante, profonde et indicible douleur. […] *Fidèles insomnies* est inclassable. […] Il y a assurément, dans la démarche, un romantisme revendiqué. […] Le pianiste reconnaît « qu'en 2006, parler d'amour, de fidélité, de beaux sentiments, ce n'est pas nécessairement la plus grande des modes, et cela pourra être facilement ridiculisable. Quelqu'un de cynique est beaucoup moins ridiculisé que quelqu'un qui expose de beaux sentiments. » […] Impossible derrière les flots de notes et les mélodies, de ne pas sentir une oppression, une douleur. […] Cette tension rappelle la noirceur de ces versions des ballades de Chopin en 1996. Alain Lefèvre l'avoue : « Je viens d'une famille où les choses n'étaient pas dites. La composition, c'est pour moi le moyen de dire des choses que je ne pouvais pas exprimer en paroles. » La douleur d'Alain Lefèvre est inextinguible. C'est pour cela que sa sincérité touche au cœur.

Après une émission consacrée à André Mathieu au réseau anglais de la télévision de Radio-Canada, deux ans auparavant, et qui a servi à alerter la communauté anglophone du Canada de l'existence de Mathieu et par là même de son champion Alain Lefèvre, Robert Markow, musicographe connu, signe dans un article du 28 mars 2006 du quotidien *The Gazette* consacré à Mathieu un article-interview qui annonce les trois concerts du 4 et 5 avril de la Place des Arts avec l'osm et Bamert ; deux exécutions en soirée et une en matinée, pour capter pour l'Histoire les trois Rhapsodies. Dans cet article, Alain Lefèvre nous fait ressentir son désarroi devant le maelstrom qui commence à le dépasser :

« Tout, chez Mathieu, est un mystère. Nous en savons si peu sur lui. Tout est étrange, secret, énigmatique. Cela me donne la chair de poule. Dès son très jeune âge, sa musique manifeste une étonnante complexité et une intensité émotionnelle. Où a-t-il acquis cette profondeur d'intelligence? Ce n'est pas naturel, voilà tout. [...] » Un long métrage sera lancé au cinéma en 2008 [...]. Lefèvre ne sera pas à l'écran, mais il aura un triple rôle: consultant musical, interprète des œuvres de Mathieu, et compositeur de musique additionnelle. [...] « La *Rhapsodie* avait un sens particulier pour Mathieu. [...] Pour survivre, il devait vendre de la vaisselle de porte en porte. [...] »

Arrive enfin la création les 4 et 5 avril 2006 de la *Rhapsodie romantique* d'André Mathieu, près d'un demi-siècle après que la famille Morin l'ait hébergé, le temps pour lui d'écrire cette œuvre d'envergure à laquelle Gilles Bellemare a donné un lustre en peaufinant l'orchestration, en redressant les maladresses d'écriture et en assouplissant quelques transitions un peu abruptes. François Mario Labbé et l'équipe d'Analekta relèvent le défi d'enregistrer dans cette salle à l'acoustique problématique, la salle Wilfrid-Pelletier. Le projet, comme le concert, regroupe trois œuvres, trois rhapsodies: la célèbre *Rhapsody in Blue* de Gershwin, la *Rhapsodie sur un thème de Paganini* de Rachmaninov, et enfin cette partition jamais entendue, la *Rhapsodie romantique* d'André Mathieu.

Quelques jours après les exécutions et l'enregistrement des triples Rhapsodies, Lefèvre part pour Québec retrouver Yoav Talmi et l'osq. Richard Boisvert, dans l'édition du 21 avril du quotidien *Le Soleil*, est, c'est le cas de le dire, rhapsodique dans son compte rendu dont le titre est un poème:

UN ÉLAN DE FIERTÉ ET DE JOIE COLLECTIVES
La salle Louis-Fréchette était remplie à craquer pour entendre Alain Lefèvre donner la première à Québec de la *Rhapsodie*

romantique. [...] Le programme comprenait également des musiques de Pierre Mercure, de Claude Champagne et de François Dompierre. En fait, il régnait un esprit de fête nationale sur cette soirée. [...] Utiliser le mot *passionné* pour parler d'Alain Lefèvre est trop doux, surtout quand il s'agit d'André Mathieu. Dans la *Rhapsodie*, Lefèvre ne joue pas à vrai dire du piano, il entre en transe. Il s'ouvre la poitrine et c'est son cœur qui se répand sur le clavier. La quantité d'énergie qu'il déploie est phénoménale. [...] Dans le tonnerre d'applaudissements enthousiastes qui a salué la prestation, on a senti une expression de fierté collective, un sentiment rare à Québec par les temps qui courent. Dans [...] la célèbre *in Blue* de Gershwin, Lefèvre a adopté une tout autre attitude. On aurait dit un fauve en chaleur. Sous ses doigts, la musique passait par tous les états, de la sauvage exubérance à la grandiose démesure en passant à l'occasion par une langueur un peu vulgaire mais appropriée. [...] Depuis la salle, [...] le plaisir était total.

Pendant que la machine Mathieu se met en branle comme animée d'une vie propre, Alain et Jojo s'envolent vers la Chine pour honorer les engagements que le coup de pouce d'André Desmarais a facilités. On se souviendra de cette amitié qui s'était esquissée entre Yves Séguin et Alain Lefèvre lors d'une rencontre dans Charlevoix, quelques années auparavant. Séguin, qui est entre-temps devenu ministre des Finances du gouvernement Charest, présente le couple André Desmarais aux Lefèvre. L'homme d'affaires lui demande s'il a déjà pénétré le marché chinois. Et Desmarais de lui vanter les conservatoires, les orchestres et un chef chinois dont Alain a bien sûr entendu parler, et dont il suit la carrière. André Desmarais achemine un dossier de presse avec quelques enregistrements à Long Yu et, à peine quelques semaines plus tard, le téléphone sonne et une tournée s'organise pour le printemps 2006. Le concerto choisi par Long Yu et Alain est le *deuxième* de Rachmaninov dont le compositeur lui-même pourrait lui envier sa façon de l'interpréter, concerto qui l'a si souvent conduit au triomphe. Classes de maître, concerts avec le China Philharmonic Orchestra et le Guangzhou Symphony Orchestra que Long Yu a tenu à diriger lui-même.

Quelques jours après son retour de Chine, Alain Lefèvre téléphone à celui qui signe le présent ouvrage. Quelques semaines de repos loin de Radio-Canada ont fait naître la rumeur que j'étais souffrant. « Pas malade, lui dis-je, mais abruti de fatigue. » Et Alain avec sa verve communicative, irrésistible, me raconte Mathieu, les dernières découvertes de Luc Dionne, le film, Carnegie Hall, le premier prix devant Leonard Bernstein, l'audition à Paris avec Mitropoulos, les pianothons, la recherche d'enregistrements d'André Mathieu à Montreux… et j'ose interrompre cette avalanche d'événements qui jaillissent pêle-mêle et donnent l'ampleur et la richesse de cette vie : « Il faut que tu écrives un livre. Le film ne pourra jamais contenir tout ce que tu me racontes, tu dois tout mettre dans un livre. » Ma suggestion est suivie d'un long silence… Et quatre ans plus tard, en 2010, paraîtront cinq cent quatre-vingt-treize pages d'une biographie d'André Mathieu écrite par votre serviteur.

Tout le mois de juin, Lefèvre donne interview sur interview, vantant les mérites de la programmation du Festival international de Lanaudière qui lui a demandé d'être son porte-parole pour une deuxième année. C'est aussi à lui qu'on a confié l'honneur d'être le soliste du concert d'ouverture dans le *Concerto en la majeur* de Mozart avec son vieil ami Jean-François Rivest, concerto qu'ils ont, non seulement joué, mais enregistré ensemble.

Puis le 2 août 2006, les Lefèvre ayant emménagé dans le Vieux-Montréal en décembre 2005, s'offrent le luxe de se rendre à pied à la basilique Notre-Dame, où Alain doit jouer le *Concerto en sol* de Ravel avec l'OSM, dans le cadre de sa série Mozart plus. Fait remarquable, c'est le cinquième concert qu'Alain donne avec l'OSM depuis janvier !

XXI
La clé de voûte – Le Concerto no 4 de Mathieu et les Effusions de Diane Dufresne

Lefèvre entame la nouvelle saison en volant vers l'Arizona, où il retrouve George Hanson et le Tucson Symphony Orchestra. Avant même d'avoir entendu l'enregistrement, ses fidèles partenaires ont accepté de programmer la *Rhapsodie romantique* qui reçoit les 28 et 29 septembre sa création américaine en Arizona. Dans deux ans, c'est une création mondiale que le TSO pourra inscrire à son palmarès.

Le hasard a voulu que le *BBC Music Magazine* d'octobre 2006 explore la carrière et l'œuvre d'un compositeur, comme ils le font chaque mois dans leur rubrique *Composer of the Month*. Le musicien mis en vedette ce mois-là est John Corigliano. En survolant la discographie de son œuvre, Iwan Hewett choisit l'enregistrement d'Alain Lefèvre dirigé par Carl St.Clair : « [...] Much more rewarding is the recording of the early Piano Concerto excellently recorded and played by Alain Lefevre and the Pacific Symphony Orchestra on Koch. » Le critique inscrit l'enregistrement parmi *The Best Recordings*.

L'article est paru un mois avant le retour de Lefèvre qui, le 1er novembre 2006 joue à Londres la *Rhapsodie sur un thème de Paganini* pour son troisième engagement avec le Royal Philharmonic Orchestra au Royal Albert Hall.

Mais la pièce maîtresse de la nouvelle saison 2006/2007 est le lancement du troisième volet discographique de l'aventure

Mathieu, la *Rhapsodie romantique*, le 17 octobre 2006, au Piano nobile de la salle Wilfrid-Pelletier de la Place des Arts de Montréal. Marie-Ange Massicotte, Mme André Mathieu, est venue de Joliette. Il faut dire que l'œuvre lui est aussi dédiée.

Trois jours avant le lancement officiel du disque Alain Lefèvre/ osm/Rhapsodies, le *Journal de Montréal* du 14 octobre 2006, sous la plume de Philippe Renaud, fait le point sur l'aventure Mathieu :

> « À partir de ce lancement, nous annoncerons une grande envolée qui durera jusqu'en 2008 », annonce Alain Lefèvre. [...] Ce dernier ajoute que le film et la biographie, qui sera signée George Nicholson, seront ensuite facilement exportables à l'extérieur de la province. « Ce sera une biographie très pointue qui pourra conquérir le monde entier, tout comme le film. Mathieu était admiré partout, que ce soit en France, à Berlin ou à New York. [...] Quant à la publication des partitions de Mathieu par Orchestra Bella, c'est le compositeur et orchestrateur Gilles Bellemare qui a eu pour tâche de tout mettre en œuvre. »

L'envolée durera finalement jusqu'en 2010.

Le lendemain du lancement, Christophe Huss, du quotidien *Le Devoir,* commente aussi bien la conférence de presse que l'enregistrement :

> « Cela fait 20 ans que je travaille sur André Mathieu. La mission est accomplie. Je vais continuer à jouer Mathieu partout dans le monde, mais c'est désormais une brigade de tigres qui va le défendre », a annoncé le pianiste. Les tigres en question sont Luc Dionne, qui a achevé la semaine dernière l'écriture de la première mouture du scénario du film produit par Denise Robert et qui sera tourné en 2007, Gilles Bellemare, qui éditera les partitions de Mathieu, jusqu'alors inaccessibles, à une exception près, et George Nicholson, auquel le pianiste « a confié » la rédaction d'une biographie « autorisée ». L'année 2008 devrait ainsi devenir celle d'une déferlante André Mathieu,

avec une convergence film, partitions et biographie. D'ici là, Alain Lefèvre compte évangéliser les États-Unis, la Chine, la Grande-Bretagne et l'Allemagne en les convaincant que « Mathieu est notre héros ». Chose extrêmement positive ; la *Rhapsodie romantique* de Mathieu gagne à la réécoute. Certes, les défauts du compositeur, notamment cette quasi-angoisse — sans doute liée à son insécurité existentielle — de développer ses idées, sont patents, mais au disque, l'éparpillement des idées n'est pas l'impression dominante. [...] (dans le Rachmaninov) la performance d'Alain Lefèvre dans ce « *one man show* » est remarquable avec des paris très osés. [...] la prestation orchestrale de l'osm est tout simplement renversante. [...] Cela fait extrêmement longtemps que nous n'avions pas entendu un disque symphonique aussi excitant, jubilatoire et fervent *made in* Montréal.

Le jour même du lancement, Arthur Kaptainis commente l'enregistrement dans le journal *The Gazette* :

C'est révolutionnaire. Aujourd'hui, pour la première fois en presque quatre ans, un nouveau compact classique de l'Orchestre symphonique de Montréal se matérialise sur les rayons. [...] Au moyen de 32 microphones contemporains ultraminces et d'un attirail de correctifs numériques, l'ingénieur Carl Talbot a créé un paysage sonore réaliste, étonnamment clair et détaillé. [...] Sans doute l'élément le plus important de cet enregistrement est la première mondiale de la *Rhapsodie romantique*, un œuvre de 1958. [...] Ce pot-pourri sympathique rappelle Rachmaninoff, Debussy, Rimski-Korsakov et Gershwin. Et pourquoi pas ? Tous ces messieurs étaient de bons compositeurs ! Il faut dire que c'est davantage un CD de Lefèvre que de l'osm.

Enfin, pour compléter notre tiercé, Claude Gingras se prononce, le samedi 21 octobre dans le quotidien *La Presse* et titre :

Lefèvre assure à l'osm un brillant retour au disque
[...] Analekta qui a ses ramifications à l'étranger, a accepté de ramener l'osm à l'avant-scène en l'associant à un soliste qui est aussi,

et surtout, une vedette populaire : Alain Lefèvre. […] Bien sûr, le Mathieu inédit est la principale raison d'être du disque. Mais ce n'est, hélas ! pas la meilleure des trois œuvres. Grandes envolées à la Rachmaninov — et même à la Gershwin dans au moins un cas — épisodes très contrastants, accords trépidants, rapides montées et descentes en doubles croches, cadences un peu partout : tout cela produit un piano généreux, sans doute, mais tapageur et finalement assez vide, auquel l'orchestration très fournie à la russe (voire à la Moussorgski !), de Gilles Bellemare, donne une certaine dimension. Virtuose de la musique sentimentale, Lefèvre se donne tout entier à son rôle et il convaincra et rendra heureux des milliers d'auditeurs qui ont parfaitement le droit d'aimer ce genre d'exercice. En ce qui me concerne, je préfère encore le *Concerto de Québec* et son irrésistible thème rachmaninovien. Pour ce qui concerne Alain Lefèvre, son sens de la fantaisie, ses rubatos bien dosés, sa finesse aussi, nous valent des interprétations intéressantes et même originales du Rachmaninov et du Gershwin pourtant entendus à satiété.

Bien malgré eux, les critiques locaux ne peuvent éviter d'être perméables aux ambiances, aux rumeurs, aux enjeux d'un milieu dont ils sont les arbitres. Il est toujours rassérénant de lire un commentaire de quelqu'un de forcément impartial, qui n'écoute que ses oreilles sans consulter ses agendas. Dans l'édition du *BBC Music Magazine* de février 2007, Julian Haylock :

> Imaginez *Nuits dans les jardins d'Espagne* de Manuel de Falla, et le *Concerto pour la main gauche* de Ravel, combinés à la manière du *Concerto en do mineur* de Rachmaninov, et vous saurez en gros à quoi vous attendre avec la *Rhapsodie romantique*. […] c'est une pièce splendide, que tous les incurables romantiques devraient entendre. Lefèvre génère le plus de passion et d'enthousiasme, et les musiciens montréalais s'investissent complètement sous la baguette nettement inspirée de Matthias Bamert.

C'est vraiment une autre année triomphale pour Alain Lefèvre, et l'année qui tire à sa fin apporte les rubriques de suggestions de disques à offrir en cadeau à Noël. Dans sa chronique du 9 décembre, dans le quotidien *La Presse,* Claude Gingras classe l'enregistrement des *Rhapsodies* entre l'intégrale des *Sonates* de Beethoven par Gulda et la *Symphonie avec orgue* de Saint-Saëns par Nézet-Séguin :

> L'inédite *Rhapsodie romantique* du légendaire André Mathieu, dont la grandiloquence rejoindra des milliers de cœurs et les célèbres *Rhapsody in Blue* de Gershwin et *Paganini* de Rachmaninov, dans des exécutions aussi nuancées que spectaculaires.

Une des qualités qu'Alain Lefèvre exige aussi bien de ses proches que de ses partenaires professionnels est une vertu qui n'est plus tellement prisée aujourd'hui : la fidélité. Des amitiés comme celles le liant à Carl St.Clair, George Hanson, Matthias Bamert, Jean-François Rivest, etc. sont garantes de partenariats musicaux où tout le monde gagne : le public, la musique et les concerts, qui ne peuvent que bénéficier de cette entente profonde qui ne se manifeste qu'entre musiciens qui se respectent.

Le 29 janvier 2007, Lefèvre, près d'un quart de siècle après ses débuts à Montréal, revient à l'orchestre qui lui a offert son premier concert : le McGill Chamber Orchestra ; il remet au programme le même concerto porte-bonheur, le *premier concerto* de Chostakovitch et un arrangement orchestral de *Lylatov.* Deux jours avant, dans le *Journal de Montréal*, Christophe Rodriguez fait le point avec Alain Lefèvre :

LES SURPRISES D'ALAIN LEFÈVRE !

En ce début d'année 2007, celui qui porte l'œuvre du pianiste André Mathieu sur tous les continents ne manque pas de projets. En primeur, voici ce que nous réserve ce brillant musicien qui parrainera aussi une fondation pour les jeunes défavorisés de Cité des Prairies [...]. Il est également en préparation de quatre disques dont voici le contenu : mars 2007, le nouveau récital ; avril 2008, en première mondiale, le *Quatrième Concerto* d'André Mathieu avec un orchestre symphonique américain ; octobre 2008 cette fois-ci avec un orchestre symphonique européen, du *Deuxième Concerto* d'André Mathieu suivi d'œuvres de Rachmaninov et Chostakovitch [...]. Militant de la première heure pour la musique et les jeunes qui n'y ont pas accès, il lancera le 14 mars une fondation pour les jeunes de Cité des Prairies avec objectif de leur fournir gratuitement des professeurs de clarinette, trompette, saxophone, piano.

Chose remarquable et à remarquer, les trois projets de disques dont on vient de lire le contenu paraîtront tous avec quelques délais, inévitables dans ce genre d'industrie.

L'année 2007 s'ouvre avec un retour à l'orchestre qui lui a offert son premier concert, le McGill Chamber Orchestra, près d'un quart de siècle après ses débuts à Montréal ; il remet au programme un de ses concertos porte-bonheur et un arrangement de *Lylatov* que nous retrouvons dans *Fidèles insomnies*. Claude Gingras, dans l'édition du 30 janvier 2007 du quotidien *La Presse* constate que :

> Alain Lefèvre avait joué le premier Concerto de Chostakovitch et *Malédiction* de Liszt avec Boris Brott et l'Orchestre de chambre McGill le 29 janvier 1990, salle Maisonneuve. [...] Lefèvre déploie dans le Chostakovitch une virtuosité et une puissance de son qui balaient tout : le chef, l'orchestre qui joue faux et la trompettiste qui en rate deux ou trois. *Lylatov* se ramène à cinq minutes de kitsch qui plaisent à la salle. Le pianiste donne en rappel une Valse de Chopin qui s'annonce bien et finit presque mal.

On se surprend à se réjouir que Gingras ait cru judicieux de ne jamais se prononcer jusqu'ici sur les disques où Alain Lefèvre a choisi de présenter ses compositions. Écrivant dans un journal destiné à un lectorat familial, on aurait pu craindre que l'étendue du carnage éclabousse les enfants.

Arthur Kaptainis, dans l'édition du 31 janvier 2007 du quotidien *The Gazette*, nous apporte des précisions :

> Après s'être constitué un public auprès des mélomanes francophones, le pianiste Alain Lefèvre s'est présenté, lundi soir […] devant les habitués de l'Orchestre de chambre McGill, moitié francophone et moitié anglophone. Son interprétation impérieuse du *Concerto pour piano n° 1* de Chostakovitch lui a sans doute permis de se faire quelques nouveaux fans. L'œuvre même est double : moitié numéro de cirque extroverti, moitié testament intérieur. Ces deux éléments sont apparus avec force, du moins au piano, lorsque Lefèvre a mené à bras raccourcis des cavalcades effrénées, et caressé le mouvement lent avec une tendresse sincère, mais sans sentimentalité. Comme toujours chez ce pianiste, les tempos étaient relativement dégagés, mais l'allure dramatique de la musique était assurée.

Avant d'attaquer l'été, Alain Lefèvre retourne en Algérie en compagnie du jeune pianiste qui étudie au Conservatoire de musique de Montréal, grâce au soutien du pianiste et de l'ambassadeur du Canada en Algérie, Robert Peck. Alain Lefèvre avait entendu le jeune Mehdi Ghazi à Oran deux ans auparavant et l'avait invité sur scène à Alger. Les deux pianistes s'envolent vers l'Algérie, où Alain a accepté de donner un récital-bénéfice dont tous les profits iront au jeune Oranais qui a maintenant dix-huit ans, afin de lui permettre de poursuivre ses études. Nul en 2005 ne l'a su et nul ne le saurait aujourd'hui si un article de l'édition d'automne 2007 du magazine *Forces*, signé Christophe Huss, ne révélait ce soutien prodigué loin des caméras et des micros. Seul un autre article du quotidien algérien *La Nouvelle République* du 28 juin nous révèle l'objet du voyage :

> C'est la première fois que je mets autant d'énergie pour un jeune. À travers Mehdi, je voudrais prouver qu'on peut être maghrébin tout en étant aussi un grand musicien. Je trouve cette idée très intéressante. C'est à Mehdi de travailler : j'ai confiance.

L'été 2007 retrouve Alain Lefèvre, pour une troisième année consécutive, porte-parole du Festival international de Lanaudière qui fête cette année-là son 30e anniversaire. À ce moment de sa carrière, il n'y a pas une station de radio, pas un seul réseau de télévision où toutes les émissions d'information et de variétés ne se l'arrachent, pour son humour, son aisance, sa générosité, son exercice de ce qu'il faudrait bien appeler « l'art subtil de la démagogie lyrique », autant de qualités qui le rendent cher à la vaste majorité des auditeurs et des téléspectateurs. Lefèvre va jusqu'à Toronto pour mousser la publicité du festival lanaudois, qui lui offre, cette année-là, un récital à l'Amphithéâtre, son dernier récital à Montréal remontant presque à une décennie.

Dans l'édition du 5 juillet du magazine *VOIR*, Réjean Beaucage fait le point sur la carrière de l'aventure Mathieu et est le premier à nous informer de là où Alain se prépare à aller, là bien sûr, où on ne l'attend pas :

> Lefèvre prépare aussi la création du *Quatrième concerto* de Mathieu et s'associe avec Diane Dufresne pour un enregistrement d'œuvres vocales ! « Je pense, explique-t-il, que les musiciens du Québec devraient se soutenir un peu plus entre eux. De toute façon, si bonnes soient-elles, il y a des limites à jouer toujours les mêmes œuvres ! Il y a une paresse désespérante, aussi bien chez les organisateurs de concerts que chez les auditeurs, et ça vire au génocide pour nos compositeurs. » Après Mathieu, Lefèvre poursuit sa « mission » de développement du répertoire québécois à

travers la musique de Walter Boudreau, dont il a enregistré *La Valse de l'Asile* pour son dernier disque d'œuvres pour piano seul. [...] Le directeur artistique de la smcq travaille actuellement à la composition d'un grand concerto pour le pianiste. « Boudreau est un grand compositeur, et jouer sa musique, c'est quelque chose qui me tient vraiment à cœur [...]. »

L'association Alain Lefèvre/Diane Dufresne est pour le moins tout aussi inattendue que l'annonce de la création d'un concerto de Walter Boudreau, grand iconoclaste devant l'Éternel, pour Alain Lefèvre, grand romantique devant le même Éternel.

Le récital du 13 juillet est un événement important, Lefèvre n'ayant pas été entendu en récital depuis longtemps. Et ce soir-là, son public s'est rendu en masse au rendez-vous. L'Amphithéâtre et son parterre sont remplis, et même l'*autre* public s'est déplacé et est soudainement visible. Espace musique/Radio-Canada, où on peut l'entendre tous les dimanches depuis maintenant trois ans, enregistre le récital en vue d'une diffusion quatre jours plus tard. Alain a puisé dans le grand répertoire et ne s'adressera pas au public ; il n'a mis à son programme que des œuvres classiques du répertoire standard, des *sonates* de Soler pour commencer, à la fois faciles et impossibles, délicates comme du cristal ciselé, la plus petite défaillance étant perceptible à l'oreille même non avertie. Il complète sa première partie avec les *Drei Klavierstücke* de Schubert, géniales mais difficiles à faire passer, leur caractère intimiste et les contrastes d'humeur en faisant une des œuvres les plus secrètes de Schubert. En deuxième partie, Rachmaninov, qu'il a découvert à Paris dans la classe de son maître Pierre Sancan, avec qui il a travaillé le cycle des neuf *Études-Tableaux, opus 39*. Là encore, un cycle riche, faisant peu de concessions à l'auditeur, sollicitant sans relâche concentration et imagination poétique.

Claude Gingras, dans l'édition dominicale du quotidien *La Presse* du 15 juillet 2007 titre :

LA FÊTE D'ALAIN LEFÈVRE

Alain Lefèvre a reçu le traitement royal au Festival de Lanaudière…
« Porte-parole » du Festival qui l'ignora pendant tant d'années, notre
pianiste le plus « people » est devenu l'un des rares récitalistes à se voir
ouvrir pour lui seul l'Amphithéâtre (lui et quelques auditeurs). [...]
Par ailleurs, son récital [...] était magnifié sur écran géant. Les mains
courant en plongée sur le clavier, le visage inspiré, les yeux fermés, les
deux bras en l'air à la fin d'une pièce : partout, du Lefèvre multiplié par
10… Une sorte de grande fête, donc, suivie d'une ovation à tout casser. Ce programme « carte blanche », Lefèvre l'avait établi avec goût
et originalité, deux qualités qu'il sait avoir [...] [dans les] sonates de
Padre Soler [...]. Sans chercher à imiter le clavecin, Lefèvre apporte à
cette musique toutes les ressources du piano moderne, la dramatise
même, et y déploie une technique d'une déconcertante facilité. Des
Drei Klavierstücke [...] la dernière est assez tapageuse et Lefèvre y ca-
botine un peu. Retenons plutôt les deux premières, pages de grande
confidence qu'il livra presque à la perfection, variant délicatement les
reprises, conservant partout une totale concentration et y entraînant
l'auditeur, et ce malgré les retardataires et les oiseaux qui chantaient
dans les arbres. Passionné de Rachmaninov, Lefèvre consacre ensuite près de trois quarts d'heure aux *Neuf Études-Tableaux, opus 39.*
Mémoriser ces milliers de notes et en traduire avec autant de force et
de nuances la richesse quasi orchestrale et l'atmosphère sont, en soi,
des exploits. Cette musique reste, pour moi, assez vide, et j'admire
sans réserves (sic) le zèle du pianiste, qui s'y donne corps et âme [...].

Dans son édition du 16 juillet, le collaborateur du *Devoir*,
Christophe Huss, pousse encore plus loin l'enthousiasme :

LE TRIOMPHE D'ALAIN LEFÈVRE

Le pianiste Alain Lefèvre n'avait pas choisi la facilité pour son récital à l'Amphithéâtre de Lanaudière, avec, notamment, trois œuvres
émotionnellement complexes de Schubert et les très redoutables

Études-Tableaux opus 39 de Rachmaninov [...] dont on se demande quelquefois s'il ne s'agit pas d'une musique de pianiste pour les pianistes. [...] Pour l'occasion, le festival nous avait concocté une sorte de vidéo-concert, avec un écran géant placé dans l'axe, derrière le piano, et retransmettant l'action à la loupe. [...] Ce programme était un défi technique et musical. [...] Alain Lefèvre a été à la hauteur de ce défi, tout en donnant de ces œuvres une vision très personnelle. Il sculpte les sonates de Soler avec finesse (quelle légèreté de touche dans la *Sonate en fa dièse majeur* !) et la tendresse d'un Guilels. [...] Dans les *Klavierstücke*, [la première pièce est] parsemée de quelques ralentis qui peuvent paraître un peu affectés [...]. Les *Études-Tableaux* de Rachmaninov posent cinq problèmes majeurs ; la technique nécessaire, hallucinante ; le son nourri et pas « claqué » sur le clavier ; la circulation des thèmes entre les deux mains ; la narration (l'aspect « *tableaux* » de la chose) et la gestion des nuances. [...] Ainsi, au début de la 7e Étude, où un mezzo-forte lamentoso se transforme en pianissimo dolcissimo d'un effet saisissant. À ces moments, un ange passe, titre d'ailleurs de sa propre composition donnée en rappel, après un hommage appuyé au père Fernand Lindsay [...], attitude chevaleresque de la part d'un artiste que ce festival a snobé pendant deux décennies avant de découvrir soudainement son talent — après tout le monde — il y a trois ans seulement !

L'article le plus étonnant, le plus amusant, et finalement le plus touchant, est celui de la correspondante du journal *The Gazette*, édition du 16 juillet 2007, Kate Molleson, qui a l'honnêteté de reconnaître que, sceptique à son arrivée, elle est repartie convaincue. Elle titre cependant :

Sentimental et astucieux

Alain Lefèvre sait jouer. Prétendu pourvoyeur de pièces tendres et peu connues, il fait tout (et même davantage) pour en tirer le lyrisme. C'est peut-être ainsi que cette idole locale du piano classique attire autant d'ardents admirateurs inconditionnels. Malgré la fraîcheur du soir, des supporters s'étaient rendus en force à Lanaudière, pour son récital de vendredi, contents du fait que, peu importe le programme, ils allaient recevoir leur dose de sentimentalisme. Voilà peut-être pourquoi j'étais un peu sceptique en arrivant. Assurément, trois sonates de Soler furent assenées avec un rubato enrichi et des timbres contrastés. Même les gestes les plus délicats avaient une allure de mélodrame à sensation, accentuée par les expressions du visage de Lefèvre en gros plan sur grand écran. Mais après cette première couche d'émotions, Lefèvre a entrepris de nous guider à travers Schubert […] et c'est là que j'ai commencé à comprendre tout ce battage. Lefèvre arrive à contrebalancer sa propension théâtrale avec un poignant et désarmant stoïcisme. Méfiez-vous : cette formule peut prendre au dépourvu même l'auditeur le plus cynique ; le retour de la deuxième mélodie du deuxième des *Stücke* m'a laissé dans la gorge une boule inavouable. Après, j'étais convertie. Les formidables *Études-tableaux*, op. 39, de Rachmaninov […] constituaient une rafale d'impressionnantes prouesses techniques, étayées par le lyrisme caractéristique de Lefèvre […].

Pour cette aventure périlleuse, jouer chez soi, à *son* festival, devant son public et même l'autre public, Lefèvre a traversé l'épreuve haut la main.

En même temps qu'il fignolait et peaufinait les partitions de son récital, Lefèvre entre en studio deux fois plutôt qu'une, pour des projets atypiques. Fidèle au troisième axiome de son catéchisme, Alain Lefèvre va frapper deux grands coups qui vont, si la chose est encore possible ou nécessaire, élargir son rayonnement. Alors qu'il vient de dire par ce récital à Lanaudière « voilà qui je suis, voilà ce que je peux et ai toujours su et pu faire », il entre en studio, le studio 270. Analekta a rassemblé les meilleurs *jazz people* du Québec sur un même album en leur demandant de mettre Montréal en musique, un thème et une variation. Parmi la neuvaine de musiciens choisis, Lorraine Desmarais explore le *Mont-Royal*, François Bourrassa l'*Oratoire*, James Gelfand le *Saint-Laurent*, Oliver Jones *St-Henri* et… Alain Lefèvre célèbre *Ville-Émard, la belle*.

Mais une des associations les plus spectaculaires de cette décennie bénie est déclenchée par une question que se pose la diva des divas, Diane Dufresne : « Est-ce que ça se chante ? » Marie-Joëlle Parent, dans l'édition du 20 octobre 2007 du *Journal de Montréal*, raconte la genèse de la rencontre :

> Et puis il y a eu la rencontre d'Alain Lefèvre, le maestro du clavier. Le pianiste a enregistré six chansons, dont *L'enfant prodige*, un hommage au pianiste (sic) André Mathieu. « Je l'ai vu à la télévision en entrevue, il parlait d'André Mathieu avec tant de passion. Lui, un pianiste classique en jean et veste de cuir, amoureux de sa femme. J'ai eu envie de travailler avec lui. J'ai rencontré un homme absolument sublime », raconte Diane Dufresne… « Bien souvent pour les gens je suis trop émotive, mais pas avec lui, il m'a amenée encore plus loin… Il soigne avec sa musique… »

Dans le journal *The Gazette* du 22 novembre, Dufresne ajoute :

> C'est rare d'entendre un Québécois se battre pour un autre artiste… Mais quand Alain joue, il a toute sa vie dans les mains : compassion, générosité, courage… Tout est là. Sans vouloir sembler prétentieuse, je me suis toujours sentie un peu « too much » pour la plupart des gens. Mais avec lui, pas du tout, parce qu'il va jusqu'à la limite ! (goes to the limit !) »

Silvain Cormier, dans l'édition du 20 octobre 2007 du quotidien *Le Devoir*, interroge Richard Langevin, le gérant, mari de l'incandescente sur le « comment » du projet. Au moment de la rencontre, Alain devait enregistrer une mélodie de Mathieu avec Dufresne pour le prochain album de l'éblouissante :

Diane avait entendu Lefèvre parler si passionnément d'André Mathieu [...] qu'elle s'était demandé « *si ça se chantait* ». D'où l'appel à Lefèvre. Oui ça se chantait. *Si tu crois*, belle oubliée de Jean Laforest et André Mathieu se chantait et se jouait si bien qu'on n'en resta pas là. Finalement, Lefèvre joue sur six titres, et s'est même fendu d'une musique sur un texte de Diane, *L'enfant prodige* en hommage à André Mathieu. [...] « Je lui ai téléphoné et il a dit oui tout de suite », raconte Langevin en jubilant, content de son coup. « Il n'en revenait pas qu'on pense à lui. Diane n'en revenait pas non plus qu'il veuille travailler avec elle. C'était drôle de les voir tous les deux, ces deux grands timides qui s'intimidaient l'un l'autre... Les deux sont maniaques, perfectionnistes, aiment le travail. Ils savent que ce qu'ils font a de la valeur... » Et Langevin de prévenir : « Tu sais, Alain Lefèvre là-dessus, c'est pas l'accompagnateur de Diane. C'est comme deux solistes ensemble. On a fait exprès pour que le piano soit aussi fort dans le mixage que la voix. » D'égal à égal. « Il s'est vraiment passé quelque chose. »

Silvain Cormier à la fin de son article entrouvre une porte :

Effusions est une réussite, indéniablement. [...] Pourtant, j'aurais voulu encore plus de Diane Dufresne avec Alain Lefèvre. [...] Je le dis à Richard [Langevin], qui est presque d'accord : « C'est sûr qu'on a l'impression qu'eux seuls peuvent se suivre comme ça, s'amener l'un l'autre aussi loin... Et puis, avec Lefèvre, il va peut-être y avoir une suite, qui sait ? Je n'élimine aucune possibilité... »

Survolons chanson par chanson les plages où l'on retrouve Alain Lefèvre. Dans *Partager les anges*, c'est le piano d'Alain qui ouvre la voie aux *Effusions*. Pour *L'enfant prodige*, hasard des temps, titre qui deviendra celui du film de Luc Dionne, Alain taille sur mesure sa musique aux paroles que la vie de Mathieu a fait sourdre de Dufresne, soutenant la voix, le piano, pendant que la contrebasse de Michel Donato déroule un somptueux tapis sonore. Le cœur de la rencontre, *Si tu crois,* la mélodie où Lefèvre seul porte Dufresne au bout de ses doigts laissent les deux artistes face à face ou, mieux, côte à côte. *Psy quoi encore* et *Noire Sœur* les retrouvent main dans la main à s'accompagner dans la peur et la nuit. Pour *Le Dernier Aveu,* Marie Bernard a intégré le piano de Lefèvre qui vous laboure le cœur jusqu'à l'insoutenable pour une des plus belles chansons d'amour qui soient.

Dans l'édition du 20 octobre 2007 du quotidien *La Presse,* Marie-Christine Blais donne la parole à Alain Lefèvre :

> AL : « On s'est rencontré et ç'a été un coup de foudre. Elle m'a demandé de lui parler d'André Mathieu ; moi je ne demandais pas mieux (rires). »

> MCB : « Et quand vous l'avez finalement entendue chanter ? »

> AL : « J'ai été bouleversé — comme Callas, Diane meurt avec ses œuvres. C'est typique des grands créateurs… J'ai quand même travaillé avec des grands musiciens… Et bien, je n'ai jamais eu ce que j'ai eu avec elle. On touche à la vérité… J'ai pratiquement tout entendu, mais ça… Jamais… C'est difficile pour moi de parler de ce disque parce que j'ai l'impression d'avoir reçu une grande leçon de musique. Je suis sûr de ne pas être le même. »

Trois ans plus tard, en 2010, après la diffusion du documentaire *Alain Lefèvre signe André Mathieu,* Diane Dufresne, fidèle, appelle son complice Alain pendant cette tribune téléphonique qui recueille les réactions des téléspectateurs et auditeurs. Dufresne aura cette formule qui résume tout : « La récompense d'André Mathieu, c'est Alain Lefèvre. Alain a ajouté une fleur de lys à notre drapeau. » La Dufresne, égale à elle-même !

Quelques jours avant la parution de l'article de *La Presse,* Alain Lefèvre a donné au Palais Montcalm de Québec, le 14 octobre, la *Rhapsodie romantique* d'André Mathieu avec l'Orchestre symphonique du Saguenay–Lac-Saint-Jean. Entre Kuala Lumpur à Alma, il aura passé douze heures à Montréal, le temps de refaire sa valise et de rencontrer Marie-Christine Blais. Du Malaysia Philharmonic Orchestra avec Bamert aux répétitions avec l'orchestre saguenéen, Lefèvre se multiplie sur toutes les scènes. Comme quoi, la vie d'un artiste ne fait jamais relâche, surtout quand on est vedette.

Le 3 novembre 2007, Analekta lance *Montréal Variations* avec le Montréal Jazz Club Session 3 qui comprend *Ville-Émard la belle*. Deux jours plus tard, Diane Dufresne lance son 23e album, *Effusions*, dans lequel on retrouve Alain Lefèvre six fois plutôt qu'une. Le sculpteur Armand Vaillancourt, le syndicaliste Michel Chartrand, l'humoriste humaniste Yvon Deschamps, la chanteuse Judi Richards, ne sont que quelques-unes des personnalités qui ont honoré de leur présence le lancement de cet album où Alain Lefèvre ouvre encore une porte.

Diane Dufresne avait déjà en 1997 sollicité la collaboration d'un autre pianiste, le grand Alexis Weissenberg. Non seulement était-il venu à Montréal pour l'accompagner, mais il s'était à ce point épris de l'art de la diva qu'il avait écrit trois chansons pour un de ses albums: *I love you Soho, Les papillons* et *Il n'y a pas de hasard, il n'y a que des rencontres*. Alain Lefèvre s'inscrit donc dans cette lignée prestigieuse. Et comme le dit si bien le titre de Weissenberg, *il n'y a pas de hasard, il n'y a que des rencontres*, le grand Alexis en 1991, avait invité Lefèvre chez lui en Suisse, pour l'entendre et l'écouter. Alain joue les quatre *Ballades* de Brahms et *La Valse* de Ravel. Weissenberg lui demande de jouer *La Valse* une deuxième fois puis, les larmes aux yeux, il déclare à Lefèvre «Tu peux croire à ton talent!» Il lui écrira ce mot que le pianiste conserve précieusement:

Cher Alain Lefèvre,
Merci d'avoir eu la confiance de venir vers moi et de me parler si ouvertement de vous-même, artiste et homme. Votre talent, votre

finesse d'esprit et votre forte personnalité vous mèneront loin dans une carrière qui vous est due et que vous exercerez parfaitement, je n'en doute point. Soyez patient, restez vigilant et continuez à faire de la belle musique avec l'amour que vous lui portez.

Votre Alexis Weissenberg
1er juin 1991

La saga Mathieu se poursuit, mais par des ramifications inattendues. L'été précédent, en 2006, au moment où j'avais accepté d'écrire la biographie d'André Mathieu, un coup de téléphone à la musicologue Marie-Thérèse Lefebvre m'avait appris qu'elle-même était à rédiger une courte biographie d'André Mathieu (parue à l'automne 2006 aux éditions Lidec). Marie-Thérèse Lefebvre m'avait aussi informé que la journaliste Hélène de Billy, à qui nous devons l'ouvrage définitif sur Jean-Paul Riopelle, s'était elle aussi attelée à la tâche et préparait un ouvrage important sur le héros du jour, André Mathieu. L'ouvrage annoncé, *Le Portrait d'André Mathieu* paraît aux éditions *La Presse*. Dans l'édition du 17 novembre 2007 du quotidien *La Presse*, Nathalie Petrowski le commente et en profite pour faire une mise à jour du dossier Mathieu. Le titre de Petrowski résume son point de vue :

AVANT CÉLINE, IL Y A EU ANDRÉ MATHIEU

Tout a commencé par le CD du *Concerto de Québec* d'André Mathieu ressuscité par le pianiste Alain Lefèvre [...] qui sera bientôt suivi d'une volumineuse biographie sous la plume du musicologue Georges Nicholson, et éventuellement, si Dieu et Téléfilm le veulent, d'un grand film romantique réalisé par Luc Dionne [...]. *Le Portrait d'André Mathieu*, un petit roman inespéré et inattendu [...]. Hélène de Billy a décidé qu'elle ferait un portrait tendre et non pas le procès d'un homme qui fut enterré six pieds sous terre de son vivant [...]. C'est un autre Mathieu qu'Hélène de Billy nous fait voir et c'est tant mieux. Mathieu qui fut non seulement un compositeur de génie, un virtuose du piano, mais le premier vrai grand artiste de scène québécois. Et, en quelque sorte, le père de tous les autres artistes, y compris Céline.

2008 est à peine commencé que, dès février, le Festival international de Lanaudière, en conférence de presse, dévoile une partie de sa programmation. Le Festival annonce surtout qu'Alain Lefèvre, après avoir été trois ans le porte-parole officiel du festival, est maintenant nommé ambassadeur artistique.

Dans son édition du 24 février, Claude Gingras du quotidien *La Presse* fait la critique du dernier enregistrement du pianiste, le disque du programme présenté l'été précédent à l'Amphithéâtre, Schubert-Rachmaninov. Le célèbre critique titre :

LEFÈVRE : L'ENGAGEMENT TOTAL

[…] Parfait piano, parfaite prise de son. Pour le reste, c'est question de goût […]. Bien que ces pages de Rachmaninov et de Schubert n'aient rien en commun, Lefèvre apporte aux unes et aux autres le même engagement total qui ne laisse aucun doute : notre pianiste aime passionnément cette musique et il la traduit en grand romantique, avec toute l'aisance et la clarté souhaitées, avec une réelle musicalité aussi […]. Je sais aussi que ce disque s'adresse d'abord aux inconditionnels de ces pages et […]. de Lefèvre, inconditionnels qui tous, seront comblés. Dans l'absolu, c'est un très bon disque […].

Le critique se livre ensuite à l'exercice inévitable des comparaisons discographiques, trouve des qualités à Ashkenazy pour les *Études-Tableaux* et à Kempff pour les *Klavierstücke* mais conclut que « Le couplage d'Alain Lefèvre se révèle tout à fait satisfaisant — et même un peu plus ! »

Quelques mois plus tard (septembre 2008), le magazine *Classica-Répertoire* nous livre les commentaires de son chroniqueur Philippe van den Bos :

Il nous offre à présent une lecture aussi magnifique qu'inédite des *Études-Tableaux* opus 39 qui nous permet de découvrir cette œuvre sous un jour nouveau. [...] Alain Lefèvre ne semble pas manifester la même virtuosité électrique et tranchante dans certaines pages emportées. Mais il use de sa technique dans une autre direction, celle du champ éperdu : il rapproche ainsi ses *Études* des climats émotionnels intenses qui font se pâmer tant de mélomanes dans les concertos. Il ose des *tempos* beaucoup plus lents, des nuances délicates pour exhaler la nostalgie infinie de ses épanchements, comme dans la célèbre *Appassionato en mi bémol mineur*, moins tempétueuse qu'à l'accoutumée, mais déployant une mélopée sublime... Alain Lefèvre nous offre la version la plus émouvante et abordable qui soit, celle qui touche le plus directement le cœur de l'auditeur. Les trois *Klavierstücke D. 946* de Schubert sont de la même veine, surclassant quantité de lectures plus ou moins fouillées [...] offrant même des climats encore plus ombrageux, inquiétants ou désespérés dans les *Première* et *Troisième Pièces*.

La comparaison du disque Analekta avec le récital de juillet 2007 à Lanaudière est très intéressante et révélatrice. Pour Lefèvre, un enregistrement est un acte de création tout à fait différent du récital ou du concert. La juxtaposition des mêmes œuvres dans ces deux contextes révèle des conceptions qui paraissent opposées, mais qui, à la réécoute, apparaissent complémentaires. La différence la plus tangible et la plus immédiate se manifeste dans les minutages ; sans exception, la confrontation disque/récital affiche des différences pouvant aller de quelques secondes, dans la première *Étude*, jusqu'à deux minutes et vingt secondes dans la septième, l'exemple le plus spectaculaire. Ce n'est certainement pas d'une part, une question de virtuosité technique, l'enregistrement permettant de reprendre cinq, dix et vingt fois la même pièce, même si Lefèvre déteste enregistrer par segments. D'autre part, la conception de l'œuvre du pianiste ne peut pas avoir évolué à ce point en quelques jours ou même quelques mois. Conséquemment, force nous est d'admettre que les deux approches, sans être antagonistes, sont pour Lefèvre deux choses différentes, complètement indépendantes mais au final, se prolongeant l'une l'autre.

Un disque est un objet qui s'inscrit dans le temps. Ce qui a été gravé est figé à jamais et ne bougera plus, ni dans trois jours ni dans cinquante ans. Comme il possède une conscience historique aiguë, le souci de Lefèvre est donc de livrer, non pas une lecture, ni même une interprétation ou une approche ou un point de vue qui serait le reflet de sa vision à ce moment-là, Lefèvre tente l'impossible : il veut présenter l'œuvre lisiblement, avec un minimum d'idiosyncrasies, objectivement, aussi objectivement que faire se peut et avec la plus grande précision, à la fois soucieux du détail et de la structure. C'est un choix esthétique, éthique et musical, comme si le pianiste voulait s'effacer, mieux, s'abstraire pour ne laisser que la musique seule parler pour elle-même, pari impossible mais tenté chaque fois. L'enregistrement se veut le reflet de la partition sans passer par le prisme de la personnalité de l'interprète. Nous l'avons déjà dit : pari impossible. Le disque devient donc la contrepartie exacte du récital ou du concert où Lefèvre est un des seuls et un des rares artistes à se jeter sans filet dans la musique. L'excitation palpable qui se répand dans la salle dès qu'il met le pied sur scène, et c'est ici où le phénomène de l'exécution publique prend tout son sens, précipite chez l'auditeur un climat d'anticipation, ne sachant pas dans quelle direction la musique va partir. Lefèvre construit chaque œuvre comme une aventure tellement précisément et fastidieusement préparée, que ces milliers d'heures de répétition le libèrent. Ayant payé son dû à la lettre, il peut maintenant se lancer à la poursuite de l'esprit. Les soirs bénis, les grands soirs, ces prises de risques insensées génèrent l'exaltation d'avoir recréé la musique comme en l'improvisant, comme si c'était la première fois. Et cette victoire,

Lefèvre la remporte pour nous et c'est ce qui explique ce sentiment d'exultation collective qui plane sur la salle à la fin d'une prestation d'Alain Lefèvre. Évidemment, à donner sans compter et en s'exposant aux dangers, le risque, si la grâce se fait réticente, de ne pas atteindre les étoiles, est une réalité dont Lefèvre assume le prix à payer. Mais il préfère et choisit à cette perfection prudente qui jugule l'élan, l'authentique abandon qui débouche sur le dépassement. Le pendant contraire précisément de son approche de l'enregistrement.

Cette capacité, assez unique de nos jours, il faut le dire, de décoller et de prendre son envol en nous entraînant à sa suite est une des qualités qui rendent Alain Lefèvre essentiel sur la scène internationale. Il nous rappelle que la musique n'est pas un objet muséal, mais un acte de création renouvelée à chaque apparition publique. L'émotion recherchée au concert n'est pas la même que l'expérience produite par le disque, un autre choix qui appartient à Alain Lefèvre.

Le mardi 4 septembre 2007, événement médiatique et spectaculaire, l'OSM ouvre sa saison 2007/2008 avec un concert sur l'Esplanade de la Place des Arts, devant la salle Wilfrid-Pelletier où des milliers d'auditeurs-spectateurs ont envahi la place et des milliers d'autres partagent le moment à la télévision de Radio-Canada. Alain Lefèvre se jette dans la *Rhapsody in Blue* de Gershwin pour cette première prise de contact avec Kent Nagano, nommé au poste de directeur artistique de l'OSM un an auparavant. Cinq ans plus tard, l'association Nagano/Lefèvre/OSM aura produit deux enregistrements et de nombreux concerts.

C'est aussi pendant cet automne d'effervescence que la clé de voûte de tout l'édifice Mathieu est prête à être mise en place. Il faut revenir à l'été 2006, et même quelques mois auparavant, au moment où le cinéaste Luc Dionne se rend chez Alain Lefèvre et emporte avec lui les précieux disques remis par cette femme qui a voulu garder le mystère autour de son don. Les quatre faces de musique qui nous annonçaient le *Concerto numéro 4* joué par André Mathieu lui-même, Dionne les a confiés à un restaurateur français, Jean-Pierre Bameule, qui a investi des dizaines d'heures de travail et a réussi à extirper des sillons la musique qu'il a gravée sur un CD, musique restée muette depuis plus d'un demi-siècle. Le cinéaste a réuni dans son salon le pianiste Alain Lefèvre, champion du compositeur et moi-même, le biographe d'André Mathieu. Luc dépose l'hostie d'argent dans son lecteur et, avec Mathieu lui-même au piano, surgit une œuvre inconnue, nouvelle, moderne, romantique, un concerto au romantisme moderne. Dès le premier mouvement, c'est un Mathieu nouveau qui apparaît. La composition, mes recherches l'établiront, a été commencée à Paris en 1946/47, époque où le Mozart canadien étudie avec Honegger. Le deuxième mouvement, dès les premières notes, nous arrache en même temps des cris de reconnaissance : ce sont les thèmes de la *Rhapsodie romantique* que Mathieu a repris et développés en 1958 chez Morin. Le troisième mouvement porte les trois « mathieusards » au comble de l'enthousiasme. Nous étions là en présence d'une des meilleures œuvres de Mathieu, au travail de conception et de composition plus abouti. L'audition n'est pas terminée que le nom de Gilles Bellemare court sur toutes les lèvres. Gilles allait-il accepter de prélever, de transcrire et de noter la musique à partir de ces disques dont l'écoute se situe à la limite du supportable vu leur précarité sonore ? Et Gilles Bellemare accepte. S'il avait pu évaluer la quantité de travail, le nombre d'heures, et l'ampleur de la tâche qui l'attendait, l'aurait-il fait ? À partir de cet enregistrement miraculeusement sauvegardé et rescapé, Bellemare, en s'aidant de quelques autres enregistrements de Mathieu, brodant et improvisant au piano autour des mêmes thèmes, réalise une partition qui respecte le caractère d'improvisateur du compositeur, toujours prêt à poursuivre une idée. Retrouvant la logique et débusquant la cohérence de l'œuvre en empruntant les chemins par lesquels la musique est passée, Bellemare arrive à recréer la signature Mathieu. Il offre ainsi à la musique québécoise un chef-d'œuvre d'une efficacité redoutable qui, partout où Lefèvre le promène, déclenche les réactions enthousiastes et recueille des critiques dithyrambiques. Mais chaque chose en son temps.

Dans le *Journal de Montréal* du 5 mars 2008, Philippe Rezzonico annonce déjà le plan de match de la prochaine année avec le *Concerto numéro quatre*. Tucson et la création du concerto les 8, 9 et 11 mai. Paris au Théâtre des Champs-Élysées le 27 octobre. Janvier 2009, Londres avec le *Concertino no 2*…

> Lefèvre, ardent défenseur de l'œuvre de Mathieu depuis 20 ans, ne commente pas le dossier du financement du film refusé deux fois par Téléfilm Canada et la Sodec, mais il note ceci: « Ma première mission, c'est la musique. Cette année, Mathieu va être joué aux États-Unis et en France, puis en Angleterre. J'ai aussi des projets pour la Chine, la Malaisie, Taïwan et la Grèce. La musique de Mathieu, film, pas film, elle va vivre. Mais comme société, avons-nous le droit de nous payer le luxe de passer à côté d'un génie comme Mathieu? »

Lefèvre a enregistré le *Concerto de Québec* avec l'OSQ, la *Rhapsodie romantique* avec l'OSM. Il se dit que ce serait peut-être une bonne idée d'offrir la création mondiale du *Concerto no 4* à un orchestre étranger. François Mario Labbé, bien que les frais soient d'un montant prohibitif accepte la proposition et Alain pense à son partenaire George Hanson et à son orchestre d'Arizona. C'est ainsi que, dans *La Presse* du 10 mai 2008, Nathalie Petrowski titre son article:

Un Concerto dans le désert

En ressuscitant le *Concerto de Québec* d'André Mathieu, le pianiste Alain Lefèvre ne se doutait pas qu'il s'engageait dans une longue aventure. Six ans plus tard, après deux CD, des dizaines de concerts, un projet de film et de biographie, voilà que l'aventure prend un tournant inattendu, grâce à ce concerto de Mathieu perdu, et retrouvé, le quatrième concerto, que Lefèvre a créé il y a deux jours en Arizona avant Paris, Pékin et Londres.

La journaliste résume ensuite le cheminement et les étapes du parcours et cite le pianiste :

« Mathieu appartient à la collectivité, martèle-t-il. Son exemple me permet de dire aux jeunes dans les écoles que la musique classique, ça ne vient pas toujours d'ailleurs, ça peut aussi venir de chez nous. Ce qui est émouvant avec Mathieu, c'est que sa musique est une musique romantique et héroïque, avec des touches de folklore et des accents de survivance. C'est une musique à l'image même des Québécois. » En même temps qu'il dit ça, Lefèvre a parfaitement conscience des préjugés tenaces qui, jusqu'à ce jour, collent au compositeur et à sa musique. Tout dernièrement, ces préjugés ont refait surface alors que les organisateurs du 400ᵉ anniversaire de la ville de Québec ont décliné l'offre de créer le quatrième Concerto de Mathieu à Québec cet été dans le cadre des festivités. Qu'à cela ne tienne, Lefèvre a prévu le coup. Le Québec ne veut rien savoir du quatrième Concerto ? Tant pis, il sera créé dans le désert de l'Arizona… « Je me revois encore ce soir-là chez George, dans son ranch dans le désert. On était tous autour du barbecue et George n'en revenait pas de la réaction euphorique que le public de Tucson avait eue au contact de la musique de Mathieu. Il avait l'impression qu'il y avait un mystère Mathieu et que ce mystère produisait des miracles. Je lui ai proposé de prolonger le miracle en donnant naissance au quatrième Concerto. George a dit oui sur le champ, même si c'était un projet complètement fou. » Jeudi dernier, ce projet complètement fou, réalisé sans l'ombre d'une subvention du gouvernement, mais avec l'aide des disques Analekta et de la Fondation Stonewall, a donné naissance au quatrième concerto pour piano de Mathieu au milieu d'une ville désertique… « Pour moi, c'est presque une action politique et un devoir de mémoire, disait Lefèvre avant son départ. Je veux que le monde entier sache que Mathieu était un génie musical et que ce génie venait du Québec. » Avec la première européenne du quatrième concerto en octobre au Théâtre des Champs-Élysées à Paris, un concert à Pékin et une tournée en Angleterre, André Mathieu va non seulement renaître de ses cendres, il va enfin avoir ce qui lui a si souvent manqué tout au long de sa vie : des ailes.

Le Tucson Symphony Orchestra affiche *sold out* pour la création du Concerto. Gilles Bellemare est sur place pour apporter quelques ajustements si besoin est. Luc Dionne est venu assister à la naissance de l'œuvre dont il a suivi la gestation depuis deux ans et découvrir la musique qui va porter son film. Le biographe est venu chercher la confirmation supplémentaire que Mathieu vaut la peine qu'on y consacre autant d'énergie et de temps. Radio-Canada est sur place pour enregistrer l'histoire qui se fait et magnifier la mémoire (n'est-ce pas là la raison d'être d'une société publique ?), pour le documentaire qui sera télédiffusé au moment du lancement du film et de la parution de la biographie.

Le premier auditeur professionnel à rendre ses impressions publiques est Cathalena E. Burch, de l'*Arizona Daily Star* dans l'édition du 10 mai 2008 :

> Au premier moment d'accalmie dans la création du *Concerto no 4* d'André Mathieu, Alain Lefèvre s'est levé calmement et s'est penché pour ajuster les freins des roulettes de son Yamaha. Il semble que dans le tourbillon des préparations de ce projet d'enregistrement historique, personne n'avait pensé à resserrer les freins du piano. Ce fut un moment un peu embarrassant… Mais Lefèvre et l'orchestre avaient trop

travaillé et rêvé pour se laisser distraire d'écrire une page d'histoire avec ce magnifique concerto, perdu depuis si longtemps. Magnifique n'est pas un mot trop fort pour décrire le concerto [...] qui est enraciné dans le style de romantisme tardif de Rachmaninov. Splendides et généreuses, les mélodies jaillissent du piano et sont reprises par l'orchestre entier. De longs passages de virtuosité sont soulignés par des éclairs dramatiques de l'orchestre. Les interludes légers interrompent les passages mélancoliques qui saluent au passage Debussy et poursuivent leur route dans un grand geste cinématique [...]. Gilles Bellemare [...] a consacré dix-huit mois à recréer le concerto, note à note, à partir des enregistrements. Il est impossible de savoir si Bellemare a été fidèle aux intentions de Mathieu. Et franchement, devant la force du résultat final, cela ne semble avoir aucune importance [...] [voici] un concerto qui a le potentiel de s'inscrire dans le répertoire des œuvres majeures jouées à travers le monde pour les générations futures [...]. Lefèvre a joué avec un abandon passionné, alternant les gestes dramatiques et la subtilité [...].

À la mi-juillet, Alain est partout. Le 7 juillet, l'ambassadeur du Festival international de Lanaudière donne un récital violon/piano avec son frère David à l'église de Berthierville incluant, avec les *Sonates* de Franck et de Lekeu, une *Ballade-Fantaisie* d'André Mathieu, programme que les deux frères graveront quelques jours plus tard pour Analekta. La fin de semaine suivante, le journaliste Alexandre Vigneault se transforme en arpenteur des âmes et interroge sept artistes, dont Alain Lefèvre, sur les paysages qui les amènent ailleurs. Tout en se définissant et s'assumant totalement comme animal urbain, Lefèvre avoue ne pas rester indifférent aux charmes bucoliques des Cantons-de-l'Est. Enfin, le 15 juillet, le journal de rue *L'Itinéraire* le consacre *Pianiste humaniste* et lui offre sa couverture. Alain trouve là une tribune pour défendre encore et toujours les plus faibles, les plus démunis, ceux pour qui la misère n'est pas un sujet de reportage :

Depuis près de 24 ans, il est bénévole à Cité des Prairies, un centre jeunesse pour délinquants lourds, ceux qui sont incarcérés et que la société rejette. « Je suis incapable de voir des jeunes qui souffrent et j'en vois de plus en plus. Mon pari, avec ces jeunes en difficulté, c'est que, par l'art, ils apaisent leurs fantômes. Ces jeunes sont blessés par la vie et ils m'ont beaucoup appris sur la survivance. » [...] côtoyer ces jeunes est d'abord une thérapie pour lui, me confie-t-il [...]. « Dans la vie, t'as deux choix : tu survis ou tu ne t'en sors pas. La voie de la vengeance paraît normale, mais j'ai toujours cru qu'il fallait s'en sortir par l'amour. » Dans sa grande compassion pour tous ceux qui souffrent, Alain s'occupe aussi des enfants trisomiques. Modeste vis-à-vis de ses engagements communautaires, Alain aime aider concrètement : « Je m'occupe de causes qui ne font pas chic. S'occuper des parents épuisés de deux jeunes trisomiques qui vivent dans un 2 et 1/2 parce qu'ils sont trop pauvres pour se loger ailleurs, ça c'est du réel. » [...] Mais ce qui le touche le plus profondément, c'est lorsque ces jeunes de Cité des Prairies lui demandent d'interpréter la musique « du gars qui est mort dans la misère ». Selon lui, l'art peut nous sauver parce qu'il nous réunit.

Le samedi 19 juillet, quelques jours à peine après l'enregistrement sur disque de son récital avec son frère David, le Festival de Lanaudière a inscrit à son calendrier une « journée autour du piano avec Alain Lefèvre ». À onze heures, il est au Musée d'art de Joliette pour une classe de maître ; en après-midi, huit jeunes artistes, pianistes de la relève, se partagent la scène de l'Amphithéâtre, où trônent quatre grands Yamaha. Il y aura des transcriptions pour deux pianos, deux pianos et huit mains et quatre pianos. Tout l'après-midi, Lefèvre est le maître de cérémonie. En soirée, l'Orchestre du Festival voit défiler les concertos à multiples claviers de Bach et de Mozart avec Lefèvre, entouré de huit autres pianistes...

Quelques semaines plus tard, les tristement célèbres émeutes de Montréal-Nord déchirent le tissu social et mettent en évidence des tensions douloureuses. Le samedi 6 septembre 2008, posant un geste de solidarité, l'OSM et ses musiciens se rendent à l'hôtel de ville de Montréal-Nord pour offrir un concert dont Alain Lefèvre et Luck Mervil sont les solistes. Dix mille personnes répondent à l'appel, estime-t-on, et, si rien n'est résolu, le geste ne passe pas inaperçu.

Fin septembre, Lefèvre part pour l'Allemagne retrouver Carl St.Clair, nommé directeur artistique de l'Orchestre de la Staatskapelle de Weimar. Les deux amis reprennent une œuvre qu'ils ont déjà donnée ensemble, le *deuxième concerto* de Rachmaninov. La réaction prévisible est au rendez-vous et le critique Axel Schröter, dans le quotidien *Thüringer Allegemeine* du 30 septembre 2008, est transporté :

> La musique de Rachmaninov semble nous entretenir de paradis perdus. C'est en tout cas l'impression que le public a ressentie en écoutant le *deuxième concerto*, tel que joué par le pianiste canadien Alain Lefèvre. Nous avons ici un pur sang à l'œuvre. Il n'a pas besoin d'impressionner le public ou de se mettre en valeur en se jetant dans la virtuosité. Nous nous trouvons en présence d'un artiste qui préfère célébrer la beauté de la musique avec un souffle de nostalgie [...]. Lefèvre a surmonté toutes les difficultés avec *grandezza* [...] sans que jamais on puisse le soupçonner de se servir de la musique pour briller. C'est précisément ce qui a fait de son interprétation un concert mémorable.

Le 1ᵉʳ octobre, Journée internationale de la Musique, est lancé officiellement l'enregistrement réalisé à Tucson et entièrement consacré à André Mathieu. Le *Concerto no 4* bien sûr, les *Scènes de ballet* et quatre *Chansons* transcrites pour chœur et orchestre par Gilles Bellemare.

Dans l'édition du 1ᵉʳ octobre du quotidien *Le Devoir*, Christophe Huss, après avoir rappelé les péripéties de la création et de l'enregistrement de l'œuvre, livre ses impressions :

C'est le chef et compositeur Gilles Bellemare qui, à partir d'une écoute inlassable des disques réalisera une partition! Gilles Bellemare [...] avait précédemment édité la *Rhapsodie romantique* et des œuvres pour piano de Mathieu. Mais cette tâche-ci était pour le moins ardue : « Je suis parti d'un matériau disparate, dans un état très précaire » avoue-t-il au Devoir. L'expérience de Bellemare lui a permis de reconstituer un vrai concerto : « J'ai déduit ce que Mathieu présentait — après avoir dit "je vais jouer un pot-pourri de mon 4e Concerto" — ce qui semblait être, ici un thème orchestral, là une bribe de troisième mouvement. » [...] C'est à travers ce 4e Concerto ressuscité que Mathieu connaîtra — oui, on peut y croire! — la gloire internationale [...]. Le 4e Concerto est ainsi une œuvre mieux structurée et plus accomplie que les autres. L'inspiration mélodique y est aussi captivante que l'énergie viscérale des allegros. Alain Lefèvre se débat comme un possédé dans ce grand moment de musique, fleuron de notre patrimoine [...].

Le disque vient à peine d'entrer chez les disquaires, que Philippe Rezzonico, dans le *Journal de Montréal* du 4 octobre, rencontre le pianiste et lui arrache comme à son habitude les secrets que Lefèvre lui dévoile en primeur :

> En janvier et février 2009, on va le [*Concertino no 2*] présenter une dizaine de fois lors d'une tournée en Angleterre. Puis en 2010, on va le [*Concerto no 4*] jouer dix fois avec l'Orchestre philharmonique de Chine. Il y a aussi des représentations à Berlin, en 2010. C'est vraiment formidable, l'œuvre d'André Mathieu va être jouée sur quatre continents [...].

Quelques jours avant de s'envoler pour Paris, Lefèvre revient à l'OSM pour ce qui est devenu un rendez-vous chaque année depuis cinq ans entre le public et son soliste. Claude Gingras, toujours perplexe, agite comme à son habitude depuis plus de deux décennies, la trique et l'encensoir, sans céder à son enthousiasme ni parvenir à l'étouffer. Dans son édition du 16 octobre 2008 du quotidien *La Presse*, le critique titre :

Lefèvre et le reste

Mardi, soir d'élections, près de 3000 personnes remplissent la salle Wilfrid-Pelletier pour écouter Alain Lefèvre jouer le deuxième Concerto de Rachmaninov. Le plus médiatisé de nos pianistes avait joué ce concerto à l'osm il y a cinq ans. Après l'avoir repris maintes fois depuis, il vient d'en donner une interprétation plus intéressante que dans le passé. Pianistiquement, cela est du commencement à la fin d'une exceptionnelle clarté : on entend tout à la main droite et tout à la main gauche. [...] Jean-François Rivest comprend vite qu'il doit suivre le soliste, même dans ses rubatos les plus excessifs... Lefèvre succombe ici et là à une sorte de théâtralisme. Car si certains l'écoutent les yeux fermés, d'autres sont venus le voir. Et ils le regardent, ravis, déferler les octaves de la fin à une vitesse absolument fiévreuse — ce qui lui coûte, il est vrai, quelques petites fautes de frappe. Pour l'ensemble, son Rachmaninov possède puissance et lyrisme à dose égale [...].

Avec ce disque *made in usa*. entièrement consacré à Mathieu, après avoir enregistré le *Concerto de Québec* avec l'osq, la *Rhapsodie romantique* avec l'osm et joué Mathieu à travers tout le territoire, fort de la certitude que Luc Dionne va pouvoir tourner son film, et ayant mis à la tâche le biographe qui arpente archives et mémoires, Lefèvre aurait pu, et personne ne l'aurait même remarqué, descendre le long fleuve remonté contre vents et marées depuis si longtemps et laisser Mathieu être mondialement célèbre dans un périmètre précis, le Québec. C'est pour cette raison que le prochain événement revêt une telle importance artistique, historique, politique et stratégique.

Le 27 octobre 2008, dans la grande salle du Théâtre des Champs-Élysées de l'avenue Montaigne, à Paris, a lieu la création européenne du *Concerto no 4* d'André Mathieu. Ce théâtre qui a abrité le plus spectaculaire scandale artistique du XXᵉ siècle, la création du *Sacre du printemps* de Stravinsky, est le cadre choisi pour le Concert gala du 400ᵉ anniversaire de la Fondation de la Ville de Québec. Événement coproduit par Radio-Canada et Radio France. Cinq compositeurs, Berlioz, Mathieu, Duparc, Saint-Saëns et Dukas. Pour diriger une des formations orchestrales les plus prestigieuses de Paris, l'Orchestre National de France, deux jeunes chefs, le Canadien Jean-Philippe Tremblay, qu'Alain Lefèvre a choisi pour l'occasion, et le Français Fabien Gabel, qui sera nommé quatre ans plus tard directeur artistique de l'OSQ. Deux solistes, la somptueuse Marie-Nicole Lemieux et Alain Lefèvre. Tout ce déploiement pour la création européenne du *Concerto no 4* d'André Mathieu, trente-et-un ans après qu'un pianiste en herbe ait entendu une religieuse répéter le *Prélude Romantique* d'un alcoolique paresseux dans un studio de l'École normale de musique à Montréal… Le concert est retransmis en direct sur France-Musique et repris le lendemain sur les ondes d'Espace musique de Radio-Canada.

Un grand absent à ce concert historique à plus d'un titre : le maître d'Alain Lefèvre, Pierre Sancan. En effet, quatre jours avant de fêter ses quatre-vingt-douze ans, le 24 octobre 2008, Pierre Sancan s'est éteint. Sans doute n'aurait-il pu se déplacer avenue Montaigne pour entendre son disciple, mais il aurait pu l'écouter à la radio. Après son père, après sœur Berthe, c'est au tour de Sancan de ne pouvoir être le témoin d'un moment-clé de la vie d'Alain Lefèvre.

Pour résumer simplement l'impact de cette recréation et réalisation qui, à toute fin pratique, aurait pu ne jamais voir le jour, nous nous contenterons de citer une seule critique d'un des derniers magazines entièrement consacrés à la recension des disques classiques : le *Fanfare magazine*, édition de mars/avril 2009, sous la plume de Lynn René Bayley :

Avez-vous déjà entendu une œuvre qui vous fasse dresser l'oreille et vous exclamer, « Ceci est vraiment une œuvre de génie » ? C'est ce que j'ai ressenti quand j'ai entendu pour la première fois Mahler (la deuxième symphonie, dirigée par Ormandy, à la radio), les derniers quatuors de Beethoven (exécutions publiques avec le Quatuor Hongrois), le *War Requiem* de Britten (l'enregistrement Decca), etc. Maintenant, je viens d'avoir la même expérience avec le Quatrième Concerto pour piano d'André Mathieu [...]. La musique de Mathieu franchit plusieurs limites. Peut-être parce qu'il était jeune et composait à l'inspiration plutôt qu'en suivant les règles, ces pièces sont chargées d'émotions mêmes si la structure est parfois un peu relâchée [...]. Au niveau du style, sa musique pourrait être un hybride de Ravel et de Scriabine. Comme Scriabine, il utilise des transitions chromatiques qui amènent l'auditeur à travers un labyrinthe intérieur de l'esprit digne d'*Alice au pays des merveilles*. Tenter de décrire le style intensément fascinant et mélodiquement sinueux de sa musique équivaut à essayer d'enfermer un éclair dans une bouteille. Les mots échouent là où le torrent de notes, qui ne semble jamais excessif, comme cela peut arriver chez Liszt, Alkan ou Rachmaninov, me semble toujours bâtir un discours cohérent [...]. Un seul mot peut rendre justice au jeu de Lefèvre dans cette œuvre : incandescent. Dès la première note il est totalement investi dans la musique comme s'il l'avait lui-même composée [...]. La musique de Mathieu est si originale qu'elle a défié toute catégorisation, et c'est sa plus grande tragédie [...]. »

Enfin, pour couronner cette année pourtant fertile et riche en événements spectaculaires, Alain Lefèvre va pénétrer le marché médiatique américain en commençant au sommet. Il n'y a pas réellement d'équivalence au Canada en matière de prestige et de rayonnement. Le message envoyé, du simple fait d'être invité et reçu sur le plateau de l'intervieweur Charlie Rose est entendu à travers le monde. Le 15 décembre 2008, Alain Lefèvre est vu par des millions de téléspectateurs qui l'entendent parler peut-être pour la première fois de leur vie d'André Mathieu, de sa musique et de l'urgence de renouveler le public des salles de concert. Nathalie Petrowski, dans l'édition du 17 décembre 2008 du quotidien *La Presse*, fait écho à l'événement :

> Tous les soirs depuis plus de 15 ans, Charlie Rose anime un talk-show à la télé publique américaine, pas un talk-show ordinaire : le dernier refuge de la conversation intelligente à la télévision, selon certains. De Noam Chomsky à Sarah Palin en passant par Bill Clinton, Henry Kissinger, Tony Blair, Nicolas Sarkozy, Bruce Springsteen, Brad Pitt, Meryl Streep et George Clooney, le nombre de vedettes politiques, intellectuelles et artistiques qui sont venues s'asseoir à la table de bois verni de Charlie, voisine les milliers. […] Plusieurs Canadiens, comme l'écrivain Margaret Atwood ou même Michael Ignatieff […] y ont été invités. Pour ce qui est des Québécois, ils n'ont jamais été légion. Je suppose que le poids politique et culturel que le Québec représente dans le monde est en partie responsable de notre faible taux de représentativité chez Charlie Rose. Reste qu'une fois tous les 100 ans, Charlie appelle au Québec et lance une invitation à Denys Arcand, feu Pierre Elliott Trudeau […]. Ou tout récemment, au pianiste Alain Lefèvre. Cette entrevue avec le pianiste chéri des Québécois a été diffusée lundi soir. Ceux qui l'ont manquée peuvent la voir sur le site de Charlie Rose, un des plus importants sites du genre, riche de plus de 4000 vidéos mettant en vedette les grands de ce monde […]. Charlie Rose […] ne s'est pas étonné qu'il y ait au Québec des pianos, et même d'authentiques pianistes […]. Être invité chez Charlie Rose est toujours un honneur. Mais être traité sans condescendance et avec respect par un animateur intelligent est un honneur encore plus grand.

Pour Alain Lefèvre, cette année 2008 fortement consacrée à la mémoire et à l'œuvre d'André Mathieu, avec toutes les retombées médiatiques que cette réhabilitation a générées, ne doit pas faire oublier qu'elle fut aussi marquée par une nouvelle tournée chinoise du *Concerto pour les deux mains* de Ravel. Selon son habitude, fidèle à son prosélytisme et boudant bien des tours d'ivoire où bien des maestros se réfugient sitôt sortis de scène, Alain Lefèvre a mis son séjour à profit pour aller à la rencontre des élèves des conservatoires de musique.

XXII
Le Concertino no 2 de L'enfant prodige

C'est à l'Angleterre qu'Alain Lefèvre a décidé d'offrir la recréation du *Concertino no 2* d'André Mathieu. L'orchestre de chambre London Mozart Players, le plus ancien du Royaume-Uni, que dirige son ami Matthias Bamert, se retrouve partenaire d'Alain Lefèvre et tout ce beau monde part en tournée. Alain retrouve pour l'occasion son frère David dans le *Concerto pour piano et violon en ré majeur* de Mendelssohn. Pour compléter le programme et roder le contenu du prochain disque Analekta, Alain a choisi un de ses concertos porte-bonheur qu'il joue depuis un quart de siècle : le *Concerto no 1* de Chostakovitch.

Mais la nouvelle qui fait les manchettes au printemps 2009 est l'annonce officielle du début du tournage du film de Luc Dionne, *L'enfant prodige*. Pour incarner le compositeur-pianiste, Patrick Drolet. Les rôles de Rodolphe et de Mimi, père et mère de la légende, ont été confiés à Marc Labrèche et Macha Grenon. Le film dont on parle depuis plus de trois ans fait l'objet d'un article du *Journal de Montréal* le 3 avril 2009 sous la plume de la journaliste Michelle Coudé-Lord :

> Le tournage durera 36 jours et se déplacera en juin prochain en Bulgarie pour tourner les concerts, car on y trouve des salles merveilleuses qui projettent un son recherché. Le budget est de 7M $. Ce qui n'est pas énorme étant donné l'envergure du projet. « Mais dans

le contexte économique actuel, nous nous comptons extrêmement chanceux et privilégiés de concrétiser enfin ce projet sur lequel nous travaillons, Denise Robert, Alain Lefèvre et moi depuis cinq ans au moins…» […] Le tournage débute à Montréal le 19 avril prochain.

Le même jour, dans le quotidien *Le Devoir*, Christophe Huss commente l'enregistrement des *Sonates* des frères Lefèvre enregistrées l'été précédent :

Un Lefèvre en cachait un autre : après Alain Lefèvre, pianiste, voici son frère David, violoniste. […] On sait que le son d'Alain Lefèvre est très nourri et intense. Il n'est pas pianiste à jouer du bout des doigts. David Lefèvre n'est pas non plus homme à caresser les cordes avec son archet. Autre caractéristique : l'exactitude dans le respect de la valeur des notes (leur longueur). Il en résulte une expression intense […]. Cette manière caractéristique de «labourer la musique» possède ses corollaires habituels : les tempos sont plus lents chez les frères Lefèvre. Ce n'est pas une quelconque paresse ou fadeur, c'est le temps qu'il faut pour habiter les notes […]. Sans chauvinisme franco-québécois, le CD des frères Lefèvre est une réussite majeure, proposant dans la discographie un couplage Franck-Lekeu qui apporte quelque chose par rapport aux habituelles versions de référence […].

Les 22 et 24 mai, Alain Lefèvre se retrouve sur la scène de la salle Wilfrid-Pelletier, mais cette fois avec deux collègues : les pianistes Michelle Yelin Nam et André Laplante. Répondant à une commande de l'Orchestre symphonique de Montréal, le compositeur Jacques Hétu a composé des *Variations sur un thème de Mozart pour trois pianos et orchestre*. Le complément de programme était tout indiqué : le *Concerto pour trois pianos* de Mozart, qu'Alain Lefèvre avait joué vingt-et-un ans plus tôt sous la direction de Dutoit…

Le lecteur aura remarqué qu'à ce moment de sa carrière et de notre récit, Lefèvre ayant établi sa suprématie et défini sa place dans le paysage médiatique et artistique de chez nous, nous nous restreignons à ne souligner que les événements majeurs. La présence ponctuelle et régulière de l'artiste dans les journaux, les émissions de radio et de télévision, devrions-nous en faire la recension, deviendrait une énumération fastidieuse d'un agenda surchargé. Aussi, il n'a pas été fait mention des prix et distinctions qui s'accumulent depuis longtemps tout le long du parcours d'Alain Lefèvre (une liste complète de ses prix et distinctions reçus se trouve cependant en fin d'ouvrage). Au mois de juin 2009, Alain Lefèvre est honoré par le Québec des mains même de son premier ministre, Jean Charest, qui le fait chevalier de l'Ordre national du Québec. Le discours de la cérémonie d'adoubement est particulièrement senti :

> L'automne dernier, vous avez été ovationné par une salle comble au Théâtre des Champs-Élysées. C'était la première européenne du *Concerto no 4* pour piano du compositeur André Mathieu avec l'Orchestre National de France. Vous vous êtes donné pour mission de faire revivre l'œuvre magistrale de ce génie québécois tombé dans l'oubli. Vous êtes un virtuose éblouissant. Vous avez donné votre premier récital à six ans, vous avez gagné neuf fois le premier prix du Concours de musique du Canada ; vous vous êtes produit sur les scènes les plus prestigieuses du monde avec les plus grands orchestres. Vous êtes aussi ambassadeur artistique du Festival de Lanaudière. Votre engagement envers les jeunes, les aînés et les démunis est constant. Depuis trente ans, vous visitez notamment les écoles pour initier les jeunes à la musique, mais aussi pour les sensibiliser aux tourments que peut vivre un jeune, différent des autres, comme vous l'avez été vous-même, heureusement pour nous. Vous avez été touché par la grâce de la musique et la grandeur du cœur.

Alain Lefèvre, au nom du peuple québécois, je vous fais chevalier de l'Ordre national du Québec.

Pour l'homme « qui aime plus le Québec que les vrais Québécois », dixit Guy A. Lepage, pour celui qui a choisi de vivre et de survivre au Québec, cet honneur est une véritable consécration.

À nouveau reconduit ambassadeur du Festival international de Lanaudière, ambassadeur d'autant plus précieux que le père Fernand Lindsay est disparu le 17 mars 2009, Lefèvre, pour son concert annuel, retrouve un partenaire avec lequel il n'a collaboré qu'une fois, huit ans auparavant : Yannick Nézet-Séguin, coqueluche légitime des Québécois qui mène une carrière fulgurante à travers le monde, mais reste néanmoins fidèle à l'orchestre qui l'a lancé : l'Orchestre Métropolitain. Rencontre au sommet des deux monstres sacrés de la musique au Québec, c'est dans le *Concerto* de Gershwin que les deux stars se trouvent réunies pour ce concert d'ouverture du Festival, ce samedi 4 juillet. Deux jours plus tard, Christophe Huss, dans le quotidien *Le Devoir*, titre :

LE GRAND SHOW

[…] Le Festival de Lanaudière a donc vraiment démarré avec le *Concerto en fa* de Gershwin où Lefèvre et Nézet-Séguin nous ont sorti le grand show. Mimiques inspirées et fraternisation scénique à fleur de peau : c'était entraînant, surprenant, amusant. Bref, festif. On imagine que les Hollandais ne vont pas tarder à découvrir aussi ce tandem aussi enthousiaste. À 22 h 12, une clameur sportive et unanime saluait ce vrai spectacle […].

Pour sa part, Claude Gingras, dans son article du lundi 6 juillet dans le quotidien *La Presse*, titre :

LE PIRE ET LE MEILLEUR

[…] Inconfort et irritation, plaisir et enchantement. Cet inhabituel mélange a marqué l'ouverture du 32e festival de Lanaudière samedi

soir par l'Orchestre Métropolitain et son jeune chef Yannick Nézet-Séguin à l'Amphithéâtre de Joliette, inauguré il y a 20 ans cette
année. Soirée beaucoup trop longue cependant […]. L'entracte a
pris fin à 21 h 30 avec l'apparition au piano, en veston blanc, d'Alain
Lefèvre, pour le *Concerto en fa* de Gershwin […]. « L'ambassadeur
artistique » du Festival se multiplia à tous les niveaux pour cet auditoire accroché à son souffle : geste, force digitale, vélocité, lyrisme
quasi orgasmique, remuement de la crinière, pâmoison. Au total :
un Gershwin-plus, dont le premier mouvement provoqua une ovation telle que le pianiste bondit, alla embrasser le chef et retourna au
clavier […].

Ce qui n'empêchera pas Christophe Huss, la fin de l'année
venue, d'inscrire ce concert parmi son palmarès dans « Les
10 concerts classiques de l'année 2009 » dans *Le Devoir* du 31 décembre 2009 :

> […] Gershwin : *Concerto en fa*. Alain Lefèvre, Orchestre métropo-
> litain (sic), Yannick Nézet-Séguin. Festival de Lanaudière, le 4 juil-
> let. […] ce n'est que ce moment-là au sein d'un concert d'ouverture
> de Lanaudière 2009 ennuyeux et beaucoup trop long. Cela dit, un
> instant précis si fort reste forcément inoubliable : à la fin du 1er mou-
> vement, d'un même élan, pianiste et chef se sont précipités l'un sur
> l'autre pour se donner l'accolade. Ce concerto de Gershwin incar-
> nait la joie et l'ivresse de la musique.

Quelques jours avant le concert à Lanaudière (le 16 juin) et
quelques jours après (le 20 août), deux jours seulement pour
enregistrer ce nouveau florilège, Alain Lefèvre entre en studio
pour livrer ses dernières confidences. *Jardin d'Images* est le titre
de l'album que les œuvres du pianiste-compositeur ont inspiré
à Johanne Martineau. Sur ce disque, Alain retrouve ses vieux
complices : le batteur Paul Brochu et le contrebassiste Michel Donato ; comme ce *Jardin d'Images* est aussi un jardin intime, Alain

honore sa chatte Fafoune avec une pièce qui porte son nom. Et la célèbre auteure de romans policiers, Chrystine Brouillet, prête son sifflement absolument juste et bien rythmé à ce clin d'œil. L'album est un florilège de remerciements et d'hommages aux amis, nouveaux et anciens. Lefèvre et Analekta lancent ce nouvel album le 5 novembre 2009 au Monument National du boulevard Saint-Laurent à Montréal.

Dans le *Journal de Montréal,* le jour même, Alain parlant de *Jardins d'Images* définit ses intentions et rejoint l'art millénaire des conteurs en musique :

> « C'est mon *scrapbook* des quatre dernières années [...]. Ce sont des titres qui ont tous un dénominateur commun : mon amour pour le Québec. » *La danse des petits lapins* est également née sur nos terres, lors de l'un des passages du compositeur dans une école défavorisée de Montréal. « Les enfants de 7 ou 8 ans sont arrivés, se sont assis en rond et j'ai vu des visages tristes, fatigués. Je me suis dit qu'il fallait que je fasse quelque chose pour leur dire que la vie est quand même belle, qu'il faut croire au père Noël. Je leur ai demandé s'ils aimaient les lapins et j'ai commencé a composer une pièce. »

Dans l'édition du lendemain du quotidien *Le Devoir*, Christophe Huss écrit :

> ### LA PLAGE AU ROMANTIQUE
>
> [...] Il est difficile pour Alain Lefèvre de quitter son jardin secret. On le comprend, puisque cette douleur, ce pessimisme larvé et ce tumulte lui donne ses plus belles inspirations. Sur les dix pièces, on placera *Jour de pluie, Tendresse* et *Dis-moi tout* — l'orchidée en ce jardin — dans la droite ligne de *Fidèles insomnies*. Est-ce classique ? Non, c'est inclassable. La musique d'Alain Lefèvre, ce sont des mélodies sans paroles, des livres d'images sonores [...]. Dans les paroles comme dans les mélodies d'Alain Lefèvre, il y a une revendication : le droit au romantisme [...]. Il est facile de s'en moquer

comme il est facile de casser les oreilles du monde sous prétexte d'intellectualisme ou d'«avant-gardisme». C'est beaucoup plus difficile d'inventer de vraies mélodies. Alain Lefèvre possède ce don. Ne nous en plaignons pas!

C'est cependant à la journaliste Valérie Lessard, du quotidien *Le Droit* d'Ottawa, que le 7 novembre, Alain livre ses confidences les plus senties:

> «*Jardin d'Images* est un disque important pour moi parce qu'il exprime très clairement mon amour pour le Québec,» clame le pianiste [...]. «Il découle de tout ce que j'ai vu et entendu depuis quatre ans sur le Québec et les Québécois. Je suis fatigué de cette auto flagellation. Pour ma part, je ne crois pas que résister fasse des Québécois des racistes ou des xénophobes. Que de vanter le Cirque du Soleil ou Robert Lepage fasse des Québécois des prétentieux. On devrait peut-être se garder une petite gêne et arrêter de se dénigrer ainsi sur la place publique. Et surtout ne pas avoir honte de s'aimer un peu pour ce que nous sommes.» [...] Cet attachement pour sa terre d'adoption s'entend tout autant dans les grands espaces qui respirent *Sous le ciel de Cap-Santé*, par exemple, pièce qui fait curieusement penser à des tableaux de Jean-Paul Lemieux [...]. «Dans un monde où une *gang* de marsouins ne se gênent pas pour s'en mettre plein les poches, où les glaciers fondent, où les ours polaires se meurent, il me semble que nous avons le devoir moral de léguer un peu d'espoir à nos enfants! [...] *Jardin d'Images*, c'est un album empreint d'une confiance à l'avenir, d'une assurance que j'ai qu'il est toujours possible de changer le monde, et que je veux partager», conclut le pianiste.

Quelques jours plus tard, Lefèvre s'envole vers Athènes où il joue devant le président grec lors d'un concert gala pour la passation de la flamme olympique.

Entre l'enregistrement et le lancement de son dernier disque, le pianiste a pris le temps début octobre 2009 de retourner en Arizona, dans ce milieu ami auquel il propose la dernière œuvre concertante d'André Mathieu mise à jour : le *Concertino no 2,* et ajoute le *Concerto en sol* de Ravel pour faire bonne mesure. Est-il besoin de citer l'*Arizona Daily Star*?

XXIII
L'annus mathieusensis

Il faudrait baptiser l'année 2010 *annus mirabilis* ou, mieux encore, *annus Mathieusensis*, car, cette année-là, Lefèvre connaît une saison parfaite, il livre un sans-faute, ou presque. Le cas Mathieu qu'il a porté à bout de bras est devenu une cause endossée par une communauté qu'il a alertée, maintenant prête à couper le fil d'arrivée avec lui. Ce n'est plus seulement la réhabilitation d'une œuvre et de son créateur qui est en jeu. Lefèvre a placé les enjeux au niveau de la fierté nationale, de la Nation. Il revendique le droit d'inscrire son héros dans l'Histoire, la nôtre, refoulée, niée ou dénigrée, en un mot, inexistante dans nos mémoires. Mathieu et sa musique, dans la vision de Lefèvre, c'est le Québec et c'est ce qui l'amènera à déclarer le 22 mai 2010 au *Journal de Montréal* : « Je redonne André Mathieu au peuple québécois. » Ce que Lefèvre va chercher avec Mathieu, ce n'est plus un statut légal d'appartenance, c'est, inconsciemment, le remboursement d'une dette affective à la « terre promise » qui les a accueillis, sa famille et lui, c'est une citoyenneté du cœur échangée contre ce cadeau somptuaire : le romantisme québécois, ce chaînon manquant de notre histoire tout court et de notre histoire musicale. Et le porte-étendard, la pointe de ce fer de lance qui gravera le nom d'André Mathieu à jamais, espérons-le, dans la conscience collective, c'est le *Concerto no 4*, arraché au silence par Gilles Bellemare. Le film *L'enfant prodige*, de Luc Dionne, et cette biographie, que j'ai signée, achèveront de couler les fondations, donnant à la musique un tremplin pour prendre son envol.

Pour bien marquer la fin de l'année 2009 et le commencement de 2010, la Société Radio-Canada lance un coffret qui regroupe les quatre premiers enregistrements solos de Lefèvre : *Fandango*, *Ballades*, *Confidences poétiques* et *Cadenza*. Une façon d'honorer le nouveau volet de la carrière du pianiste, homme de micro, qui depuis septembre 2004 est devenu un des gardiens du temple d'Espace musique.

Autre accolade qui arrive comme un présent du jour de l'An, le magazine britannique *International Piano,* dans son édition de janvier/février 2010, publie un article consacré… à André Mathieu. Martin Anderson met la table pour les mois à venir.

Chaque année, le quotidien *La Presse* publie un palmarès des joueurs les plus importants sur l'échiquier médiatique, artistique, financier, sportif, scientifique, etc. Le 18 janvier, dans la catégorie Arts, lettres et spectacles, Alain Lefèvre est élu personnalité de l'année. Dans le texte de présentation du lauréat, la journaliste Daphné Cameron, parlant de Mathieu, écrit :

> Lefèvre peut enfin crier victoire […]. « Je vous avoue que je suis fatigué. Vous savez, la première fois que j'ai joué l'une de ses œuvres, il y avait des gens qui riaient de moi dans l'orchestre. Mais aujourd'hui, je pense que justice lui a été faite. Grâce au film, le grand public va enfin découvrir cette histoire émouvante. »

Mais le fil rouge de l'année 2010, ce *Concerto no 4* que Gilles Bellemare a si superbement recréé, Alain le propose à Trois-Rivières, le samedi 27 mars, salle J.-Antonio-Thompson, avec celui-là même qui a bâti et arraché au silence, bribe par bribe, l'œuvre qui consacre plus que toute autre André Mathieu, grand compositeur. Compositeur lui-même, chef d'orchestre et directeur artistique de l'Orchestre symphonique de Trois-Rivières de

1978 à 2005, Bellemare, pour l'occasion, retrouve son orchestre. Il connaît la partition mieux que personne, c'est lui qui l'a restaurée, orchestrée, *composée*. Rarement Lefèvre aura-t-il entendu les thèmes circuler avec autant de cohérence autour de son piano.

Après un détour par l'osq avec lequel il joue le 7 avril le *Concerto en fa* de Gershwin, Lefèvre peut enfin présenter à Montréal, ville qui a vu naître et laissé mourir Mathieu, le *Concerto* que Mathieu y avait joué deux fois dans sa version pour piano solo, d'abord en décembre 1950 à l'hôtel Ritz-Carlton et à l'Auditorium Le Plateau en février 1955. Cette fois, c'est Kent Nagano lui-même qui dirige l'Orchestre symphonique de Montréal, le 27 avril 2010 à la salle Wilfrid-Pelletier de la Place des Arts. Ce cheval de Troie en mi mineur, imprévu et improbable, est en passe de devenir un passe-partout ouvrant toutes les portes et le passeport pulvérisant les frontières. Dans l'édition du quotidien *La Presse*, du 10 mai 2010, alors que le journaliste et le pianiste sont à Shanghai, Alain Lefèvre confie à Alain de Repentigny :

> Nagano voulait jouer Mathieu ; il m'a téléphoné de Munich et on a passé quatre heures ensemble, ce qu'il ne fait jamais, à travailler mesure par mesure. Il est arrivé avec sa vision de Mathieu, qui n'était pas la mienne, mais comme j'avais joué le Concerto de Mathieu moult fois, je me suis dit que j'allais le laisser faire. La performance du Mathieu à Montréal [...] était beaucoup plus brucknérienne, d'une dimension germanique même [...].

Dans le même journal, au surlendemain de la première montréalaise dirigée par Nagano, Claude Gingras titre :

Spectaculaire et touchant

Les événements qui se multiplient autour d'André Mathieu comprennent la première à Montréal [...] de son ambitieux quatrième Concerto pour piano. [...]. Champion mondial du musicien québécois au destin tragique et présentement son seul interprète connu,

Alain Lefèvre assurait cette création locale mardi soir, avec Kent Nagano et l'OSM, dans une salle Wilfrid-Pelletier comble et éclairée de mille feux […]. Le Concerto de Mathieu […] fut admirablement défendu […]. On sait que l'œuvre fut reconstituée et orchestrée par Gilles Bellemare [.:.]. Le résultat, tour à tour tapageur et sentimental, est un honnête sous-produit de Rachmaninov, dont le jeune Mathieu connaissait la musique. On note avant tout que le soliste est sollicité presque sans répit. Dans l'enregistrement de la création (paru chez Analekta), Lefèvre prend 40 minutes. Mardi soir il en a pris 45, s'attardant un peu plus sur les épisodes rêveurs tout en déployant au maximum son habituelle et spectaculaire virtuosité. Nagano lui a fourni un accompagnement convenable et l'orchestre a bien mis en relief le beau travail de Bellemare. Spectacle impressionnant et touchant : la foule écoutait la voix d'André Mathieu comme celle de quelque héros, à travers le piano de son interprète, pour faire ensuite à celui-ci une ovation à n'en plus finir […].

Le dimanche suivant, 2 mai 2010, la populaire émission télévisée *Tout le monde en parle* reçoit Patrick Drolet, qui incarne André Mathieu dans le film de Luc Dionne, et Alain Lefèvre, à moins d'une semaine de la création chinoise du *Concerto*. Le prétexte de la rencontre est la diffusion le lundi 3 mai du documentaire de Manon Brisebois, *Alain Lefèvre signe André Mathieu*, diffusé sur les ondes de la télé de Radio-Canada, alors que la radio de Radio-Canada présente au même moment un documentaire consacré à André Mathieu. Les deux événements sont suivis d'une tribune téléphonique où Alain Lefèvre recueillera les impressions et commentaires des auditeurs et téléspectateurs. Curieusement, au moment de triompher, Lefèvre semble être blessé des campagnes de dénigrement qui, selon lui, se poursuivent et même s'enveniment depuis que Mathieu est sorti de l'ombre. Son exaspération est palpable et, en dépit des fleurs méritées que lui lance Diane Dufresne, « sans Alain

Lefèvre, je n'aurais jamais connu Mathieu, il sera éternel grâce à Alain… », une certaine lassitude perce dans l'attitude du pianiste.

Le 5 mai, c'est le lancement officiel de la biographie d'André Mathieu que j'ai l'honneur d'avoir signée, quelques jours à peine avant qu'Alain Lefèvre et le chef Jean-Philippe Tremblay se retrouvent à Shanghai pour le concert d'ouverture du pavillon canadien à l'Exposition universelle de 2010. Mais comment André Mathieu se retrouve-t-il à représenter le Canada en Chine ? Deux ans auparavant, François Macerola du Cirque du Soleil avait approché Lefèvre pour faire partie du contingent canadien. Lefèvre était à ce moment habité jour et nuit par le *Concerto no 4* dont il devait assurer la création mondiale aux États-Unis. C'est tout naturellement que le choix de l'œuvre s'était imposé. Alain de Repentigny, du quotidien *La Presse,* dans l'édition du 10 mai, nous fait vivre cette consécration :

LEFÈVRE ET MATHIEU TRIOMPHENT

On pourrait dire sans risque de se tromper que le spectacle de la cérémonie d'ouverture du pavillon canadien à l'Exposition universelle de Shanghai samedi soir, a été celui d'Alain Lefèvre. Le pianiste serait pourtant le premier à protester. Pour lui, ce concert avec l'Orchestre symphonique de Shanghai, sous la direction de Jean-Philippe Tremblay, était d'abord et avant tout l'affaire d'André Mathieu. C'est un Lefèvre visiblement ému que nous avons rencontré dans sa loge après la soirée : « Ce fut une semaine très stressante pour moi : Montréal (le même *Concerto no 4* de Mathieu avec l'osm), trois concerts de suite en Abitibi, un saut à Paris et pouf ! Je me suis retrouvé à Shanghai. Je me suis demandé comment ça allait se passer entre Mathieu et les Chinois […]. Nous sommes arrivés il y a deux jours devant un orchestre qui n'avait jamais entendu parler de Mathieu. Pourtant, dès la première répétition les musiciens ont applaudi, ils étaient émus. Et ce soir, le plus beau compliment pour nous, ils étaient sur le bout de leur chaise ! » Lefèvre poursuit : « Et il y a cette tribune qu'on a eue en Chine. J'ai fait deux ou trois émissions de télé dont l'une avait une cote d'écoute de 40 millions de spectateurs. Quarante millions de personnes en Chine ont entendu André Mathieu [...]. »

Le lendemain du concert, le dimanche 9 mai, c'est la première mondiale du film de Luc Dionne produit par Denise Robert et Daniel Louis, *L'enfant prodige, l'incroyable destinée d'André Mathieu*. Ce n'est pas seulement la consécration populaire d'André Mathieu, c'est l'aboutissement des projets rêvés par André Morin, Jean-Claude Labrecque et tant d'autres qui ont voulu rendre à Mathieu l'éclat et le lustre dont il s'était en partie lui-même dépouillé. Dans l'édition de *La Presse* du 10 mai, Alain de Repentigny témoigne:

L'idée de présenter en première mondiale en Chine un film sur un compositeur québécois méconnu peut paraître saugrenue. Pourtant, les invités chinois qui ont vu *L'enfant prodige*, hier soir à Shanghai, ont été séduits [...] par un personnage-clé du film de Luc Dionne: la musique d'André Mathieu [...]. «Sur le coup, je n'ai pas accordé beaucoup d'importance à ça, puis je me suis dit que, s'il y a un film qui mérite d'être vu à l'étranger pour sa première, c'est bien celui-là, dit le scénariste et réalisateur Luc Dionne. Parce qu'on peut faire des disques, des films et des livres sur Mathieu, mais s'il n'est pas plus joué ailleurs dans 10 ans, on aura tout fait ça pour rien. La première étape, c'est de faire connaître la musique et je pense que ce film-là est un outil essentiel pour ce (sic) faire [...]. Tout le monde dit: "Quelle musique extraordinaire!"» (sic) [...]. Alain Lefèvre est au cœur de *L'enfant prodige*. Non seulement est-il le pianiste et le directeur musical, mais il a aussi fait profiter l'équipe de sa connaissance intime de l'œuvre de Mathieu. [...] Mais hier, le pianiste si énergique de la veille avait l'air épuisé. Et ce, même s'il a maintes fois répété que le film de Dionne et la biographie signée

Georges Nicholson lui enlèvent un poids sur les épaules, lui qui se consacre à la réhabilitation de Mathieu depuis tant d'années. « Je ne sais pas si ça se dit en entrevue, mais je suis au bout du rouleau, lâche Lefèvre. Avec Mathieu, tout a été une bataille, rien n'a été facile. Si un jour, je n'écrivais que 20 % de ce qui m'est arrivé comme embûches, je ne pense même pas que les gens le croiraient. Ce soir je suis vidé, c'est beaucoup d'émotion et je n'en tire aucune gloire. » Il fait une pause… et ajoute : « Au point où j'en suis, pour être raisonnable, il faut que je laisse Mathieu partir. La prochaine bataille va être de jouer des compositeurs québécois encore vivants avec la même énergie que j'ai fait Mathieu : François Dompierre, Walter Boudreau, Denis Gougeon. Si des orchestres me demandent de jouer Mathieu, je le ferai. Mais le chemin de croix, faut que je l'arrête. » […] « Il faut maintenant que des collègues musiciens décident de mettre à leur répertoire la musique de Mathieu. Il faudra qu'on ait cette fierté de dire : pourquoi pas ? Est-ce qu'on l'aura ? C'est la grande question que je me pose aujourd'hui. »

Arrive enfin l'aboutissement de tant d'efforts, de tant de travail, de tant d'espoirs, la première canadienne du film auquel Alain Lefèvre, Luc Dionne, Denise Robert, ont consacré près de cinq années de leur vie. Le 28 mai est lancé à travers le Québec le film plus qu'attendu, *L'enfant prodige*. Dans la campagne de promotion qui entoure l'événement, le *Journal de Montréal* donne la page couverture de son cahier week-end du 22 mai 2010 à la sortie du film en citant la phrase percutante qui résume toute l'entreprise : « Je redonne André Mathieu au peuple québécois », et c'est signé Alain Lefèvre.

Dans le quotidien *The Gazette* du 28 mai, le critique de cinéma Brendan Kelly conclut son article en écrivant :

La meilleure chose dans ce film, c'est la musique récemment enregistrée et jouée par Lefèvre. Si vous connaissez l'œuvre de Mathieu, vous sortirez du théâtre avec une appréciation renouvelée pour elle.

Si Mathieu est pour vous une découverte, vous serez complètement soufflé par le pouvoir de son œuvre.

Enfin, quelques jours avant le solstice d'été, le 11 juin, Alain Lefèvre rejoint sur scène Diane Dufresne pour l'ouverture de la 22e édition des Francofolies. Marie-Christine Blais, qui a assisté au spectacle, rend compte de l'événement dans l'édition du quotidien *La Presse* du lendemain :

> Si *Hymne à la beauté* a, comme toujours, donné des frissons à la foule, ce sont certaines des chansons les plus récentes, tirées du disque *Effusions*, qui ont le plus plu [...]. Ce que [les gens] ont pu réaliser toutefois, c'est le talent indéniable du pianiste Alain Lefèvre qui est venu interpréter *Québec terre promise* seul — il a été écouté avec respect et admiration — avant d'accompagner Diane Dufresne pour *Partager les anges*. Un très beau moment [...].

Quelques jours à peine après sa participation aux Francofolies, Lefèvre découvre un blogue où, à qui mieux mieux, s'échangent commentaires et accusations qui l'offensent, remettent en question son intégrité et l'accusent carrément de s'être servi et de se servir de Mathieu pour faire avancer sa carrière. De la longue préparation de la partition du *Concerto de Québec* près de dix ans auparavant, son enregistrement en février 2003, jusqu'à la sortie de *L'enfant prodige*, en passant par la gestation du film, son financement et le tournage, sans parler des innombrables interviews et témoignages qu'il a accordés au sujet du Mozart canadien, au moment où la reconnaissance publique devrait atteindre son maximum, blessé au plus profond de lui-même, Alain Lefèvre annonce qu'il honorera les engagements déjà signés et, qu'à compter d'aujourd'hui, Mathieu, en ce qui le concerne, c'est du passé. Consternation, incrédulité, l'indignation provoquée par les attaques est une fois de plus une preuve d'amour du public qui, individuellement et collectivement, le supplie de revenir sur sa décision.

Marc-André Lussier, dans l'édition du quotidien *La Presse* du 3 juillet 2010, rencontre le pianiste. Le titre de son article résonne comme un glas :

ALAIN LEFÈVRE PRÊT À TOURNER LA PAGE

[…] « Je ne suis pas d'une nature paranoïaque, explique-t-il, mais j'ai quand même senti le vent tourner avec des odeurs malsaines. Même si le public et les médias québécois ont en général très bien compris ma démarche, l'ont largement soutenue même, il reste que j'ai été troublé par certains propos, notamment quand on évoque un "délire" de ma part, ou qu'on me prête des intentions bassement intéressées. On peut aimer ou non la musique de Mathieu — ou mes concerts — rien de plus normal. Mais quand on sort la hache, c'est autre chose. » Ayant toujours célébré l'ouverture de la société dans laquelle il vit, Alain Lefèvre reconnaît devoir faire face aujourd'hui à un aspect moins reluisant de notre collectivité. « Cela entraîne une question : sommes-nous capables, en tant que société, de nous réjouir jusqu'au bout du talent reconnu des nôtres ? C'est un fil très ténu sur lequel on a du mal à se maintenir en équilibre… Il est à mon sens plus prudent pour moi d'arrêter de jouer du Mathieu au Québec. Bien entendu, j'honore les derniers contrats, mais après, j'ose espérer que des musiciens d'ici prendront le relais en inscrivant des œuvres de Mathieu à leurs programmes. » […] « Chez nous, je mets la pédale douce. L'atmosphère un peu troublante que je sens me rappelle celle de l'époque où, petit gars de Ville-Émard, je me faisais planter parce que j'étais différent des autres, ou que je ne correspondais pas au bon prototype, conclut-il. Au Québec, cette réalité est encore bien présente. Malheureusement. »

Trois jours plus tard, dans le *Journal de Montréal*, Richard Martineau ouvre la porte aux supporters de Lefèvre en citant sur deux colonnes les courriels et les messages reçus. Un d'entre eux résume tout : « Les critiques qu'a essuyées Alain Lefèvre m'attristent. C'est fou comme on peut être ti-peuple, parfois ! »

Dans l'édition du 6 juillet du quotidien *La Presse*, Claude Gingras va même jusqu'à se faire rassurant :

> Bien qu'il ait fait savoir qu'il mettait la musique d'André Mathieu en veilleuse, Alain Lefèvre précise qu'il remplira les engagements déjà pris : Trio et Quintette à Lanaudière le 16 juillet, quatrième Concerto huit fois à l'automne, soit à Laval, Ottawa, Québec, Londres et Berlin, ainsi qu'en Chine et en Pologne en 2012-13.

Loin de nous l'idée de vouloir répondre à de telles calomnies, le silence seul étant le souverain mépris. Il faut cependant préciser certains faits. Alain Lefèvre, comme n'importe quel pianiste invité à donner un récital ou à être le soliste d'un concert, reçoit un cachet, qu'il joue Gershwin, Mozart, Rachmaninov ou Mathieu. Le fait de suggérer Mathieu peut même lui faire perdre un contrat, les coûts inhérents à la location du matériel d'orchestre, l'œuvre de Mathieu n'étant pas encore tombée dans le domaine public, peut décourager certains organismes et les faire passer outre. Ensuite, qu'il enregistre Chopin, Payette, Corigliano, Mathieu, Moussorgski ou sa musique, Lefèvre touche les mêmes redevances ; il y a cependant le risque réel d'un manque à gagner en suggérant aux mélomanes un répertoire inconnu. En ce qui a trait aux éditions des œuvres de Mathieu, que ce soit le *Concerto de Québec*, des *pièces pour piano solo*, la *Rhapsodie romantique*, les œuvres de musique de chambre, etc., jamais Lefèvre n'a-t-il demandé ou reçu quoi que ce soit, ni argent ni privilège d'aucune sorte de la vente des partitions ou de la location du matériel d'orchestre. Cependant, si on veut aussi dénoncer Charles Dutoit d'avoir profité de la renommée de l'osm et de ses dizaines d'enregistrements en ayant pris en main un orchestre anonyme et sans visage pour en faire un des orchestres les plus sensationnels du monde, ou encore si on veut accuser Diane Dufresne de s'être servi d'Alys Robi en lui rendant sa dignité et sa carrière, alors, en ce sens, oui, Alain Lefèvre comme eux, aura « abusé » d'André Mathieu.

Ironiquement, attendu les circonstances, le rendez-vous annuel de l'ambassadeur artistique du Festival international de Lanaudière est pour moitié consacré à André Mathieu et au *Concert pour piano, violon et quatuor à cordes* de Chausson. Alain Lefèvre a réuni autour de lui son frère David, le Quatuor Alcan, et ce vendredi 16 juillet 2010, le public en masse apporte son soutien à Alain Lefèvre. Dans l'édition du 19 juillet du quotidien *Le Devoir*, Christophe Huss est dithyrambique :

LE PROPHÈTE

Vendredi soir à Lanaudière, j'ai vécu quelque chose de fantastique, dont je n'arrive pas encore à saisir l'ampleur : 3500 personnes (notre estimation) se levant comme un seul homme pour ovationner une interprétation (fort belle et engagée, soit) du *Concert* d'Ernest Chausson ! Oui : une ovation — genre exaltation collective spontanée suivant le franchissement de la ligne par une rondelle au hockey — pour l'une des œuvres les plus longues et ardues de toute musique de chambre, écoutée dans un silence de cathédrale […]. Vendredi, à l'Amphithéâtre Fernand-Lindsay, il est venu environ 3500 personnes pour le quatuor Alcan, sis à Chicoutimi ! Au programme : trois œuvres inconnues et une de Chausson ; une grosse pointure. On ajoutera, par ailleurs, que, traditionnellement, le vendredi du départ des vacances de la construction est sinistre en termes d'audience à Lanaudière et que la météo, belle en soirée, était fort incertaine pendant toute la journée. C'est à n'y rien comprendre ? Les trois œuvres inconnues dont deux premières auditions de partitions révisées, étaient d'André Mathieu. Et qui dit André Mathieu dit Alain Lefèvre, qui, pour l'occasion, avait amené son frère violoniste David. Voilà la seule et unique explication, la clé de l'énigme : les noms d'Alain Lefèvre et André Mathieu ont fait déplacer 3500 personnes à Lanaudière pour un concert de musique de chambre donné un soir « maudit » avec une météo menaçante. J'appelle cela un phénomène, un phénomène rassembleur rarissime qui dit tout le crédit et l'estime dont jouit le pianiste. Foin de gausseries élitistes sur le « cas Mathieu » : le peuple a voté avec ses pieds. Il est venu. Alain Lefèvre est devenu prophète en son pays…

Ce programme se retrouvera sur le prochain disque d'Alain Lefèvre pour sa maison de disques, Analekta.

Enfin, ce sont les vacances, la Grèce, la mer, le soleil et les amis. Plus que jamais, cette année, Alain Lefèvre en a besoin.

La saison 2010/2011 s'ouvre avec fracas. Alain Lefèvre et Johanne Martineau, qui dirige SOLO Artiste, se débrouillaient très bien, merci. Mais cette vitesse de croisière, ces salles combles, cette présence médiatique constante et cette visibilité à travers le monde ne laissent pas indifférente la plus grande agence américaine et une des plus importantes sur la planète, CAMI… Cette même maison qu'Alain a déjà quitté une première fois. Christophe Huss titre dans l'édition du 22 septembre 2010 du journal *Le Devoir* :

> ALAIN LEFÈVRE ET ANDRÉ MATHIEU BIENTÔT AU CARNEGIE HALL
> En rejoignant Columbia Artists Management, le pianiste Alain Lefèvre pourrait bien voir sa carrière internationale prendre un tournant permettant à la musique d'André Mathieu de conquérir les États-Unis. Lundi soir, dans les murs de la délégation générale du Québec à New York, autour du délégué John Parisella et du ministre Pierre Arcand, on célèbre Robert Lepage, à une semaine de la première de sa mise en scène de *Rheingold*, de Wagner, au Metropolitan Opera. Mais la fête a un autre héros, improvisé, auquel le ministre rend hommage : le pianiste Alain Lefèvre.

Alain Lefèvre n'est pas à New York par hasard et il n'est pas seul. Tout près de lui, Mark Alpert de Columbia Artists Management Inc. (CAMI), la très influente agence d'artistes avec laquelle le pianiste québécois vient de signer, dans l'après-midi, un contrat. Alain Lefèvre devient ainsi le 17e pianiste représenté par cami. Ces nouveaux collègues se nomment Maurizio Pollini, Lang Lang, Denis Matsuev, Nelson Freire et Arcadi Volodos ! [...] Évidemment, une question brûlait les lèvres : « André Mathieu à Carnegie Hall, c'est pour quand ? » « On en parle sérieusement », reconnaît le pianiste [...]. Jusqu'ici, la carrière d'Alain Lefèvre était gérée par Soluart, menée par sa femme, Johanne Martineau. « En allant à New York, nous nous attendions à entamer quelques mois de discussions et, au bout de trois heures, notre interlocuteur nous a dit : "Bienvenue dans la famille !" » « [...] Cami considère que la musique de Mathieu a du potentiel aux États-Unis et Michael Francis, l'un de leurs espoirs en matière de direction d'orchestre, qui dirigera le concert à Berlin le 8 octobre, est emballé par le 4e Concerto. »

La grande différence avec ce qui a pu se produire dans le passé, c'est que cette fois, Columbia est venu chercher Alain Lefèvre, il n'est pas allé à Columbia en quête d'un agent. Ils sont venus à lui parce qu'il rapporte, parce qu'il travaille, parce qu'il est connu, il a joué dans tant de pays et dans tant de villes. Et il a aussi tant de disques à son actif, et voilà tout. La carrière d'Alain Lefèvre fonctionne. Le pianiste nous rappelle qu'il faut toujours garder en tête, si on veut comprendre le *business*, qu'une agence n'est pas une entreprise de bénévolat. C'est donc à quarante-huit ans qu'il a signé un vrai contrat, avec un agent qui va vraiment travailler pour lui. Il aura fallu toutes ces années...

Une semaine plus tard, les 28 et 29 septembre, comme un rituel lui permettant de réchauffer ses moteurs, Lefèvre entame sa saison par un engagement avec l'Orchestre symphonique de Laval et son chef Alain Trudel. Dans la salle qui porte son nom, les mânes d'André Mathieu, d'abord incrédules, entendent le concerto que, faute d'intérêt, le compositeur-pianiste n'avait même pas essayé d'écrire et d'orchestrer. Le *quatrième* de Mathieu fait salle comble dans le lieu même qui, grâce au don de la belle inconnue cinq ans auparavant, a permis à l'œuvre d'exister et à Lefèvre de boucler la boucle.

Les Lefèvre s'envolent ensuite vers l'Europe. Berlin d'abord, où Alain le 8 octobre, à la répétition générale publique en matinée et au concert de lancement de la saison de l'Orchestre du Komische Oper de Berlin, donne avec le jeune chef Michael Francis le concerto leitmotiv de toute cette année, encore et toujours, le *Concerto no 4* d'André Mathieu. Dix jours plus tard, c'est Londres et ses London Mozart Players et leur nouveau chef, Gerard Korsten, qui reprennent les œuvres de leur enregistrement commun : le *premier Concerto* de Chostakovitch et le *Concertino no 2* d'André Mathieu.

Mais pour Alain Lefèvre, qui ne connaît pas la vengeance, les deux prochains concerts sont plus qu'une expérience artistique. Encore aujourd'hui, il parle de cette paire comme d'une étape importante, capitale si l'on ose dire. Le 27 octobre 2010, dans le quotidien *Le Droit* d'Ottawa, le journaliste Marc-André Joanisse nous éclaire :

> Incroyable mais vrai, le pianiste de concert Alain Lefebvre (sic) participera à son premier événement avec l'Orchestre du Centre national des Arts. Le rendez-vous tant attendu est pour ce soir et demain, à la salle Southam. Comble de bonheur pour le grand musicien québécois, il interprétera le *Quatrième concerto pour piano* [en] mi mineur d'André Mathieu. « J'ai 47 ans il n'y a pas d'âge pour une première, a-t-il avoué à l'occasion d'un entretien téléphonique. Et n'est-ce pas magnifique, j'aurai la chance de présenter une œuvre d'André Mathieu à Ottawa. Je suis comblé [...]. »

Passant d'une capitale à l'autre, Alain Lefèvre se retrouve à Québec le 15 décembre pour son rendez-vous annuel avec l'OSQ. Est-il vraiment nécessaire de nommer le concerto qu'il a choisi de présenter à la fin de cette année exceptionnelle ? Le chroniqueur Jean-Philippe Côté-Angers, dans l'édition du 16 décembre du quotidien *Le Soleil,* titre : « JoAnn Faletta et Alain Lefèvre jouent les flamboyants complices à l'osq ».

Enfin, pour couronner l'année, dans le cahier Arts et spectacles du 24 décembre 2010 du *Journal de Montréal,* Michelle Coudé-Lord rencontre Alain Lefèvre :

L'ANNÉE ANDRÉ MATHIEU

La veille, il venait de triompher à Québec en jouant le 4e concerto d'André Mathieu. Les gens lui ont demandé de ne jamais cesser de jouer la musique de cet enfant prodige. Ému, Alain Lefèvre a reçu ces encouragements comme une bénédiction. André Mathieu est au cœur de la vie du pianiste et le demeurera contre vents et marées.

En cette veille de Noël, Alain Lefèvre qui réveillonnera avec ses fans à la radio de Radio-Canada, parle d'une véritable renaissance de la musique d'André Mathieu, partout dans le monde […]. « C'est tellement émouvant ce grand retour de l'œuvre de Mathieu sur le territoire américain. Enfin, il a sa reconnaissance. C'était mon but. Ceux qui ont voulu m'accuser de me servir de Mathieu pour me faire un nom se sont royalement trompés […]. » Le pianiste a souffert aussi cette année. « Je me suis senti mal jugé par les miens. Les critiques ont voulu s'en prendre à moi pour mon travail sur l'œuvre de Mathieu. Mais le public québécois, qui fut toujours là pour moi, était là à me dire de continuer. Ce fut un travail de bénévolat de milliers d'heures pour que cette musique si riche, si belle, ait une seconde vie. J'ai réussi mon pari et j'en suis très fier. » […] Il applaudit encore la réalisation de Luc Dionne pour le film *L'enfant prodige.* « La compagnie Columbia a de bien grands projets pour moi et l'œuvre de Mathieu. Je crois que le soir du grand retour de sa musique au Carnegie Hall, il pourrait y avoir présentation du film *L'enfant prodige.* Ce serait une occasion en or. Tout est possible présentement, car les Américains n'en reviennent pas et dans le milieu de la musique classique, ça parle d'André Mathieu comme jamais […]. » « J'aime montrer les forces du Québec à l'étranger. J'aime voir grand pour mon pays, pour la musique de chez nous et André Mathieu mérite qu'on s'attarde à son œuvre. Le concerto de Mathieu, c'est l'émotion à fleur de peau. Il était un génie », conclut Alain Lefèvre.

XXIV
François Dompierre et le meilleur d'André Mathieu

Après avoir surfé sur la crête d'une vague qui l'a maintenu exposé tout au long de l'année 2010, Lefèvre attaque 2011 avec, en plein hiver bien sûr, un concert carte blanche que lui offre l'OSM. Caroline Rogers, une nouvelle venue au quotidien *La Presse*, titre son article du 24 janvier :

LES TROIS MONDES D'ALAIN LEFÈVRE

[…] Si les dernières années ont été celles de Mathieu, avec un apogée en 2010, l'année 2011 sera celle de François Dompierre, annonce le pianiste. C'est ainsi que l'on pourra entendre jeudi soir un seul des 24 préludes pour piano du compositeur en première mondiale, un avant-goût de la vraie grande première. La véritable création mondiale des 24 préludes aura lieu le 15 juillet prochain à l'Amphithéâtre de Lanaudière […]. « Ce sont 200 pages de musique que je suis en train de m'entrer dans la tête, dit-il. François Dompierre est un compositeur incroyable et, à mon avis, il a écrit là un petit chef-d'œuvre. Ces 24 préludes vont être une bombe ! » Pour lui, il est essentiel et logique que les interprètes d'ici se fassent les défenseurs de nos compositeurs, comme d'autres ailleurs ne se sont pas gênés pour le faire, Rubinstein pour Szymanovski, Maurizio Pollini pour Luigi Nono « Si nous, les solistes, on ne se bat pas pour nos propres compositeurs, on manque le bateau ! lance-t-il. Cette année, ce sera l'année Dompierre, l'an prochain, l'année Boudreau, en 2013, l'année Gougeon.» […] Déjà, d'interpréter la pièce de résistance de la soirée, le *Concerto in F* (sic) de Gershwin n'est pas une mince affaire! Mais l'idée est venue en cours de route de trouver une formule qui pourrait englober ses trois univers: l'interprétation, l'animation et la composition […]. On pourra aussi entendre dans la troisième partie du concert cinq œuvres pour piano d'Alain Lefèvre, présentées pour la première fois au Canada en version symphonique, dans une orchestration d'un musicien de Sept-Îles, Richard Savignac […]. Parmi ces compositions, *Cool Cole* et *Philip Black Blue* sont un clin d'œil au jazz. […] Deux fameux jazz-men québécois, Michel Donato et Pierre Brochu, seront de la partie. L'osm sera dirigé par Nathan Brock.

Après Corigliano, Payette, Mathieu, voilà Dompierre qui s'inscrit au répertoire de notre pianiste, explorateur toujours, à commencer par Pierre-Max Dubois et Dutilleux. De la musique contemporaine, soit, mais accessible. Alain Lefèvre est extrêmement pragmatique. À la question que tout artiste digne de ce nom doit se poser: «Où l'interprète d'aujourd'hui peut-il se situer, doit-il se situer, face à la musique allant de 1945 à 2012?», le pianiste pèse chaque mot de sa réponse:

C'est une question lourde de conséquences, une question très angoissante non seulement pour les compositeurs mais pour l'humanité. Effectivement, les compositeurs se retrouvent dans un grand isolement. Quels sont ceux qui vont rester, qui seront encore joués? Est-ce que l'Art est un produit de l'intellect ou le jaillissement de l'émotion? J'ai assisté à la création du *Concerto pour violon «L'arbre des songes»* de Dutilleux avec Isaac Stern, Lorin Maazel et le National de France, le 5 novembre 1985. J'y étais et j'ai entendu les applaudissements polis. Ce concerto, est-ce qu'il est joué souvent alors que le Sibelius… On ne peut pas se soustraire à ses jugements mêmes si on devrait avoir l'énergie de questionner plus avant.

Même si je me bats avec l'énergie du désespoir, si le public ne veut pas, on ne peut pas le forcer. On dirait que les gens ont de moins en moins d'imagination ! Mais je suis de ceux qui croient qu'on ne peut pas démissionner. Walter Boudreau, son Concerto est maintenant terminé et déjà il y a trois orchestres en lice pour l'enregistrer et il y en a cinq qui veulent donner la création. Pourquoi ? Lefèvre a fait connaître Mathieu, Mathieu a vendu des dizaines de milliers d'exemplaires, ergo Alain Lefèvre joue Boudreau ou Dompierre, ça va marcher. C'est aussi là qu'intervient le choix éditorial du musicien. L'artiste a déjà à se battre pour faire carrière, alors il doit choisir ses batailles et savoir s'il peut les livrer... Il faut quand même se donner comme mandat que, si on défend une musique nouvelle, il faut que le public l'aime, un tout petit peu. Est-ce qu'on veut vraiment se suicider ? Oui je suis pour la défense des compositeurs vivants, non je n'irai pas me suicider sur la place publique. Le plus grand artiste, le plus grand musicien, le plus grand passeur d'idées, si les salles sont vides... Tu as des comptes à rendre. Si maintenant Alain Lefèvre joue quelque chose de nouveau, c'est comme s'il disait au public avec qui il a établi un rapport de confiance : « Donnez-moi votre main, je vais vous amener quelque part, ailleurs ! »

Revenant à un répertoire plus familier, dans l'édition du 20 février 2011 du quotidien *Le Devoir*, Christophe Huss fait la critique du dernier enregistrement d'Alain Lefèvre, le programme Mathieu-Chausson qui lui avait arraché des cris de joie l'été précédent à Lanaudière :

André Mathieu qui pleure

[...] Ces deux œuvres font l'objet du disque, en magasin depuis le 1er février. La réécoute tempère l'écart perçu lors du concert entre le *Trio* de 1949 et le *Quintette* de 1953. Les conditions d'écoute peut-être, ou un tissage musical plus serré lors de l'enregistrement : le *Trio* gagne ici une cohésion qui nous avait échappée lors de l'audition en public. La douleur des deux dernières minutes du 1ᵉʳ mouvement, où l'air et le son semblent se raréfier, est vraiment poignante [...]. Le *Quintette* se situe exactement dans cette veine du tumulte intérieur du créateur dans un langage qui prend racine dans la musique française de l'avant-Seconde Guerre mondiale. Ce n'est plus un Mathieu qui cherche à plaire, mais un Mathieu qui met ses tripes sur la table. On est loin des pianothons, et de l'image de « basse musique » que certains véhiculent encore aujourd'hui. Le couplage avec le *Concert* de Chausson coule de source sans aucun hiatus. Et l'interprétation est tout aussi passionnée. Se dire que le Mathieu que le Québec a perdu est, au fond, celui qui avait cette musique-là en lui est sans doute encore bien plus douloureux et tragique. Écouter le thème qui émerge à partir de 4 min 15 s dans le 1ᵉʳ mouvement du *Quintette* [...]. Il est symbolique de voir Alain Lefèvre boucler la boucle et refermer la porte avec ce Mathieu qui pleure. Il était facile de constater son ras-le-bol mardi dernier, répliquant à ceux qui insinuent qu'il s'est intéressé à Mathieu pour se faire un nom et de l'argent : « Madame Mathieu est vivante et la musique de Mathieu n'est pas dans le domaine public. » [...] Il passe maintenant le flambeau aux « artistes québécois qui, au lieu de sortir des Russes, des Belges ou des Suisses inconnus, peuvent aussi défendre la musique de chez eux » [...] Lefèvre va maintenant jouer Mathieu uniquement à l'étranger et défendre des compositeurs vivants, à commencer par François Dompierre qui lui a composé *24 Préludes* et Walter Boudreau qui écrit un concerto pour piano.

Dans le quotidien *La Presse*, Claude Gingras, après la condamnation sans équivoque de la musique de Mathieu au sortir de *L'enfant prodige*, l'été précédent, où il avait déclaré que « les musiques les plus intéressantes entendues dans le film étaient celles de Mahler et de Rachmaninov », retrouve l'enthousiasme éprouvé face à la même œuvre (le *Quintette*) en février 1955, mois pour mois, cinquante-six ans plus tard :

Lefèvre et les derniers Mathieu

[…] Datant respectivement de 1949 et 1953, ces deux œuvres d'un Mathieu dans la jeune vingtaine sont richement conçues pour les instruments réunis, pleines d'épisodes contrastants (bien que chacune ne compte que deux mouvements) et sont indiscutablement le fait d'un créateur qui sait écrire et a quelque chose à dire. En fait, il y a là plus d'originalité que dans les œuvres concertantes que Lefèvre nous a servies précédemment. Les harmonies et couleurs raveliennes du Trio ne gênent pas, surtout chez un compositeur de 20 ans. Le mélodieux et quasi orchestral Quintette révèle cependant une personnalité plus forte et plus vraie […]. Alain Lefèvre, principal soliste et pour ainsi dire chef d'orchestre, déploie une virtuosité toujours au service de l'expression et entraîne ses coéquipiers dans une irrésistible aventure conjuguant passion et rêverie […].

Refermons le portail sur cette décennie qui aura posé Lefèvre au sommet de la pyramide en l'obligeant à improviser un parcours qu'il n'avait absolument pas prévu. Ce geyser Mathieu aura réveillé à la grandeur du territoire québécois une ardeur cristallisée sur la trinité, Céline, Cirque du Soleil, Robert Lepage, à laquelle Lefèvre aura ajouté une autre langue de feu, André Mathieu.

Quand j'ai commencé à défendre l'œuvre de Mathieu, quelle que soit la valeur qu'on veuille bien ou non lui reconnaître, je n'ai jamais perdu la croyance, je n'ai jamais douté que c'était extrêmement important comme œuvre et qu'elle avait sa place bien plus que MacDowell, Litolff, Alkan et des dizaines et des dizaines d'œuvres de Franz Liszt… Le *deuxième Concertino*, le *Concerto de Québec*, le *4ᵉ*, le *Quintette*, le *Trio*, sont des œuvres majeures, auxquelles j'ai cru et je crois. Et bientôt, très bientôt, je ramènerai Mathieu au Carnegie Hall de New York où il a lui-même triomphé adolescent. Je le joue parce que j'y ai cru et que les gens aiment cette musique. Et quand je lis une critique qui dit : «Nous avons eu le même choc à la découverte du *Concerto no 4* qu'avec les premiers enregistrements des symphonies de Mahler [...] », ce n'est pas moi qui ai payé pour cela, c'est une réalité. Et aujourd'hui, on va célébrer Mathieu.

Mais Lefèvre joue de la réalité comme un virtuose. Cet instinct de survie qui l'a fait au cours de ces vingt dernières années se métamorphoser de vilain petit canard en cygne majestueux qui glisse sur les eaux pleines de remous du monde musical, lui a appris à garder plusieurs fers sur les braises ardentes tout en variant les angles de coups de marteau sur l'enclume. Ce Siegfried n'avait pas besoin d'apprendre la peur, il l'avait rivée au cœur, il lui fallait l'apprivoiser et s'en débarrasser. « Être toujours là où on ne t'attend pas », reste un mode de vie qui assure la survivance. Ce n'est donc pas une surprise que de le retrouver avec l'Orchestre symphonique de Montréal et Kent Nagano dans un projet qui lui tient à cœur depuis longtemps : la réhabilitation de la version de 1926 du *Concerto no 4 en sol mineur, opus 40* de Rachmaninov qu'il a lui-même remanié et écourté. Le dimanche 8 mai, devant une salle pleine à craquer, Alain Lefèvre se lance sur cette mer profonde. Il a proposé au chef de compléter le programme de ce qui deviendra leur deuxième disque avec *Prométhée* ou le *Poème du feu* de Scriabine (dont on fête le centenaire de la création cette année-là), qui demande un clavier de lumières et un diffuseur de parfums. Mais il n'y a pas que la fragrance de la maison Guerlain qui flotte dans la salle Wilfrid-Pelletier cet après-midi-là, il y a aussi un parfum de nostalgie : dans quelques semaines, ce sera la fin d'une époque, l'osm devant emménager en septembre dans sa nouvelle Maison symphonique. Pour Alain Lefèvre, c'est près d'un quart de siècle d'une carrière tumultueuse qui se termine dans cette salle Wilfrid-Pelletier. *Sic transit gloria mundi* ! Christophe Huss, dans *Le Devoir* du 9 mai, jubile :

Un concert tout à fait éblouissant

Prométhée ajoute une expérience multi-sensorielle avec jeux de lumière [...]. Alain Lefèvre avait aussi voulu une diffusion olfactive finale d'un parfum de Guerlain, mais on n'a rien senti. Kent Nagano a pris un plaisir visible à diriger ce programme. […] il a aussi joué le jeu de l'exaltation, même dans Rachmaninov, un compositeur chez qui, après l'expérience du *4ᵉ Concerto* de Mathieu, on ne l'imaginait pas si à l'aise. En choisissant la version originale de 1926 du concerto, Alain Lefèvre a rendu justice à une inspiration faite de flux et de reflux […]. Rachmaninov renonce ici au « tout mélodique » pour en découdre avec le clavier. Dans cette version princeps, cela nous vaut un *Finale* d'une difficulté dantesque. Là, l'éblouissement fut musical. Alain Lefèvre s'adonnant corps et âme à ce tourbillon avec cette matière sonore qui ne perd jamais sa consistance et un souffle unitaire très difficile à atteindre dans une œuvre qui se transforme aisément en puzzle.

« La création annoncée de *24 préludes* de François Dompierre est reportée d'un an », c'est ce que nous apprend le Festival international de Lanaudière. À l'origine, Dompierre avait prévu de distribuer ses *24 préludes* à raison d'un ou deux par pianiste. Il les a conçus en voulant donner à chacun à boire et à manger. Tout au long du cycle, Dompierre a multiplié les embûches, les changements de tempo et de rythmes, les ruptures de climat. Il passe du boogie-woogie, au tango, au blues, amenant la partition à des proliférations quasi « nancarrowéennes ». Dompierre a voulu livrer là son *magnum opus* et ce qu'il exige de son soliste n'est rien de moins que sa substantifique moelle en plus de l'engagement total dont Lefèvre est capable. Le public et la critique comprendront le 14 juillet 2012 pourquoi Alain Lefèvre a préféré se donner un an de plus pour se rendre et rendre justice à Dompierre et à lui-même. L'été 2011, comme pour rassurer le public et annoncer la fin d'une convalescence que les blessures médiatiques de l'année précédente lui avaient infligée, Alain reprend une autre fois le *Concerto no 4* d'André Mathieu, avec l'Orchestre de la francophonie et Jean-Philippe Tremblay. Le Père Lindsay qui aurait souhaité assurer la création québécoise de l'œuvre à Lanaudière aura au moins entendu trois ans plus tard le *Concerto* dans l'amphithéâtre qui porte son nom.

Après ce concert, à peine revenus de leurs traditionnelles vacances en Grèce, les Lefèvre partent pour Québec. L'Orchestre symphonique de Québec a décidé de nommer Alain Lefèvre *artiste associé* en septembre 2011 et, le 14, pour lancer sa saison 2011/2012, le chef Rossen Milanov et l'osq entreprennent de le suivre dans le *Quatrième concerto* de Rachmaninov. Richard Boisvert, dans le quotidien *Le Soleil*, édition du 15 septembre 2011, n'a pas peur de s'abandonner :

DÉLUGE D'ÉMOTION

[…] Le héros de la soirée ? Alain Lefèvre, bien sûr ! Le pianiste a servi du 4e de Rachmaninov une interprétation que j'inscrirais parmi les plus emportées auxquelles on a eu droit de sa part. Ce qui n'est pas peu dire, je vous l'assure ! Au premier grand moment de cette œuvre dense et épique, dans l'*Allegro vivace* initial, le soliste a réussi à atteindre un sommet expressif vertigineux depuis lequel l'émotion a ensuite déferlé telle une vague incroyablement puissante. Pendant qu'Alain Lefèvre transformait son concerto en tsunami, les cordes de l'osq y allaient à fond l'archet. Au *Largo*, un bel équilibre à la fois rythmique et sonore a été atteint entre le piano et l'orchestre […]. L'ambiance était troublante et prenante au point où l'on en oubliait la présence parfois peu discrète des caméraman sur scène. Le troisième mouvement a vu Lefèvre replonger dans sa transe. La musique a jailli de l'instrument comme un flot impétueux pendant au moins 10 bonnes minutes. L'osq a fait de son mieux pour le suivre. La réception du public a été à la mesure de l'interprétation. Lefèvre a croulé sous un tonnerre d'applaudissements. Sur sa figure, on pouvait distinguer l'air de celui qui revient d'un autre monde. Il est rentré saluer plusieurs fois avant de sortir pour de bon. Son rappel, c'est sur une scène extérieure aménagée dans le stationnement du

Grand Théâtre qu'il l'a donné. Quelques centaines de personnes qui avaient pu jusque-là suivre le concert sur un écran géant l'y attendaient déjà. Elles ont eu droit à une exécution en direct et sous les étoiles du *Concerto de Québec* d'André Mathieu. À l'issue de celle-ci, Alain Lefèvre a tenu à rappeler que cette œuvre appartient avant tout aux gens de Québec. «Vous direz au maire qu'il faut qu'il devienne l'hymne national de cette ville!» a-t-il lancé […].

Trois jours plus tard, Lefèvre est de retour à Montréal. Il a l'insigne honneur d'être le premier soliste à enregistrer dans la nouvelle Maison symphonique, la nouvelle salle de l'osm qui a ouvert ses portes dix jours auparavant, le 7 septembre. Nous nous permettons d'excéder le propos de ce livre en disant qu'avec cette salle, nous rejoignons enfin le concert des nations civilisées. Enfin, la nouvelle coquille de bois blond rend justice à l'un des meilleurs orchestres du monde en nous permettant de l'entendre. Ce 17 septembre, pour recréer l'atmosphère du concert, un public invité est rassemblé pour une expérience un peu particulière: un concert présentant le même programme deux fois, en première et deuxième parties. Analekta et son équipe sont sur place. L'Orchestre symphonique de Montréal, Kent Nagano et Alain Lefèvre reprennent les Rachmaninov et Scriabine du 8 mai pour le disque.

En mai 2012, dans le *Toronto Star*, John Terauds écrit:

Voici un disque formidable à tous points de vue. Le pianiste montréalais Alain Lefèvre mérite le qualificatif de force de la nature. Ce nouvel album, le premier à avoir été enregistré dans la nouvelle salle symphonique de Montréal, démontre non seulement la prodigieuse dextérité de ce musicien, mais aussi, son esprit toujours curieux. La pièce principale constitue une première mondiale: le Concerto pour piano n° 4 de Rachmaninov, enregistré selon la partition originale de 1926 telle que reconstituée par Lefèvre lui-même. C'est une œuvre poignante, même selon les critères de la musique russe, mais elle est dépouillée des opulents vestiges romantiques qui ornent les autres concertos de Rachmaninov. L'interprétation étincelante de Lefèvre exprime à fond, avec virtuosité, la psyché troublée du compositeur.

Coquetterie d'auteur, je me citerai dans l'édition du 15 mai 2012 du magazine *L'actualité* :

> Le dernier-né de l'OSM sous la direction de Nagano, enregistré dans la nouvelle Maison symphonique, devrait rafler tous les honneurs. Combinant l'acoustique miraculeuse de la salle à une technologie de pointe, le preneur de son Carl Talbot nous offre son travail le plus abouti. L'orchestre est d'une opulence rolls-roycienne, et le mariage Lefèvre-Nagano lisse les fulgurances du pur-sang du piano en injectant son surplus de feu au chef d'orchestre, qui s'allume et navigue sur cette mer déchaînée avec une passion qu'on ne lui connaissait pas. Cette version d'origine, de 1926, restitue son lustre au plus mal aimé des quatre concertos du compositeur russe. Pour livrer tous ses sortilèges, le Scriabine exige du soliste qu'il se fonde aux chatoiements orchestraux. Il lui faut cependant un partenaire capable de porter à l'incandescence orgasmique cette partition, qui se veut l'exultation de tous les sens. Hélas, notre maestro est trop bien élevé. Mais le Rachmaninov est souverain.

La formidable machine que les Lefèvre ont mise au point atteint son zénith. Le pianiste ayant harmonisé les mécanismes qui permettent à la carrière de s'épanouir avec les nécessités d'une vie privée qui semble si publique, a réussi à être là où personne ne l'attendait, en plein cœur de l'actualité, inaccessible à tout autre musicien que lui. Le couple manie avec une intelligence rare les exigences de la machine en se ménageant des jardins secrets qui permettent à la vie spirituelle et affective de rester le moteur de la création. On l'a vu, pour Lefèvre, le travail est l'outil fondamental et la fondation de sa vie et de sa carrière. Chaque journée y est consacrée. Cette concentration d'énergie lui permet de descendre au fond de lui-même pour rejaillir dans une vie sociale et un réseautage qui assurent les apparitions régulières, nécessaires et vitales au parcours que les Lefèvre se sont tracé, tout en conservant, à quel prix parfois, sa ferveur intacte.

Lefèvre plonge dans l'année 2012 en honorant ses engagements à l'osm, qui affiche complet les deux soirs, au mois de février. Lefèvre reprend le *Concerto en la mineur* de Schumann qu'il avait jadis donné avec Agnès Grossmann et le Métropolitain. La direction de l'Orchestre symphonique de Montréal lui a donné James Conlon comme partenaire. S'il fallait une fois pour toutes démontrer la schizophrénie apparente de la critique, non seulement montréalaise, mais universelle, les deux réactions de nos chroniqueurs locaux suffiraient à prouver que tous les goûts et les dégoûts sont dans la nature et qu'il ne faut pas en discuter.

D'abord, le lendemain du premier concert dans l'édition du 2 février du quotidien *Le Devoir*, Christophe Huss est renversé et titre :

L'INVITÉ D'HONNEUR

Salle comble pour Alain Lefèvre et James Conlon : voici un concert qui aurait pu remplir un troisième soir sans encombres. [...] c'est un honneur que d'entendre ce chef faire de la musique. De la musique brute, dans sa vérité et son essence [...]. James Conlon, l'un des bannis de l'ère Dutoit, qui n'aimait guère les chefs qui pouvaient lui faire de l'ombre, fait un très beau retour à Montréal [...]. Alain Lefèvre a donc tiré cette fois le gros lot, lui qui fut peu gâté par l'osm lors de partenariats précédents (Decker, Klee, Brock, voire Nagano lui-même dans le *4e Concerto* d'André Mathieu...). Son Concerto de Schumann fut une divine surprise. Ce concerto, spirituellement massacré par 85 à 90 % des interprètes, qui en font de la guimauve doucereuse, a trouvé hier soir une interprétation roborative, logique et saine. Le phrasé d'entrée, à ce tempo plutôt allant, s'impose d'évidence. Et pourtant on ne l'entend presque jamais [...]. De même, l'allegro après la cadence du 1er mouvement est juste et, surtout, le 2e volet est un vrai «andante gracieux». Les quelques fautes de frappe ne compte (sic) pas lorsque l'esprit est si juste.

À l'inverse, le papier de Claude Gingras, dans l'édition du 2 février 2012 du quotidien *La Presse,* pourrait presque nous laisser croire à de la mauvaise foi :

OSM : C'EST CHER, 91,14 $!

Je lis 91,14 $ sur mon billet. Billet «de faveur», comme on dit. Je n'ai donc pas payé cette somme. Je ne voudrais surtout pas l'avoir déboursée pour ce que j'ai entendu. Le concert est donné deux fois et l'OSM affiche «complet» les deux soirs. C'est-à-dire que 4000 personnes ont payé — pas toutes 91,14 $, bien sûr! — pour être là. Je les plains. C'est l'un des concerts les moins bons de la saison [...]. Le cas d'Alain Lefèvre est tout autre. Alain Lefèvre appartient au paysage montréalais, il fait beaucoup pour amener la grande musique au grand public, qui l'adore... et qui remplit la salle en voyant son nom. Seul musicien à se dévouer autant pour la culture et les belles choses, Alain Lefèvre mérite un traitement un peu spécial. Son concerto de Schumann commence sobrement, se poursuit dans un riche phrasé, mais débouche hélas! sur un final absolument rageur : des cheveux partout, un bras en l'air, ou bien une jambe. J'ai beau faire abstraction du spectacle, le jeu reste tout aussi survolté. Ce n'est plus Schumann, c'est Rachmaninov, avec quelques fausses notes. Ou plutôt, c'est Alain Lefèvre. Il joue Schumann à sa manière, qui n'est pas la mienne, mais que la foule applaudit, dès après le premier mouvement, et acclame debout, à la fin. Que dire de plus ?

Personne ne pourra jamais s'habituer à une telle sauvagerie à la limite de la cruauté, fut-elle bientôt sexagénaire! On dit « Qui aime bien châtie bien », eh bien, il est grand temps de publier les bans.

Enfin, l'ambassadeur du Festival international de Lanaudière pour une cinquième année consécutive se présente sur la scène de l'Amphithéâtre Fernand-Lindsay pour créer les *24 Préludes* de François Dompierre, par un 14 juillet caniculaire, conservant au rituel du récital sa dignité en gardant sa veste pendant toute la soirée. On ne compte plus les points culminants de la carrière d'Alain Lefèvre. Mais ce soir-là, pour une création, une première mondiale, 5500 personnes se sont déplacées et installées au parterre et sur les pelouses, la foule la plus considérable qui se soit jamais assemblée pour un récital de toute l'histoire du festival! Dans *La Presse* du lendemain, Claude Gingras, dont on pouvait redouter le pire, ne ménage ni ses compliments ni ses louanges:

Dompierre et Lefèvre. Le triomphe

[…] Homme de jazz, Dompierre a puisé au genre pour écrire ses Préludes. Ravel et Stravinsky ont fait la même chose avant lui et en ont tiré de la très bonne musique […]. Le jazz en soi est un langage assez primaire. Ravel et Stravinsky en ont transfiguré les rythmes et Dompierre en fait autant. Il utilise la syncope sans que l'on pense automatiquement au jazz. C'est un immense mérite […].

Première réaction après l'écoute: ces 24 Préludes de Dompierre, il faudrait les réentendre, tellement ils fourmillent de recherches rythmiques et harmoniques, d'éléments et d'événements de toutes sortes, de contrastes d'une pièce à l'autre, de subtiles évocations de préludes du passé signés Bach, Chopin, Debussy et Rachmaninov. Je dis bien subtiles: Dompierre invente une musique originale et bien à lui.

Dans l'immédiat, cette musique souvent rêveuse peut être aussi d'une atroce difficulté. Lefèvre a tout joué en veston et cravate ; les écrans géants nous le montraient écrasé sous la chaleur absolument insupportable, s'épongeant constamment le front. Néanmoins, il a fourni une prestation herculéenne, totalement concentrée dans les pièces contemplatives, et spectaculaire dans celles requérant la virtuosité la plus ébouriffée.

Chose tout à fait normale dans les circonstances, il jouait avec la partition. Mais il était évident que cette partition, il la possédait à fond. Les 24 Préludes furent donnés en deux groupes, avec un entracte entre les deux. L'œuvre elle-même totalisait 82 minutes […].

Avant le concert, Dompierre présenta son œuvre au micro. À la fin, il vint partager avec Lefèvre l'ovation de la foule debout.

Dans l'édition du 17 juillet du quotidien *Le Devoir*, Christophe Huss généralement favorable aux audaces du pianiste se déchaîne :

FESTIVAL DE LANAUDIÈRE — PROFUS !
Un an après la date prévue, Alain Lefèvre levait le voile, samedi, sur les 24 Préludes de François Dompierre. À entendre la complexité de l'œuvre et sa durée, on comprend le délai. Lors d'une entrevue radiophonique avec Benoît Dutrizac, le 6 juillet dernier, Lefèvre avait estimé à « trois millions de notes » ce qu'il a dû mémoriser en 24 mois.

Pour ce défi, le médiatique pianiste avait attiré la plus grosse foule rassemblée pour un récital en 35 ans d'histoire du festival ! Ce record confirme la stature de prophète acquise au Québec par Lefèvre […].

S'agissant des 75 minutes de musique, l'effort est titanesque et ce déluge ninivite, parfois divertissant, méritait d'être présenté. La diffusion vidéo a sans doute sauvé la soirée de bien des spectateurs, le spectacle de Lefèvre, suivant et se battant pour et avec l'œuvre, valant à lui seul le détour. On aura cependant rarement vu le pianiste si crispé et tendu, prenant si peu de plaisir à jouer [...].

Pour le reste, Christophe Huss n'a pas aimé les *Préludes* de François Dompierre.

Quelques semaines plus tard, le 28 août 2012, Alain Lefèvre reçoit un courriel aussi inattendu qu'émouvant. François Dompierre rend hommage à son interprète, « re-créateur », dans un mot généreux qui cerne bien quelques-unes des qualités essentielles d'Alain Lefèvre.

Mon cher Alain,

L'écoute de notre disque m'a permis de prendre conscience d'une réalité que je n'avais pas encore cernée après cinquante années de métier : l'aspect véritablement créatif de l'interprète en musique. [...] J'ai compris en écoutant notre disque que l'interprète pouvait être beaucoup plus que ça : un véritable re-créateur [...]. [...] À la naissance d'une œuvre, le thème se développe, prend son envol et mène le compositeur à des endroits qu'il n'avait pas prévus à l'origine. [...] Rachmaninov jouant ses œuvres, les interprétait comme il les avait imaginées au terme du processus d'écriture. Et il imposait ainsi une manière de les transmettre [...]. Ce qui s'est passé dans notre cas est un peu différent et c'est ce qui fait de toi un interprète à part des autres. [...] comme j'ai pu le constater, tu jouis d'une autre qualité que peu ont développée : celle de lire entre les lignes de la portée, d'aller au-delà du discours imaginé par le compositeur, celle de lui révéler un sens qu'il n'avait pas encore imaginé. [...] À l'enregistrement j'ai été très impressionné de constater que tu ne refaisais jamais deux fois la même prise. Ce [...] qui [...] sert éminemment la musique. Il y a de l'improvisateur en toi. Dans le bon sens du mot évidemment. Et c'est une qualité très rare. [...] Je me retrouve donc grâce à toi en présence d'une musique que j'ai écrite [...] mais qui me parle avec des inflexions que je ne soupçonnais pas [...]. C'est de ça que je veux te remercier. En plus de ta générosité bien sûr, de ton acharnement au travail, de ta disponibilité et de ton humour enfin, toutes qualités essentielles et qui ne t'ont pas fait défaut depuis que tu t'es engagé dans notre aventure commune. [...] Mon cher Alain, merci et j'ose le dire : SALUT L'ARTISTE !!!

Ton ami François Dompierre.
28 août 2012

Et voilà que nous avons atteint le but que nous nous étions fixé : retracer le parcours d'un des artistes les plus fascinants de notre pays. Quand vous lirez les mots que je suis en train d'écrire, Alain Lefèvre aura atteint le demi-siècle et sera donc à la mi-temps de sa vie. L'enregistrement des *Préludes* de François Dompierre sera déjà paru. Il restera devant nous tous, cet infini immense qui s'appelle le reste de nos jours. Pour mener ce livre à sa conclusion, projetons-nous dans l'avenir.

XXV
L'avenir

L'avenir a peut-être commencé le lundi 20 septembre 2010, à New York, où Alain et Jojo se sont rendus à l'invitation de Mark Z. Alpert. Il y a plus de trente ans qu'Alpert est à l'emploi de Columbia Artists Management Inc. : il y était déjà quand Alain est entré en 1994 dans la division de Doug Sheldon/Sean Bickerton. Le jeune *booking agent* assigné à Alpert, et auquel il doit transmettre les traditions, ses connaissances et l'art raffiné de convaincre les autres et de leur transmettre votre vision, est un jeune loup à l'enthousiasme colossal qui, par un concours de circonstances, a « découvert » Alain Lefèvre et s'en est fait le champion : Phillip Bergmann. Rien n'est plus propice à faire tomber les barrières qu'un repas fin, dans un restaurant chic au cœur de Manhattan. Alpert a choisi le Robert, au sommet de l'édifice du Museum of Arts and Design. La conversation roule d'un sujet à l'autre, les anecdotes défilent et le *senior agent*, qui a bien fait ses devoirs, suit son instinct et décide spontanément de prendre sous contrat et sous son aile ce pianiste qui a choisi d'établir sa base à Montréal, au Québec, au Canada. Cet artiste qui a réussi à devenir le pianiste maison de l'OSM, l'artiste associé de l'OSQ, l'ambassadeur artistique du Festival international de Lanaudière et à imposer Mathieu, non seulement au public, mais, à son corps défendant parfois, au milieu musical. Au printemps 2010, Alpert et Bergmann ont bien vu que la Société Radio-Canada a mis toutes ses ressources à la disposition de Lefèvre/Mathieu. Les deux agents new-yorkais ont également vu *L'enfant prodige*, ils savent qu'Alain a une émission à la radio publique et qu'il joue constamment, partout, en Chine, en Europe, aux États-Unis. CAMI et Lefèvre signent donc un contrat dont tous les termes sont à l'avantage du soliste. Mark Z. Alpert raconte :

> Pour moi, la façon dont les choses se produisent est très importante. Les coïncidences, les motivations ne sont pas nécessairement ce qui mène à un projet sensationnel. D'une certaine façon, ce n'est que de la chance, et d'un autre côté, c'est *Kismet*, le destin. Nous étions en train de déjeuner chez Robert et j'ai ressenti un lien artistique extraordinaire, en plus d'une profonde chaleur personnelle pour Alain et Jojo : c'est devenu un moment très spirituel. Nous discutions de l'idée de travailler ensemble, je savais que Phillip le voulait plus que tout et, pendant ce déjeuner, c'était la première fois que je rencontrais les Lefèvre. J'ai commencé à les aimer. J'ai su que « It was meant to be ! ». Nous avions tout à gagner et rien à perdre. Et j'ai dit : « Let's do it » et « bienvenu dans la famille ». Et nous avons signé !

La première fois qu'Alpert entend Lefèvre *live*, c'est pour ce dernier concert dans la salle Wilfrid-Pelletier, le 8 mai 2011, le programme Rachmaninov - Scriabine. Cette habileté à amener les autres à percevoir votre artiste à travers vos oreilles, à leur faire voir ce que « vous » entendez, à les convaincre et parfois les persuader qu'ils sont à la veille de découvrir une merveille, le vieil agent en fait une démonstration éblouissante pour parler de son nouveau poulain :

> Alain ne joue pas à l'allemande, c'est très gaulois (*gallic*) comme approche. Je trouve ça formidable, cette autorité. C'est une approche du clavier qui est forte et puissante, mais mâtinée de poésie, avec une attaque plus légère que l'approche germanique. Quand le 2 février

dernier (2012) j'ai entendu Alain dans le Schumann (*Concerto en la mineur*), j'ai été renversé. J'ai adoré son énergie et sa façon d'attaquer; c'était parfait pour cet orchestre. Quand j'ai lu le lendemain matin le papier de ce critique dément qui hante et pollue le milieu musical de Montréal avec ses critiques vitriolées, vicieuses et intolérantes, je me suis beaucoup amusé. Je me souviens aussi avoir été attristé en pensant que les gens liraient ce compte rendu. Mais c'était aussi très drôle, parce que rien de ce qu'il avait écrit n'était vrai… De mon côté, je voyais un chef invité, heureux, qui déclarait ne pas avoir entendu un Schumann aussi réussi et aussi parfaitement joué depuis l'enregistrement de Richter-Rowicki. Ce qui m'a frappé ce soir-là, c'est la distribution du poids d'une main à l'autre. Tout était égal, sans favoriser ni la gauche ni la droite. C'est cette incroyable habileté à faire avec l'une ou l'autre main ce que la plupart des pianistes n'arrivent à faire qu'avec une qui est renversante. De plus, Lefèvre repense la musique; voilà un artiste intelligent qui réfléchit. Avec lui, la musique devient une aventure.

Un autre trait de personnalité qui a fasciné le vieux routier est le fait que Lefèvre trouve le temps d'animer une émission de radio hebdomadaire et puisse simultanément mener une carrière de pianiste de concert :

> Comment conciliez-vous (*do you coalesce*) le fait qu'il anime une populaire émission de radio et soit un des grands pianistes du monde (*one of the great pianists in the world*)? La seule explication que je trouve, c'est que Lefèvre est un homme de la Renaissance. Il a une connaissance profonde de plusieurs choses, tout à l'opposé du dilettante. Sa façon de plonger dans une partition et la discipline qu'il applique à traduire ses découvertes dans son esprit et ses doigts… Il peut prendre des heures pour atteindre le tempo qui le satisfasse et le fait qu'il soit aussi compositeur est très important…

Question fondamentale qui sous-tend l'avenir immédiat et lointain : où Alpert et Bergmann voient-ils Lefèvre dans dix ans ?

Nous n'avons pas signé un contrat avec un blanc-bec né de la veille. On pourrait croire dans notre métier qu'il vaut mieux signer de jeunes artistes, mais nous avons pris sous contrat Lefèvre parce qu'il est dans la force de l'âge et qu'il mérite de se retrouver au pinacle de sa profession. Je sais qu'il va jouer de mieux en mieux. J'ai entendu Rubinstein, Horowitz, Horszowski, Richter, et rien n'avait périclité. À ce moment-ci, Alain est exactement là où il doit être.

En vérité, tout le crédit d'avoir mené à bien et à terme ce contrat avec CAMI revient à Phillip Bergmann qui a tout fait pour qu'Alain Lefèvre entre dans la célèbre écurie :

J'ai réalisé très rapidement, et l'ai répété à tout le monde chez Columbia, qu'Alain Lefèvre « n'a pas besoin de nous ». Il est un communicateur né et il va vouloir jouer jusqu'au jour de sa mort. Alain ne vous vend jamais rien, mais vous achetez parce que voici quelqu'un qui veut émouvoir. Chez lui, tout est communication. C'est sa force, il n'y peut rien. Alors j'ai dit à tout le monde : « Que nous le prenions sous contrat ou non, il va continuer à jouer et à jouer… Si nous le laissons passer, c'est notre perte, pas la sienne. Si nous ne le prenons pas, quelqu'un d'autre va le faire, si quelqu'un d'autre ressent une parcelle de ce que j'ai éprouvé et entendu… Il vit pour être au piano, on ne peut pas éteindre la flamme. »

Je ne vends pas, je convaincs. Quand Alain joue, il s'adresse à chacun de nous, il va à la rencontre de chaque auditeur dans la salle et les saisit tous. Il est renversant parce qu'il offre un morceau de lui-même à chacun. Autrement, ce ne sont que des notes sur une page.

Coda.
Comme on vient de le lire, Lefèvre a enfin trouvé des alliés dans son milieu naturel et parmi les plus puissants qui soient.

Atteindre ce plateau qui l'établit, non seulement au sein, mais au sommet de la communauté internationale, est important, bien sûr, mais relatif. Quelque part, on ne peut s'empêcher de penser que pour Lefèvre, la vraie vie est ailleurs. Soulever les foules est plus important que le positionnement dans la hiérarchie officielle, et c'est avec ce sentiment d'indépendance qui a toujours prévalu chez lui que nous abordons nos pronostics pour le futur.

Non pas à l'heure des bilans, il est encore bien trop tôt pour cet exercice, mais avec la distance que le succès apporte, il serait « normal » pour l'artiste, sans qu'il s'abandonne à l'amertume — c'est une promesse qu'il a faite à Jojo il y a longtemps — qu'il garde du moins en mémoire les événements d'un passé somme toute récent et mette en perspective les différentes étapes de sa course à obstacles. Mais là encore, Lefèvre se retrouve là on ne l'attendait pas :

> Oui, on peut avoir du chagrin, on peut vivre des trahisons, et non, il n'est pas nécessaire de donner de la force à ceux qui nous ont fait de la peine. Il vaut mieux oublier, ne pas même pardonner, parce que pardonner sous-entendrait que nous avons raison et que les autres ont tort. Je ne veux même pas franchir cette porte parce qu'il y a quelque chose de très pervers dans le pardon, il y a une forme de supériorité. Non, il faut oublier, faire semblant que ça n'a pas existé, autrement, c'est insoutenable, autrement la vie peut paraître difficile…

À cinquante ans, tout homme, tout artiste tend à se concentrer sur l'essentiel. Son corps commence à le lui dire et son âme entreprend de se débarrasser du superflu, de l'inutile et de l'encombrant. C'est aussi le moment des renoncements et des petits deuils. Mais avant tout, ce qu'on voudrait bien voir comme le milieu de la vie est le début d'une quête finale de la perfection et la poursuite de l'absolu avec, en prime, l'expérience acquise.

Pour un pianiste, le répertoire est infini et simultanément restreint, dans le sens où il « faut » pouvoir être grand dans le répertoire, consacré avec raison, immortel. Survolant la discographie et les programmes de récitals et de concerts, et parcourant le répertoire tant concertant que soliste, il y a certains incontournables que notre sujet n'a pas eu ou pris le temps d'aborder. Faisons le point avec lui :

> Aujourd'hui, je pourrais m'asseoir et ne plus rien apprendre. À ce moment-ci de ma vie, je commence à me dire qu'il y a tel ou tel concerto que je ne jouerai pas. Je sais qu'il y a des choses qui ne se feront pas. Les urgences ne sont plus les mêmes. J'ai connu le péché du coûte que coûte, être sincère dans la recherche du travail différent. Maintenant, qu'on aime ou qu'on aime pas, ça n'a plus la même importance et ce détachement est un phénomène nouveau. Mais, je touche du bois, je suis un gros travailleur et j'ai la même passion pour la musique et l'apprentissage…
>
> Beethoven, Mozart, Bach ; trois grands. Je prends mon temps parce que j'ai entendu trop d'horreurs et c'est une musique que je respecte trop. C'est sûr et certain qu'on m'a rarement entendu jouer les *Sonates* de Beethoven. Je suis jeune, j'ai le temps et je pense qu'il ne faut jamais précipiter les choses. Ça ne sert à rien de les rejouer si on n'a pas eu le temps de les repenser et je suis fou de cette musique. Il ne faut pas oublier que mon maître Sancan était le disciple d'Yves Nat et que j'ai travaillé des sonates de Beethoven avec Ferras qui lui, les avait faites avec Kempff. Il y a tant de gens qui les ont extrêmement bien jouées et d'autres qui les ont extrêmement mal jouées, il y a tellement de gens qui pensent détenir la vérité… C'est un domaine pour lequel je me donne le temps, je prends le temps, et j'ai le temps. Les *Sonates* de Beethoven, on les sur-connaît, elles sont sur-jouées, elles sont sur-étudiées, sur-enregistrées et sur-analysées. À l'extrême limite, je vais dire une énormité : Est-ce bien nécessaire

d'entendre Alain Lefèvre les rejouer ? C'est la grande question… Est-ce que vraiment l'Humanité se portera mieux si je joue les *Sonates* de Beethoven ? […] Quand on joue une œuvre et qu'on l'enregistre, il ne faut pas se dire qu'on va changer le destin du monde, mais on doit penser qu'on va apporter quelque chose. Avec les *Ballades* de Chopin et de Brahms, mon Wagner-Liszt, mes Rachmaninov et les *Concertos* de Chopin, là, je pense que j'ai apporté une différence, j'ai contribué à révéler ces œuvres.

Mais, et c'est la beauté du futur, tout est encore possible. À chaque heure de chaque jour, on peut faire ou défaire, ajouter ou soustraire, oublier ou créer. La grande loi est de ne pas se perdre de vue ni d'oreille et surtout, de ne jamais tricher. Sur ce terrain, Lefèvre a peut-être quelques longueurs d'avance…

Et dans le futur rapproché, avec quels compositeurs le pianiste va-t-il maintenir fervente sa curiosité, et comment se voit-il, à ce stade de sa carrière ?

C'est en regardant dans le passé que je vois se détacher une tendance dans ma carrière : défendre et, idéalement, imposer de nouveaux noms, de nouvelles œuvres. Maintenant, j'aimerais qu'on écrive des concertos, des œuvres pour moi. Il y en a eu : Pierre-Max Dubois, Alain Payette, François Dompierre et bientôt Walter Boudreau, sans oublier les inconnus et les oubliés, Mathieu et Corigliano. J'avais investi beaucoup de temps et placé beaucoup d'espoirs dans le *Concerto* de Corigliano, mais… Peut-être le Boudreau sera-t-il *le* concerto qui voyage partout et entrera au répertoire.

Bien sûr que j'aimerais jouer avec les Philharmonies de Vienne ou de Berlin ! Mais aujourd'hui, tout est tellement phagocyté par le *business* que ce n'est plus nécessairement aux mérites ou au talent que se distribuent les invitations, mais en raison d'un positionnement, nous en avons déjà parlé. Mais cela n'a plus la même importance ni le même poids qu'il y a encore un quart de siècle. L'industrie paie le prix de cette attitude. Le public sent quand quelque chose est vide. La grande erreur est d'avoir voulu reproduire et prolonger artificiellement une époque en essayant de quantifier l'art en en faisant un produit.

Côté répertoire, j'aimerais plonger dans les *Sonates* de Schubert, c'est une musique hallucinante. Il y a *Gaspard de la nuit*, une œuvre fantastique qu'on joue de façon asexuée alors qu'elle est pleine d'élans romantiques… J'aimerais reprendre le *deuxième concerto* de Prokofiev, les derniers opus de Brahms, il y a tant à faire…

Je n'ai pas de certitudes, mais quand j'arrive sur scène, j'ai fait mes devoirs. Il n'y a pas de hasard. En musique, il n'y a pas de hasards. Tu as l'inévitable sentiment d'avoir de grands soirs et de moins grands soirs. Les moins grands soirs, Kempff ou Horowitz pouvaient se raccrocher en sachant qu'à tel moment, à tel passage, on allait pleurer parce qu'il y avait cet acquis. Ils savaient à quel moment ils allaient provoquer un torrent d'émotions parce qu'il y avait le souffle. La musique sans le souffle n'est plus la musique, la musique sans l'élan n'est plus la musique et un pianiste sans la phrase n'est pas un pianiste. Depuis trente ans, il n'y a plus cette phrase, naturelle. Maintenant, c'est une accumulation de notes, superbes, intelligentes, bellement et parfois génialement agencées, mais la musique, c'est plus que ça. C'est cette espèce de petit moment où l'homme touche à Dieu. Et ça, c'est la chose que l'acquis te donne. Dans le deuxième mouvement du *premier concerto* de Rachmaninov, je sais le moment où je touche à Dieu, et je peux maintenant le reproduire. Je sais où arrêter, je sais où diminuer, je sais où faire mon *subito piano*, je sais où recommencer et je sais, qu'à chaque fois, le public ne pourra plus respirer. Je ne sais pas grand-chose, ça dure peut-être dix mesures, mais ça, je le sais.

Au départ, ce portrait voulait retracer les chemins qui ont mené Alain Lefèvre dans le cœur du public et au sommet de sa profession. Au fur et à mesure de l'écriture, le personnage nous est apparu encore plus riche, plus complexe et plus fort que ce que nous avions pressenti. Cette image publique : jeans de cuir, verres fumés, parfums, bagues, bracelets, belles montres et cette chevelure à la Paderewski, ne sont que les symboles reconnus et reconnaissables de la célébrité, de l'appartenance à un milieu et, paradoxalement, de son unicité affichée. Sous l'image, se loge un être encore plus foisonnant et secret que ce portrait ne fait qu'esquisser. Quand toutes les rumeurs se dissipent, peu importe ce que peuvent dire, penser ou écrire les critiques ; des milliers de personnes lui assurent un réservoir d'amour dont aucun auditeur professionnel ne pourra le déposséder.

RÉPERTOIRE[1]
Concertos

ADDINSELL (1904-1977)
Concerto de Varsovie

BEETHOVEN (1770-1827)
Concerto no 1 en do majeur, opus 15
Concerto no 2 en si bémol majeur,
opus 19
Concerto no 3 en do mineur, opus 37
Concerto no 4 en sol majeur, opus 58
Concerto no 5 en mi bémol majeur,
dit l'*Empereur, opus 73*

BOUDREAU, WALTER (1947-)
Concerto de l'Asile

BRAHMS (1833-1897)
Concerto no 1 en ré mineur, opus 15
Concerto no 2 en si bémol majeur,
opus 83

CHOPIN (1810-1849)
Concerto no 1 en mi mineur, opus 11
Concerto no 2 en fa mineur, opus 21
Grande Polonaise brillante précédée
d'un *Andante spianato en mi bémol*
majeur, opus 22

CHOSTAKOVITCH (1906-1975)
Concerto no 1 en do mineur, opus 35,
avec piano, trompette et orchestre de
chambre
Concerto no 2 en fa majeur, opus 102

CORIGLIANO (1938-)
Concerto (1968)

DEBUSSY (1862-1918)
Fantaisie en sol majeur

DITTERSDORF (1739-1799)
Concerto no 1 en do majeur

DE FALLA (1876-1946)
Nuits dans les jardins d'Espagne,
impressions symphoniques

FAURÉ (1845-1924)
Ballade en fa dièse majeur, opus 19

GERSHWIN (1898-1937)
Rhapsody in Blue
Concerto en fa majeur
Variations sur « I Got Rhythm »

---

1. Ce catalogue n'inscrit que les œuvres au répertoire actif d'Alain Lefèvre. N'y figurent pas les œuvres travaillées mais non présentées en récital ou en concert et celles qu'il ne souhaite plus jouer. Absentes également, les œuvres pour piano à quatre mains et pour deux pianos, les œuvres de musique de chambre, le répertoire vocal, mélodies, lieder, etc.

GRIEG (1843-1907)
Concerto en la mineur, opus 16

HAYDN (1732-1809)
Concerto en ré majeur Hob. XVIII. 11

KHATCHATURIAN (1903-1978)
Concerto en ré bémol majeur

LISZT (1811-1886)
Malédiction
Concerto no 1 en mi bémol majeur
Concerto no 2 en la majeur
Danse macabre (Variations sur le
« Dies Irae ») Totentanz

LITOLFF (1818-1891)
Concerto Symphonique no 4 en ré
mineur, opus 102

MATHIEU (1929-1968)
Concertino no 2, opus 13
Concerto no 3 dit Concerto de Québec
Concerto no 4 en mi mineur
Rhapsodie romantique

MENDELSSOHN (1809-1847)
Concerto pour violon, piano et
orchestre à cordes en ré mineur

MOZART (1756-1791)
Concerto no 7 en fa majeur pour trois
pianos, K. 242
Concerto no 9 en mi bémol majeur,
K. 271
Concerto no 10 en mi bémol majeur
pour deux pianos, K. 365
Concerto no 12 en la majeur, K. 414
Concerto no 20 en ré mineur, K. 466
Concerto no 21 en do majeur, K. 467
Concerto no 23 en la majeur, K. 488
Concerto no 25 en do majeur, K. 503

Concerto no 26 en ré majeur, du
« Couronnement », K. 537

PROKOFIEV (1891-1953)
Concerto no 2 en sol mineur, opus 16
Concerto no 3 en do majeur, opus 26

RACHMANINOV (1873-1943)
Concerto no 1 en fa dièse mineur,
opus 1
Concerto no 2 en do mineur, opus 18
Concerto no 3 en ré mineur, opus 30
Concerto no 4 en sol mineur, opus 40
Rhapsodie sur un thème de Paganini,
opus 43

RAVEL (1875-1937)
Concerto en sol majeur

SAINT-SAËNS (1835-1921)
Concerto no 2 en sol mineur, opus 22
Concerto no 3 en mi bémol majeur,
opus 29
Allegro appassionato en si mineur,
opus 43
Rhapsodie d'Auvergne en do majeur,
opus 73

SCHUMANN (1810-1856)
Concerto en la mineur, opus 54

SCRIABINE (1871-1915)
Concerto en fa dièse mineur, opus 20
Prométhée, ou Poème du Feu, opus
60

TCHAÏKOVSKY (1840-1893)
Concerto no 1 en si bémol mineur,
opus 23
Concerto no 3 en mi bémol majeur,
opus 75

Piano solo

ALBENIZ (1860-1909)
Suite espagnole no 1, opus 47
no 5 Asturias (Leyenda)
no 7 Castilla (Seguidillas)
Iberia
Deuxième cahier
Triana

ALBENIZ, MATEO (1755-1831)
Sonate en ré majeur

BACH, JEAN-SÉBASTIEN (1685-1750)
Le Clavier bien tempéré
Livre 1
  no 1 Prélude et fugue en do
  majeur, BWV 846
  no 2 Prélude et fugue en do
  mineur, BWV 847
  no 3 Prélude et fugue en do dièse
  majeur, BWV 848
  no 4 Prélude et fugue en do dièse
  mineur, BWV 849
  no 5 Prélude et fugue en ré majeur,
  BWV 850
  no 6 Prélude et fugue en ré mineur,
  BWV 851
  no 7 Prélude et fugue en mi bémol
  majeur, BWV 852
  no 8 Prélude et fugue en mi bémol
  mineur, BWV 853
  no 17 Prélude et fugue en la bémol
  majeur, BWV 862

  no 21 Prélude et fugue en si bémol
  majeur, BWV 866
  no 22 Prélude et fugue en si bémol
  mineur, BWV 867
  no 24 Prélude et fugue en si
  mineur, BWV 869
Inventions à deux et trois voix
Invention à deux voix no 2 en do
mineur BWV 773
Suite Anglaise no 1 en la majeur,
BWV 806
Suite Anglaise no 2 en la mineur
BWV 807
Fantaisie chromatique et Fugue en ré
mineur, BWV 903
Concerto Italien pour clavecin seul en
fa majeur, BWV 971

BALAKIREV (1837-1910)
Islamey, fantaisie orientale

BEETHOVEN (1770-1827)
Sonate no 8 en do mineur, opus 13,
« Pathétique »
Sonate no 9 en mi majeur, opus 14 no 1
Sonate no 10 en sol majeur, opus 14
no 2
Sonate no 14 en do dièse mineur,
opus 27 no 2, « Clair de lune »
Sonate no 17 en ré mineur, opus 31
no 2, « La Tempête »
Sonate no 21 en do majeur, opus 53,

« Waldstein »
Sonate no 23 en fa mineur, opus 57,
« Appassionata »
Sonate no 26 en mi bémol majeur,
opus 81a, « Les Adieux »
Sonate no 29 en si bémol majeur,
opus 106, « Hammerklavier »
Variations sur le chant populaire
anglais « Rule Britannia », WoO 79
Variations sur un thème original en
do mineur, WoO 80

BOUDREAU, WALTER (1947-)
Valse de l'Asile

BRAHMS (1833-1897)
Variations sur un thème de Paganini,
opus 35
Ballades, opus 10
    no 1 en ré mineur
    no 2 en ré majeur
    no 3 en si mineur
    no 4 en si majeur
Deux Rhapsodies, opus 79
    no 1 en si mineur
    no 2 en sol mineur
Fantaisies, opus 116
    no 1 Capriccio en ré mineur
    no 2 Intermezzo en la mineur
    no 3 Capriccio en sol mineur
    no 4 Intermezzo en mi majeur
    no 5 Intermezzo en mi mineur
    no 6 Intermezzo en mi majeur
    no 7 Capriccio en ré mineur
Trois Intermezzi, opus 117
    no 1 Intermezzo en mi bémol
    majeur
    no 2 Intermezzo en si bémol
    mineur
    no 3 Intermezzo en do dièse
    mineur
Klavierstücke, opus 118
    no 1 Intermezzo en la mineur
    no 2 Intermezzo en la majeur
    no 3 Ballade en sol mineur
    no 4 Intermezzo en fa mineur

    no 5 Romance en fa majeur
    no 6 Intermezzo en mi bémol
    mineur
Klavierstücke, opus 119
    no 1 Intermezzo en si mineur
    no 2 Intermezzo en mi mineur
    no 3 Intermezzo en do majeur
    no 4 Rhapsodie en mi bémol
    majeur
Valses, opus 39
Chaconne de la Partita pour violon
seul en ré mineur de J.S. Bach, trans-
cription pour la main gauche seule.

BROTT, ALEXANDER (1915-2005)
Suite (1941)

CHAMPAGNE, CLAUDE (1891-1965)
Quadrilha Brasileira
À mes filles Monique et Jacqueline

CHOPIN (1810-1849)
Polonaises
    Polonaise en la bémol majeur,
    opus 53 dite Polonaise héroïque
Nocturnes
    no 2 en mi bémol majeur, opus 9
    no 2
    no 6 en sol mineur, opus 15 no 3
    no 7 en do dièse mineur, opus 27
    no 1
    no 8 en ré bémol majeur, opus 27
    no 2
    no 11 en sol mineur, opus 37 no 1
    no 15 en fa mineur, opus 55 no 1
Sonate en si bémol mineur, opus 35
Sonate en si mineur, opus 58
Études
Douze Études, opus 10
    no 1 en do majeur
    no 2 en la mineur
    no 4 en do dièse mineur
    no 5 en sol bémol majeur
    no 6 en mi bémol mineur
    no 8 en fa majeur
    no 9 en fa mineur

no 12 en do mineur
« Révolutionnaire »
Douze Études, opus 25
no 1 en la bémol majeur
no 3 en fa majeur
no 5 en mi mineur
no 6 en sol dièse mineur
no 7 en do dièse mineur
no 9 en sol bémol majeur
no 10 en sol mineur
no 12 en do mineur
Valses
Grande valse brillante en mi bémol majeur, opus 18
Trois Valses brillantes, opus 34
no 1 en la bémol majeur
no 2 en la mineur
no 3 en fa majeur
Grande Valse en la bémol majeur, opus 42
Trois Valses, opus 64
no 1 en ré bémol majeur
no 2 en do dièse mineur
no 3 en la bémol majeur
Deux Valses, opus 69
no 1 en la bémol majeur
no 2 en si mineur
Trois Valses, opus 70
no 1 en sol bémol majeur
no 2 en fa mineur
no 3 en ré bémol majeur
Valse en mi mineur, opus posthume
Ballades
Ballade no 1 en sol mineur, opus 23
Ballade no 2 en fa mineur, opus 38
Ballade no 3 en la bémol majeur, opus 47
Ballade no 4 en fa mineur, opus 52
Scherzos
Scherzo no 1 en si mineur, opus 20
Scherzo no 2 en si bémol mineur, opus 31
Scherzo no 3 en do dièse mineur, opus 39

Scherzo no 4 en mi majeur, opus 54
Préludes
no 1 en do majeur
no 2 en la mineur
no 3 en sol majeur
no 4 en mi mineur
no 5 en ré majeur
no 6 en si mineur
no 7 en la majeur
no 8 en fa dièse mineur
no 9 en mi majeur
no 10 en do dièse mineur
no 11 en si majeur
no 12 en sol dièse mineur
no 13 en fa dièse majeur
no 14 en mi bémol mineur
no 15 en ré bémol majeur
no 16 en si bémol mineur
no 17 en la bémol majeur
no 18 en fa mineur
no 20 en do mineur
no 21 en si bémol majeur
no 22 en sol mineur
no 23 en fa majeur
no 24 en ré mineur
Prélude en do dièse mineur, opus 45
Boléro en la mineur, opus 19
Tarentelle en la bémol majeur, opus 43
Fantaisie en fa mineur, opus 49
Berceuse en ré bémol majeur, opus 57
Barcarolle en fa dièse majeur, opus 6

CHOSTAKOVITCH (1906-1975)
Vingt-quatre Préludes et Fugues, opus 87
Prélude et Fugue no 2 en la mineur
Prélude et Fugue no 7 en la majeur

CORIGLIANO (1938-)
Fantasia on an Ostinato (1985)

DEBUSSY (1862-1918)
Deux Arabesques
Arabesque no 1 en mi majeur
Arabesque no 2 en en sol majeur

Danse (Tarentelle styrienne) en mi majeur
Valse romantique en fa mineur
Pour le piano
    Prélude en la mineur
    Sarabande en do dièse mineur
    Toccata en do dièse mineur
Estampes
    Estampe no 3 Jardins sous la pluie en mi majeur
    L'Isle joyeuse
Images Livre 1
    Reflets dans l'eau
    Hommage à Rameau
    Mouvement
Préludes Livre I
    Prélude no 7 Ce qu'a vu le vent d'ouest
    Prélude no 8 La fille aux cheveux de lin
    Prélude no 9 La sérénade interrompue
    Prélude no 12 Minstrels
Préludes Livre II
    Prélude no 12 Feux d'artifices
Études Livre II
    Étude no 3 Pour les notes répétées
    Étude no 4 Pour les sonorités opposées
    Étude no 5 Pour les arpèges composés
    Étude no 6 Pour les accords

DOMPIERRE, FRANÇOIS
24 Préludes (2011)
    Prélude no 1, Frénétique en do majeur
    Prélude no 2, Tranquille en do mineur
    Prélude no 3, Massif en ré bémol majeur
    Prélude no 4, Limpide en do dièse mineur
    Prélude no 5, Effervescent en ré majeur
    Prélude no 6, Excentrique en ré majeur
    Prélude no 7, Tendre en mi bémol majeur
    Prélude no 8, Déterminé en mi bémol majeur
    Prélude no 9, Obstiné en mi majeur
    Prélude no 10, Énergique en mi mineur
    Prélude no 11, Alerte en fa majeur
    Prélude no 12, Inutile en fa mineur
    Prélude no 13, Pittoresque en fa dièse majeur
    Prélude no 14, Mystérieux en fa dièse mineur
    Prélude no 15, Loufoque en sol majeur
    Prélude no 16, Effréné en sol mineur
    Prélude no 17, Délicat en la bémol majeur
    Prélude no 18, Mélancolique en sol dièse mineur
    Prélude no 19, Mécanique en la majeur
    Prélude no 20, Fébrile en la mineur
    Prélude no 21, Désinvolte en si bémol majeur
    Prélude no 22, Lancinant en si bémol mineur
    Prélude no 23, Incisif en si majeur
    Prélude no 24, Provocateur en si mineur

DUBOIS, PIERRE-MAX (1930-1995)
Les fous de Bassan (dédiée à Lorraine Prieur) (1967)
Strepitoso (1977)
Histoire de Piano (1978)
Sonate (dédiée à Alain Lefèvre) (1983)
10 Études de Concert
    Étude no 6 Parade
    Étude no 8 Scherzando

Étude no 10 Oubanghi

DUTILLEUX (1916-)
Sonate (1948)

FAURÉ (1845-1924)
Nocturnes
Nocturne no 1 en mi bémol mineur, opus 33 no 1
Nocturne no 2 en si majeur, opus 33 no 2
Nocturne no 3 en la bémol majeur, opus 33 no 3
Nocturne no 4 en mi bémol majeur, opus 36
Nocturne no 5 en si bémol majeur, opus 37
Nocturne no 6 en ré bémol majeur, opus 63
Nocturne no 7 en do dièse mineur, opus 74
Nocturne no 8 en ré bémol majeur, opus 84 no 8
Nocturne no 9 en si mineur, opus 97
Nocturne no 10 en mi mineur, opus 99
Nocturne no 11 en fa dièse mineur, opus 104 no 1
Nocturne no 12 en mi mineur, opus 107
Nocturne no 13 en si mineur, opus 119
Barcarolles
Barcarolle no 1 en la mineur, opus 26
Thème et Variations en do dièse mineur, opus 73

FRANCK (1822-1890)
Prélude, Choral et Fugue

GINASTERA (1916-1983)
Danzas argentinas, opus 2 (1937)
Sonate no 1, opus 22 (1952)

HAYDN (1832-1809)
Sonate no 38 en fa majeur, Hob. XVI. 23
Sonate no 53 en mi mineur, Hob. XVI.34

JANACEK (1854 1928)
Sonate « 1ᵉʳ Octobre 1905 » en mi bémol mineur

KABALEVSKI (1904-1987)
Sonate no 1 en fa majeur, opus 6 (1927)
Sonate no 2 en mi bémol majeur, opus 45 (1945)
Sonate no 3 en fa majeur, opus 46 (1946)

LEFÈVRE, ALAIN (1962-)
La danse des petits lapins (1980)
Paris sans toi (1981)
Lylatov (1981)
Ma Jojo (1981)
Orphelin (1981)
Québec, terre promise (1981)
Fidèles insomnies (1981)
Mon absolue (1984)
Pourquoi (1992)
Balalaïka (1992)
Un ange passe (1994)
Ilios (1998)
Cool Cole (1998)
Lettre à Théo (2000)
La solitude (2000)
Thalassa (2000)
La robe du château (2001)
Blanche et Louis (2001)
Songe à Charlevoix (2001)
Confidences (2001)
Les lulus (2002)
Philip Black Blue (2002)
Vingt ans (2005)
Petite mère (2005)
Anemos (2005)
La Callas (2005)
Au bout de mes rêves (2005)

Ville-Émard la belle (2007)
Jour de pluie (2008)
Sous le soleil de Cap Santé (2008)
Tendresse (2008)
Promenade italienne (2008)
Dis-moi tout (2008)
Le panda magique (2008)
Fafoune (2009)
Petit Noël (2010)
Noël en traîneau (2011)
Première neige à Kamouraska (2011)

LIEBERMANN, LOWELL (1961-)
Gargoyles, opus 29 (1989)

LISZT (1811-1886)
Douze Études d'exécution transcendante
Étude no 4 Mazeppa en ré mineur
Étude no 5 Feux follets en si bémol majeur
Étude no 6 Vision en sol mineur
Étude no 7 Eroica en mi bémol majeur
Étude no 8 Wilde Jagd (Chasse sauvage) en do mineur
Étude no 9 Ricordanza en la bémol majeur
Étude no 12 Chasse-neige en si bémol mineur
Harmonies poétiques et religieuses
Harmonie poétique et religieuse no 7
Funérailles en fa mineur
Sonate en si mineur
Méphisto-Valse
Variations sur « Weinen, Klagen, Sorgen, Zagen »

Bach-Liszt
Six préludes et fugues pour orgue
Prélude et fugue no 1 en la mineur
Prélude et fugue no 2 en do majeur
Prélude et fugue no 3 en do mineur

Wagner-Liszt
Ouverture de *Tannhäuser*

O du mein holder Abendstern, Récitatif et Romance de *Tannhäuser*
Isoldens Liebestod de *Tristan und Isolde*

MASSICOTTE, ANTOINETTE (1915-1997)
Quand il neige sur mon pays

MATHIEU (1929-1968)
Étude sur les noires, opus 1
Les Gros Chars, opus 2
Étude sur les noires et blanches, opus 3
Étude sur les blanches, opus 4
Danse sauvage, opus 8
Tristesse, opus 11
Dans la nuit, opus 12
Les Abeilles piquantes, opus 17
Les Mouettes, opus 19
Berceuse
Printemps canadien
Été canadien
Concerto de Québec (version Alain Lefèvre)
Bagatelle no 1
Laurentienne no 2
Bagatelle no 4
Prélude Romantique

MENDELSSOHN (1809-1847)
Rondo Capriccioso en mi mineur, opus 14

MOMPOU (1893-1987)
Cançion y danza no 6

MOREL, FRANÇOIS (1926-)
Deux Études de Sonorité (1954)

MOUSSORGSKI (1839-1881)
Tableaux d'une Exposition

MOZART (1756-1791)
Sonate en fa majeur K. 280
Sonate en sol majeur K. 283
Sonate en do majeur K. 309
Sonate en la mineur K. 310
Sonate en do majeur K. 330

Sonate en fa majeur K. 332
Fantaisie en ré mineur K. 397
Fantaisie en do mineur K. 475
Variations sur « Ah! Vous dirais-je maman » en do majeur K. 265
Variations sur un thème du Quintette avec clarinette K.V.581, K.V. ANII 137

PAYETTE, ALAIN (1953-)
12 Préludes
    Prélude no 1 en si bémol mineur
    Prélude no 2 en do majeur
    Prélude no 3 en la bémol majeur
    Prélude no 4 en fa mineur
    Prélude no 5 en sol mineur
    Prélude no 6 en do majeur
    Prélude no 7 en mi majeur
    Prélude no 8 en do mineur
    Prélude no 9 en do mineur
    Prélude no 10 en si mineur
    Prélude no 11 en mi majeur
    Prélude no 12 en fa dièse mineur
Sonate

PETROWSKI, BORIS (1963-)
Fantaisie « Hommage à André Mathieu » en sol mineur

PROKOFIEV (1891-1953)
Sonate no 2 en ré mineur, opus 14
Sonate no 3 en la mineur, opus 28
Sonate no 5 en do majeur, opus 38
Quatre pièces, opus 4
    no 1 Réminiscence
    no 2 Élan
    no 3 Désespoir
    no 4 Suggestion diabolique
Toccata, opus 11
Marche de l'opéra « L'Amour des Trois Oranges », opus 33

RACHMANINOV (1873-1943)
Sonate no 1 en ré mineur, opus 28
Sonate no 2 en si bémol mineur, opus 36
Variations sur un thème de Corelli, opus 42

Cinq morceaux de fantaisie, opus 3
    no 1 Élégie en mi bémol mineur
    no 2 Prélude en do dièse mineur
Six Moments musicaux, opus 16
    no 1 Andantino en si bémol majeur
    no 2 Allegretto en mi bémol mineur
    no 3 Andante cantabile en si mineur
    no 4 Presto en mi bémol mineur
    no 5 Adagio sostenuto en ré bémol majeur
    no 6 Maestoso en do majeur
Dix préludes, opus 23
    no 1 en la dièse mineur
    no 2 en si bémol majeur
    no 5 en sol mineur
    no 6 en mi bémol majeur
    no 7 en do mineur
    no 10 en sol bémol majeur
Treize Préludes, opus 32
    no 2 en si bémol mineur
    no 4 en mi mineur
    no 5 en sol majeur
    no 10 en si mineur
    no 12 en mi mineur
    no 13 en ré bémol majeur
Huit Études-tableaux, opus 33
    no 2 en do majeur
    no 7 en sol mineur
    no 8 en do dièse mineur
Neuf Études-Tableaux, opus 39
    no 1 en do mineur
    no 2 en la mineur
    no 3 en fa dièse mineur
    no 4 en si mineur
    no 5 en mi bémol mineur
    no 6 en la mineur
    no 7 en do mineur
    no 8 en ré mineur
    no 9 en ré majeur

RAMEAU (1683-1764)
Pièces de clavecin (1724)

no 5 Le Rappel des Oiseaux
no 9 Tambourin
no 10 La Villageoise
no 11 Les Tendres Plaintes
no 12 Les Niais de Sologne
(Premier double des Niais et
Deuxième Double des Niais)
no 13 Les Soupirs
no 18 Les Cyclopes
no 20 La Boiteuse
Nouvelles Suites de Pièces de clavecin
(1728)
no 16 L'Égyptienne
La Dauphine (1747)

RAVEL (1875-1937)
Pavane pour une infante défunte
Sonatine
Valses nobles et sentimentales
Le Tombeau de Couperin
La Valse

SATIE (1866-1925)
Trois Gymnopédies
Six Gnossiennes
Je te veux

SANCAN (1916-2008)
Toccata
La Boîte à Musique

SCARLATTI (1685-1757)
Sonate en ré mineur K. 1
Sonate en la mineur K. 3
Sonate en do mineur K. 139
Sonate en ré majeur K. 160
Sonate en mi mineur K. 292
Sonate en ré majeur K. 480
Sonate en fa mineur K. 481
Sonate en ré majeur K. 484
Sonate en do majeur K. 502
Sonate en mi majeur K. 531
Sonate en ré majeur K. 534

SCHUBERT (1797-1828)
Sonate no 5 en la mineur D 537,
(opus 164)

Sonate no 20 en sol majeur D 894,
(opus 78)
Sonate no 23 en si bémol majeur D 960
Quatre Impromptus D 899, opus 90
no 1 en do mineur
no 2 en mi bémol majeur
no 3 en sol bémol majeur
no 4 en la bémol mineur
Quatre Impromptus D 935, opus 142
no 1 en fa mineur
no 2 en la bémol majeur
no 3 en si bémol majeur
no 4 en fa mineur
Trois Klavierstücke D 946
no 1 en mi bémol mineur
no 2 en mi bémol majeur
no 3 en do majeur
Six Moments musicaux D 780, opus 94
no 1 en do majeur
no 2 en la bémol majeur
no 3 en fa mineur
no 4 do dièse mineur
no 5 en fa mineur
no 6 en la bémol majeur

SCHUMANN (1810-1856)
Variations Abegg, opus 1
Toccata en do majeur, opus 7
Carnaval, opus 9
Études symphoniques, opus 13 et
Variations posthumes
Fantaisie en do majeur, opus 17
Arabesque, opus 18
Carnaval de Vienne, opus 26

SCRIABINE (1872-1915)
Trois pièces, opus 2
no 1 Étude en do dièse mineur
Douze Études, opus 8
no 5 en mi majeur
no 12 en ré dièse mineur
Huit Études, opus 42
no 3 en fa dièse majeur
no 4 en fa dièse majeur
no 5 en do dièse mineur

SOLER (1729-1783)
Fandango en ré mineur
Sonate no 15 en ré mineur
Sonate no 84 en ré majeur
Sonate en do dièse mineur
Sonate no 49 en ré mineur
Sonate en sol mineur
Sonate no 90 en fa dièse majeur

STRAVINSKY (1882-1971)
Petrouchka

TCHAÏKOVSKY (1840-1893)
Sonate no 2 « Grande Sonate » en sol majeur, opus 37

DISCOGRAPHIE
Piano solo

SOLER (1729-1783)
Sonate en fa dièse majeur (R. 90)
Sonate en ré mineur (R. 24)
Fandango
RAMEAU (1683-1764)
Le Rappel des Oiseaux
Les Tendres Plaintes
Les Niais de Sologne
Premier double des Niais
Deuxième double des Niais
Les Cyclopes
La Poule
SCARLATTI (1685-1757)
Sonate en do majeur (K. 502)
Sonate en fa mineur (K. 481)
Sonate en ré mineur (K. 1)
Sonate en mi mineur (K. 531)
KOCH INTERNATIONAL CLASSICS KIC
CD 7389
Enregistrement: Studio 12, Maison
de Radio-Canada, Montréal, 29 et
30 avril 1996; Réalisateur: Daniel
Vachon

BRAHMS (1833-1897)
Ballade no 1 en ré mineur, opus
10 no 1
Ballade no 2 en ré majeur, opus
10 no 2
Ballade no 3 en si mineur, opus 10
no 3

Ballade de no 4 en si majeur, opus
10 no 4
CHOPIN (1810-1849)
Ballade no 1 en sol mineur, opus
23
Ballade no 2 en fa majeur, opus 38
Ballade no 3 en la bémol majeur,
opus 47
Ballade no 4 en fa mineur, opus 52
KOCH INTERNATIONAL CLASSICS KIC
CD 7411
Enregistrement: Studio 12, Maison
de Radio-Canada, Montréal, 9, 10
et 11 décembre 1996; Réalisateur:
Daniel Vachon

ALAIN PAYETTE (1953-)
Prélude no 1 en si bémol mineur
Prélude no 2 en do majeur
Prélude no 3 en la bémol majeur
Prélude no 4 en fa mineur
Prélude no 5 en sol mineur
Prélude no 6 en do majeur
Prélude no 7 en mi majeur
Prélude no 8 en do mineur
Prélude no 9 en do mineur
Prélude no 10 ans si mineur
Prélude no 11 en mi majeur
Prélude no 12 en fa dièse mineur
KOCH INTERNATIONAL CLASSICS CD
KIC 3-7434-2H1

Enregistrement: Studio 12, Maison de Radio-Canada, Montréal, septembre 1997; Réalisateur: Daniel Vachon

---

DEBUSSY (1862-1918)
1ère Arabesque
CHOPIN (1810-1849)
Prélude no 4, opus 28
Valse, opus 64 no 1
BEETHOVEN (1770-1827)
Sonate no 14, opus 27 no 2 « Clair de lune » - 1er mouvement
J. S. BACH
Prélude et fugue no 3 du Clavier bien tempéré, Livre 1
BEETHOVEN
Sonate no 8, opus 13, « Pathétique », 2e mouvement
CHOPIN
Nocturne, opus 9 no 2
DEBUSSY
Clair de lune
BRAHMS (1833-1897)
Valse no 15, opus 39
SATIE (1866-1925)
Première Gymnopédie
SCHUBERT (1797-1828)
Moment musical, opus 94 no 3
CHOPIN
Prélude no 20, opus 28
Valse opus 64 no 2
RAVEL (1875-1937)
Pavane pour une infante défunte
CBC RECORDS CD MVCD 1129
Enregistrement: Studio 12, Maison de Radio-Canada, Montréal, 18-19 janvier 1999; Réalisateur: Daniel Vachon

---

J.-S. BACH (1685-1750)/LISZT (1811-1886)
Prélude et fugue en la mineur (BWV 543)

LISZT
Variations sur un thème de Jean-Sébastien Bach « Weinen, Klagen, Sorgen, Zagen »
WAGNER (1813-1883)/LISZT
« Isoldens Liebestod » de Tristan und Isolde
« Étoile du soir », Récitatif et Romance de Tannhäuser
Ouverture de Tannhäuser
ANALEKTA CD FL 2 3179
Enregistrement: Salle Dimitris Mitropoulos, Megaron, Athènes, 8 et 9 décembre 1999; Réalisateur: Daniel Vachon

---

Mon Coffret Radio-Canada, Réédition des quatre premiers CD pour piano solo d'Alain Lefèvre (1996-1999)
SRC SRCCD4-2366

RACHMANINOV (1873-1943)
Moments musicaux, opus 16
MOUSSORGSKI (1839-1881)
Tableaux d'une exposition
ANALEKTA CD FL 2 3122
Enregistrement: Salle Françoys Bernier, Domaine Forget, Saint-Irénée, 24 et 25 octobre 2001; Réalisateur: Carl Talbot

---

ANDRÉ MATHIEU (1929-1968)
Concerto de Québec (version révisée d'Alain Lefèvre)
Printemps canadien
Été canadien
Prélude no 5 (Prélude Romantique)
Berceuse
Laurentienne no 2
Bagatelle no 1
Les Mouettes
Tristesse

Bagatelle no 4
Dans la nuit
Abeilles piquantes
BORIS PETROWSKI (1963-)
Fantaisie « Hommage à Mathieu »
en sol mineur
WALTER BOUDREAU (1947)
Valse de l'Asile
ANALEKTA CD AN 2 9275
Enregistrement: Salle Françoys
Bernier, Domaine Forget, Saint-
Irénée, 6 et 7 janvier 2004;
Réalisateur: Carl Talbot

SCHUBERT (1797-1828)
Drei Klavierstücke, D. 946
Rachmaninov (1873-1943)
Neuf Études-Tableaux, opus 39
ANALEKTA CD AN 2 9278
Enregistrement: Studio MMR,
McGill University, Montréal, 13, 14
et 15 décembre 2007; Réalisateur:
Carl Talbot

Piano solo — compositions

ALAIN LEFÈVRE /LYLATOV
ALAIN LEFÈVRE
  Lylatov
SATIE (1866-1925)
  Gnossienne no 3
ALAIN LEFÈVRE
  Un Ange passe
ANDRÉ MATHIEU (1929-1968)
  Prélude no 5 (Prélude
  Romantique)
GINASTERA (1916-1983)
  Danza de la moza donosa
ALAIN LEFÈVRE
  Ma Jojo
CLAUDE CHAMPAGNE (1891-1965)
  À mes filles Monique et Jacqueline
ALAIN LEFÈVRE
  Mon absolue
ALAIN LEFÈVRE
  Ilios
RICHARD RODGERS (1902-1979)/
LORENZ HART (1895-1943)
  My Funny Valentine
PIERRE SANCAN (1916-2008)
  La Boîte à Musique
ALAIN LEFÈVRE
  Cool Cole
AUDIOGRAM CD ADCD 10131
Enregistrement: Studio Référence,
Montréal, février/novembre 1999;
Réalisateur: Paul Pagé

ALAIN LEFÈVRE /CARNET DE
NOTES
  La solitude
  Confidences
  Blanche et Louis, la belle histoire
  Les Lulus
  Thalassa
  Balalaïka
  Songe à Charlevoix
  La Robe du Château
  Lettre à Théo
  Philip Black Blue
  Pourquoi
AUDIOGRAM CD ADCD 10156
Enregistrement: Studio Référence,
Montréal, 1999/2001; Réalisateur:
Paul Pagé

ALAIN LEFÈVRE/FIDÈLES
INSOMNIES
  Vingt ans (Prélude no 2)
  Paris sans toi
  Fidèles insomnies
  Comme en famille
  Petite mère (Prélude no 1)
  Un ange passe
  Anemos
  Orphelin
  Lylatov
  La Callas (Prélude no 3)
  Au bout de mes rêves

ANALEKTA CD AN 2 9276
Enregistrement : Salle Pierre
Mercure, Centre Pierre-Péladeau,
Montréal, 21 et 22 décembre 2005 ;
Réalisateur : Carl Talbot

ALAIN LEFÈVRE/ MONTRÉAL JAZZ
CLUB SESSION 3
 Ville-Émard la belle + variation
ANALEKTA CD AN 2 8833
Enregistrement : Studio 270,
Montréal, juillet 2007 ; Réalisateur :
Philippe Dunnigan

ALAIN LEFÈVRE/JARDIN D'IMAGES
 Jour de pluie
 Sous le ciel de Cap-Santé
 Ville-Émard la belle
 Tendresse
 Promenade italienne
 Québec, terre promise
 Dis-moi tout
 Le panda magique
 La danse des petits lapins
 « Fafoune »
ANALEKTA CD AN 2 9279
Enregistrement : Studio Wildsky,
Montréal, 16 juin et 20 août 2009 ;
Réalisateur : Carl Talbot

ALAIN LEFÈVRE/PETIT NÖEL
ROBERT WELLS (1922-1998)/MEL
TORMÉ (1925-1999)
 Christmas Song

HENRI CONTET (1904-1998)/NOR-
BERT GLANZBERG (1910-2001)
 Noël c'est l'amour
RALPH BLANE (1914-1995)/HUGH
MARTIN (1914-2011)
 Have yourself a Merry Little
 Christmas
MYKOLA LEONTOVITCH
(1877-1921)
 Carol of the Bells
ALAIN LEFÈVRE
 Noël en traîneau
WALTER KENT (1911-1994)/KIM
GANNON (1900-1974)
 I'll Be Home for Christmas
 Traditionnel
 Noël irlandais (Greensleeves)
ALAIN LEFÈVRE
 Petit Noël
 Première neige à Kamouraska
ANTOINE GÉRIN-LAJOIE
(1824-1882)
 Un Canadien errant
 Quatuor Philippe Dunnigan
ANALEKTA CD AN 2 9289
Enregistrement : Église Saint-
Benoit de Mirabel, septembre 2011 ;
Réalisateur : Carl Talbot

Musique de chambre

FRANCK (1822-1890)
Sonate en la majeur pour violon
et piano
LEKEU (1870-1894)
Sonate en sol majeur pour violon
et piano
ANDRÉ MATHIEU (1929-1968)
Ballade-fantaisie pour violon et
piano
DAVID LEFÈVRE, VIOLON/ALAIN
LEFÈVRE, PIANO
ANALEKTA CD AN 2 9282
Enregistrement: Studio MMR,
McGill University, Montréal, 14 et
15 juillet 2008; Réalisateur: Carl
Talbot

ANDRÉ MATHIEU (1929-1968)
Trio pour violon, violoncelle et
piano
Quintette pour piano et quatuor à
cordes
ERNEST CHAUSSON (1855-1899)
Concert pour violon, piano et
quatuor à cordes, opus 21
ALAIN LEFÈVRE, PIANO / DAVID
LEFÈVRE, VIOLON / QUATUOR
ALCAN
ANALEKTA CD AN 2 9286
Enregistrement: Église Saint-Benoit
de Mirabel, 12, 13 et 14 juillet 2010;
Réalisateur: Carl Talbot

Mélodies

FAURÉ (1845-1924)
Clair de lune
Les Berceaux
Le Secret
Après un rêve
HAHN (1875-1947)
L'Énamourée
L'Heure exquise
Paysage
Mai
Chanson d'automne
Si mes verres avaient des ailes
DUPARC (1848-1933)
Phydilé
Chanson triste
L'Invitation au voyage
Le Manoir de Rosemonde
ALAIN PAYETTE (1953-)
Parvis
Pervenche
Troubadour
Reflets
Aigues-Marines
GINO QUILICO, BARYTON /ALAIN
LEFÈVRE, PIANO
KOCH INTERNATIONAL CLASSICS CD
KIC CD 7412
Enregistrement: Studio Référence,
St-Calixte, août 1996; Réalisateur:
Guy St Onge

EFFUSIONS / DIANE DUFRESNE
ROGER TABRA /SYLVAIN MICHEL
Partager les Anges
CATHERINE LARA (1945-) /JEAN-
JACQUES THIBAUD /CATHERINE
LARA
Le Dernier Aveu
DIANE DUFRESNE (1944-) /ALAIN
LEFÈVRE
L'enfant prodige
JEAN LAFOREST /ANDRÉ MATHIEU
(1929-1968)
Si tu crois
MARTINE COUPAL /CATHERINE
MAJOR (1980-)
Psy quoi encore
MICHEL RIVARD (1951-)
Noire sœur
DIANE DUFRESNE /ALAIN LEFÈVRE
ET MUSICIENS
DISQUE PRÉSENCE CD PRESCD 7116
Enregistrement: Studio Planet,
Montréal, 2006/2007; Réalisateur:
Diane Dufresne

Piano avec orchestre

JOHN CORIGLIANO (1938-)
Concerto for Piano and Orchestre (1968)
Alain Lefèvre, piano /Carl St. Clair, direction /Pacific Symphony Orchestra
KOCH INTERNATIONAL CLASSICS CD
KIC 3-7250-2 H1
Enregistrement: Orange County Performing Arts Center, Costa Mesa, California, 4 février 1994;
Réalisateur: Michael Fine

MOZART (1756-1791)
Concerto pour piano no 23 en la majeur, K. 488
Alain Lefèvre, piano /Jean-François Rivest, direction / Orchestre symphonique de Laval;
RICHELIEU CD RIC 2 9978
Enregistrement: Église Saint-Ferdinand de Laval, 7 et 8 octobre 1999; Réalisateur: Daniel Vachon
RÉÉDITION: CBC RECORDS CD SMCD 5220

ANDRÉ MATHIEU (1929-1968)
Concerto de Québec
ADDINSEL (1904-1977)
Warsaw Concerto
GERSHWIN (1898-1937)

Concerto in F
Alain Lefèvre, piano / Yoav Talmi /Orchestre symphonique de Québec
ANALEKTA CD AN 2 9814
Enregistrement: Salle Françoys Bernier, Domaine Forget, Saint-Irénée, 22 et 23 février 2003;
Réalisateur: Carl Talbot

ANDRÉ MATHIEU (1929-1968)
Rhapsodie romantique
RACHMANINOV (1873-1943)
Rhapsodie sur un thème de Paganini, opus 43
GERSHWIN (1898-1937)
Rhapsody in Blue
Alain Lefèvre, piano /Matthias Bamert, direction /Orchestre symphonique de Montréal
ANALEKTA CD AN 9277
Enregistrement: Salle Wilfrid-Pelletier, Montréal, 5 et 6 avril 2006;
Réalisateur: Carl Talbot

ANDRÉ MATHIEU (1929-1968)
Concerto no 4 en mi mineur pour piano et orchestre
Scènes de ballet
Quatre chansons pour chœur et orchestre

*Alain Lefèvre, piano /George
Hanson, direction /Tucson
Symphony Orchestra and Chorus*
ANALEKTA CD AN 2 9282
Enregistrement : Tucson Music Hall,
Convention Centrer Hall, Tucson,
Arizona, 8, 9 et 11 mai 2008 ;
Réalisateur : Carl Talbot

ANDRÉ MATHIEU (1929-1968)
Concertino no 2, opus 13
CHOSTAKOVITCH (1906-1975)
*Concerto pour piano no 1 en do
mineur, opus 35*
MENDELSSOHN (1809-1847)
*Concerto pour violon et piano en
ré mineur
Alain Lefèvre, piano /David
Lefèvre, violon /Matthias Bamert,
direction /London Mozart Players*
ANALEKTA CD AN 2 9283
Enregistrement : St. Jude on the Hill,
Hampstead, London, U.K., 19 et
20 janvier 2009 ; Réalisateur : Carl
Talbot

JACQUES HÉTU (1938-2010)
*Variations sur un thème de
Mozart pour trois pianos et
orchestre, opus 79
André Laplante /Alain Lefèvre
/ Michelle Yelin Nam, pianos /
Kent Nagano, direction /Orchestre
symphonique de Montréal*
CBC RECORDS CD SMCD 5250
Enregistrement : Salle Wilfrid-
Pelletier, Montréal, 24 mai 2009 ;
Réalisateur : Daniel Vachon

RACHMANINOV (1873-1943)
*Concerto pour piano no 4 en sol
mineur, opus 40 (version originale
1926)*

SCRIABINE (1872-1915)
*Prométhée, le poème du feu, opus
60
Alain Lefèvre, piano /Kent
Nagano, direction /Orchestre
symphonique de Montréal*
ANALEKTA CD AN 2 9288
Enregistrement : Maison
symphonique de Montréal,
septembre 2011 ; Réalisateur : Carl
Talbot

PRIX ET DISTINCTIONS

2012

La Société Saint-Jean-Baptiste lui décerne le prix Calixa-Lavallée et la médaille *Bene merenti de Patria*

2011

Officier de l'Ordre du Canada

Félix (ADISQ), catégorie Album classique de l'année, soliste et petit ensemble, Alain Lefèvre/David Lefèvre/Quatuor Alcan, *Mathieu/ Chausson*

Canadian Who's Who (page 715)

2010

Salué par l'Assemblée nationale du Québec

Prix AIB (Londres, R.-U.), Personnalité internationale de l'année-radio

Prix Juno, catégorie Album classique de l'année, grand ensemble ou soliste avec grand ensemble, Alain Lefèvre/Matthias Bamert/ London Mozart Players, *Mathieu, Chostakovitch, Mendelssohn*

Prix OPUS, concert de l'année, Festival international de Lanaudière

Félix (ADISQ), catégorie Album instrumental de l'année, Alain Lefèvre, Composition, *Jardin d'images*

2009

Chevalier de l'Ordre national du Québec

Personnalité de l'année, catégorie Arts, lettres et spectacles, *La Presse*/Radio-Canada

Félix (ADISQ), catégorie Album classique de l'année, soliste et petit ensemble, Alain Lefèvre/David Lefèvre, *Mathieu Franck, Lekeu*

2008

Prix André Gagnon décerné par la Société professionnelle des auteurs et compositeurs du Québec (SPACQ) pour la composition

2007

Chevalier de l'Ordre de la Pléiade

Félix (ADISQ) catégorie Album classique de l'année, orchestre et grand ensemble, Alain Lefèvre/Matthias Bamert/Orchestre symphonique de Montréal, *Mathieu, Rachmaninov, Gershwin*

2006

Félix (ADISQ), catégorie Album instrumental de l'année, Compositions, *Fidèles insomnies*

2004

Félix (ADISQ), catégorie Album classique de l'année, orchestre et grand ensemble, Alain Lefèvre/Yoav Talmi, *Mathieu, Gershwin, Addinsel*

Classical Internet award, catégorie « Découvertes », Alain Lefèvre/ Orchestre symphonique de Québec/Yoav Talmi, *Mathieu, Gershwin, Addinsel*

2003

« Événement Télérama » (magazine) *ffff*, CD *Transcriptions de Liszt*

2002

Félix (ADISQ), catégorie Album classique de l'année, soliste et petit ensemble, Alain Lefèvre, *Rachmaninov, Moussorgski*

2001

Félix (ADISQ), catégorie Album classique de l'année, orchestre et grand ensemble, Alain Lefèvre/Jean-François Rivest/Orchestre symphonique de Laval, *Mozart*

1999

Honoré par le Conservatoire national d'Athènes, pour sa remarquable contribution musicale

1996

22 juillet 1996, proclamation du « Alain Lefèvre Day » par le maire de Santa Ana, Californie, en reconnaissance de son extraordinaire contribution artistique

1992

Mildred Dixon Holmes award pour la catégorie Artiste de l'année

1981

Lauréat (troisième prix) du Concours international Alfred Cortot à Milan.

1971

Premier prix au Concours de piano Heintzman, à l'âge de neuf ans

1970-1979

Récipiendaire à neuf reprises du premier prix au Concours de Musique du Canada

GEORGES NICHOLSON

17 septembre 1984. Premier contrat à Radio-Canada. Première émission, *Présent musique*. Décrété critique pour deux semaines seulement (je fustigeais certains concerts que Radio-Canada devait ensuite diffuser, c'était gênant), je couvre un premier événement : le concert d'ouverture de la 45ᵉ saison du McGill Chamber Orchestra avec, au pupitre, son fondateur, Alexander Brott, et un jeune soliste, inconnu : Alain Lefèvre. J'avais, en onde, haut et fort, chanté ses louanges...

Qui aujourd'hui peut se targuer d'avoir été là, au théâtre de la salle Maisonneuve, premier témoin, il y a déjà 28 ans ? Une amitié a accompagné toutes ces années, et, témoin je reste, de cette trajectoire, des choix d'Alain Lefèvre, de ses hauts et de ses bas, de ses combats intimes et de ses triomphes publics. Ce portrait n'est rien d'autre que le reflet de cette carrière et de cette vie.

On nous dit que tous les hommes naissent égaux ; nous pourrions ajouter, mais tous les hommes sont uniques et on pourrait conclure : certains plus que d'autres. Suivez mon regard !